D1011711

EAU DE CAFÉ

DU MÊME AUTEUR

En langue créole :

JIK DÈYÈ DO BONDYÉ, nouvelles, Éd. Grif An Tè, 1979.
JOU BARÉ, poèmes, Éd. Grif An Tè, 1981.
BITAKO-A, roman Éd. Gérec, 1985.
KÒD YANM, roman, Éd. KDP, 1986.
MARISOSÉ, roman, Éd. Presses Universitaires Créoles, 1987.

En langue française :

LE NÈGRE ET L'AMIRAL, roman, Grasset, 1988 (Prix Antigone).
ÉLOGE DE LA CRÉOLITÉ, essai, en collaboration, Gallimard, 1989.
« LETTRES CRÉOLES, essai, en collaboration, Hatier, 1991.
L'ALLÉE DES SOUPIRS, roman, Grasset (à paraître).

RAPHAËL CONFIANT

EAU DE CAFÉ

roman

BERNARD GRASSET
PARIS

A Manman Lily

« Et de la Mer elle-même il ne sera question, mais de son règne au cœur de l'homme »

Saint-John Perse
Vents

« Seul l'incompréhensible se prête bien aux mots »

Alain Bosquet,
Le Gardien des rosées

Premier cercle

Au commencement – c'est-à-dire depuis ce temps de l'antan où les chiens jappaient par la queue – il y a le bourg de Grand-Anse qui tourne le dos à l'Atlantique avec une ostentation minutieuse, presque névrotique, préférant se cacher la tête dans la touffeur des mornes et respirer l'air du Volcan, là-bas, tout aux confins du Nord.

L'ordre des désirs y est aussi immuable que celui des jours. Nul ne cherche à comprendre. Alors chacun se réfugie dans la parole car elle n'a pas de chair et efface d'elle-même ses empreintes, et, surtout, elle seule peut rivaliser de ténacité avec les rouleaux blancs déferlant depuis Miquelon...

1

LES TROIS MORTS D'ANTILIA

Or donc Antilia s'en alla comme elle était venue : sans une once de malpatience. Marraine, contre qui elle aimait se pelotonner à longueur de nuit, fut réveillée à l'approche du devant-jour par un raclement inhabituel de la marée.

« On aurait juré le ventre d'une négresse qui peine à mettre bas, affirma-t-elle, il n'y avait pourtant pas de lames mais l'écale de la mer fut brusquement bombée par des hoquets frénétiques... Je suis restée un bon paquet de temps à observer tout cela malgré le vent de sable qui ruadait à la fenêtre et quand je suis retournée à ma couche, la petite était devenue froide-froide-froide comme qui dirait une roche de rivière... »

Eau de Café s'écarta un peu de ce corps déserté par la vie et attendit que le bourg frémille avant de laisser éclater ses sanglots. Elle m'envoya quérir le prêtre qui inventa des prétextes les plus extravagants pour n'avoir pas à se compromettre avec des nègres qui avaient négligé de façon si délibérée ses rappels à l'ordre. Après quoi, elle me dépêcha à la mairie afin d'en avertir le secrétaire, un mulâtre ventripotent et barbichu, fort satisfait de sa personne, qui esquissa une moue gênée et me demanda de repasser au finissement de la matinée. Nous étions seuls. Ensouchés dans une solitude sans limites.

Mesurant notre détresse (ou quel que soit le nom que l'on

pût bailler à ce sentiment de vide qui s'engouffrait dans la calebasse de nos têtes), le menuisier, notre voisin immédiat, accepta de sortir de la réserve bougonne qu'il manifestait depuis que nous hébergions « cette fillette du Diable » et entreprit de lui tailler un beau cercueil dans du bois de poirier-pays, l'un des plus précieux qu'on possédât à l'époque. D'ordinaire, on en faisait des berceaux pour les fils aînés des familles de haut parage. Je l'aidai à équarrir les planches, qui avaient la dureté du fer.

« Avec ce bois-là, mon garçon, prétendait-il, ces saloperies de vers de terre devront espérer cent vingt ans au moins avant de pouvoir se nourrir de ses os. »

Depuis qu'il avait la certitude qu'Antilia ne pourrait jamais plus poser sur lui ses regards de papillon sombre, il lui prodiguait une espèce de tendresse fébrile. Il disait : « la demoiselle d'Eau de Café », « votre oiseau-mouche », « cette flèche de canne qui scintillait dans la savane » et tout un lot de qualificatifs doucereux, cela avec une application tranquille car de son temps, nulle tâche ne pouvait s'accomplir sans soliloque.

A l'étage, Eau de Café préparait l'eau qui servirait à propreter la défunte. Elle mélangeait des feuilles de diapanna et de gros thym à de l'huile d'une lampe éternelle qui brûlait sous le portrait de saint Martin de Porès, dans un recoin de sa chambre. Elle chantonnait quelque chose qui ressemblait vaguement aux borborygmes des nègres-Congo et dont le sens devait à coup sûr lui échapper. Agacée par ma curiosité, elle m'ordonna de cirer le plancher jusque sous le lit où reposait Antilia. Bien qu'il fût aux approchants de onze heures du matin, il régnait une fraîcheur glacée dans la chambre dont les volets donnant sur la mer avaient été grand ouverts. De temps à autre, la fillette se dressait sur son linceul et allait s'accouder avec majesté à l'un d'eux. Marraine murmurait en créole :

« Filleule, tu n'as nul besoin de regretter cette vie-là. Tu n'en as nul besoin, vraiment... »

Et de la ramener avec fermeté à sa place en lui fermant les yeux. Dehors, la mer s'était affublée d'un masque haineux, plus haineux qu'à la saison des cyclones, et quand l'on sut dans le bourg qu'Antilia avait trépassé, on devina quelque relation entre les deux phénomènes. Les gens de céans saisissent le plus ténu avec les seules frissonnades qui leur parcourent soudainement le dos et qu'ils ont coutume de conjurer en avalant d'une traite un plein verre de rhum sec.

La négraille entreprit de se rassembler sur le pas de notre porte. Elle colla des mots bout à bout pour former une raconterie délirante qui tordait les figures les plus amènes. Marraine loqueta avec soin l'entrée, pressentant l'imminence d'un danger. Abandonnant un instant son ouvrage, le menuisier fit mine de menacer l'attroupement avec sa scie égoïne mais il n'effraya que deux ou trois marmailles qui voltigeaient déjà des roches aller-pour-virer sur le toit de notre demeure. A deux heures de l'après-midi, le docteur vint constater le décès, sans doute sur l'injonction du secrétaire de mairie ou alors du maire lui-même, une sorte de Mussolinicule dont la principale, sinon l'unique préoccupation avait toujours été les défilés et kermesses patriotiques. Le docteur hochait le chef tout en remplissant d'un air dubitatif sa paperasse. S'arrêtant après chaque phrase, le teint terreux, il nous dévisageait avec une fixité du plus haut comique, puis se tournait vers Antilia. Toutefois, il ne posa aucune question. Il fit Marraine contresigner un document et s'esquiva comme un bougre qui venait de faire une terrible rencontre. Son émoi mit la foule hors d'elle et les coups de jurons fusèrent :

« Eau de Café, négresse descendue de la campagne, tu n'es foutre pas vierge du tout et feu ta protégée n'est point un être de chair et de sang ! »

Seule ma chétive personne était, de manière tout à fait inconcevable, épargnée alors qu'en final de compte, j'étais aussi responsable que Marraine. Me pardonnait-on parce qu'on pressentait derrière cette histoire quelque malignerie de femelles ? En tout cas, Antilia n'eut pas droit à un enterrement grandiose à l'église. Le prêtre en fit clore les portes pour qu'on n'eût pas à le supplier de commettre une telle profanation. D'ailleurs, le bourg entier le lui aurait interdit. Des matrones hystériques, menées par Man Léonce, tapaient du poing contre le bois vermoulu de notre devanture; des hommes aiguisaient leur coutelas à tout hasard, murés dans une impitoyable impassibilité. Une vieillarde en haillons répugnants hurlait :

« Allez-vous-en avec votre bête maléfique! Partez loin de Grand-Anse avec la maudition que vous y avez entretenue exprès pour nous apporter de la déveine! »

« Qui pouvait-eulle bien êutre, ceutte peutite morte? » lui fit en écho Honorat Congo, notre coiffeur, à l'accent d'En France.

« Ça doit être une fille cachée de Myrtha », hasarda quelqu'un.

« Pff! Myrtha, cette salope-vagabonde qui offre sa croupière à toutes les mains, mais elle est plus bréhaigne qu'un papayer-mâle, mon cher! » décréta la vieillarde.

Le menuisier, ayant terminé le cercueil, m'appela pour l'enduire vitement-pressé d'une couche de vernis et conseilla à Eau de Café d'amarrer ses paquets et de s'escamper par la porte qui faisait face à la mer, celle qu'on n'ouvrait jamais parce qu'on n'avait rien à faire de ce côté-là. Elle maugréa en continuant à lustrer avec soin la peau d'Antilia à l'aide de sa curieuse mixture jaunâtre. Elle lui prenait le bras, les poignets, les chevilles, la nuque et opérait un lent va-et-vient qu'accompagnait sa lancinante incantation. Chaque goutte était à nouveau recueillie dans un bol et, à ma sérénissime surprise, le liquide devenait d'une pureté cristalline, presque nacrée par endroits.

« On aurait juré des écailles de poisson », telle fut la première explication qui me vint à l'esprit.

Puis Antilia me couvrit d'un regard attendri, un sourire de bisque-en-coin aux lèvres. A mesure que la mort accomplissait son odieuse besogne, sa figure redevenait peu à peu celle de l'ange que nous avions sauvé de l'abandon il y avait fort longtemps de cela.

« Ils ne veulent pas te bailler ta paix, s'inquiétait Eau de Café devant les bruits sourds qui provenaient du seuil. Mais qu'est-ce que tu leur as fait, hein? On pourrait croire que tu as mangé le cabri de leurs noces, ma petite négresse chérie. »

Le pillage de notre boutique avait commencé. Sacs de farine-France et de pois rouges, caisses de morue salée de

Norvège, barils de viande de cochon, boîtes de beurre rouge en fer-blanc, bouteilles de tafia et de vin, tout cela était éventré et charroyé par la gueusaille dans un grouillis d'exclamations, de cris, de jurons insouffrables et même de coups de poing. Un des excités se souvint que nous possédions un dépôt juste derrière la boutique et, là encore, ce fut un véritable barouf sous l'œil mi-complice mi-impuissant des gendarmes à cheval. Au bas de la Rue-Devant, le Syrien, prudent, baissa les grilles de son magasin à l'enseigne du « Palais d'Orient ».

Sa toilette achevée, Antilia se passa du ricin dans les cheveux, se vêtit complètement et s'allongea dans son cercueil en souriant. Ensuite sa bouche fardée déclara :

« Chacun de mes rêves m'est tourment. Je vois tourner-virer des vagues, plus enragées qu'une cavalcade de zombis en partance pour les croisées, les cimetières ou les bals-malzoreille. J'entends des mots inconnus venir-monter-descendre sans que je comprenne pourquoi le monde va au désastre. Vous le savez, vous ? »

Un vent violent accourut du miquelon de la mer et secoua toute la maison, interrompant d'un seul coup le déchaînement populaire. Le cercueil s'envola par la porte qui donnait sur le large, comme aspiré par une gorge immense et invisible mais au lieu de s'enfoncer dans les flots, il repartit vers les hauteurs avoisinantes, royaume des icaquiers et des fougères arborescentes. Eau de Café fut prise de fou rire et pissa sur elle, toute debout, sa gaule ballottant doucement sur ses jambes maigrichonnes. Elle s'était transformée en un redoutable coq de combat de race calabraille qui fondit sur la foule qu'elle mit en déroute, lacérant les visages de son bec et plantant ses ergots dans le plat des mains.

« Retiens bien le chiffre d'aujourd'hui, me lança-t-elle en se posant sur mes épaules en proie à la tremblade, le 12 janvier 1955, j'ai vaincu le mal. Je l'ai vaincu ! »

Sur le buffet, le calendrier « Rhum Courville » indiquait bien cette date. Croyez-moi, c'est la franche vérité...

Autre version dont Radio-bois-patate, notre rumeur populaire, est friande : la tourmente s'annonça par un soudain et terrifiant silence qui enveloppa le bourg de Grand-Anse à neuf heures du matin. On se surprit à écouter quelque chose qui tardait à se manifester mais dont on ressentait la présence dans l'étrange lenteur de nos gestes. Chacun se mesurait du grain de l'œil pour savoir si l'autre avait deviné : celui qui battrait ses poils d'yeux le premier avait perdu et devrait aller se terrer chez lui de honte et de colère mêlées. Les mères faisaient avec précipitation le compte de leur marmaille, les boutiquières clouaient des planches à leur devanture. Bogino, le fou dans le mitan de la tête, arpentait seul les ruelles soudain inanimées qui menaient toutes à la Rue-Derrière, faisant des gestes lourds de menace à l'endroit de cette force mystérieuse qui était sur le point de nous cerner, se gaussant des émois qu'il surprenait par les persiennes des maisons cossues.

La mer s'était comme rétractée sur sa propre masse, léchant la noirceur du sable avec une rage qu'on devinait difficile à contenir. Au promontoire de La Crabière, les raisiniers semblaient torturés dans leur écorce cinquantenaire par « la rancœur du vent » m'assurait Eau de Café qui, agenouillée avec Antilia, égrenait un chapelet-rosaire. La petite fille s'était métamorphosée en quelques heures : elle était devenue femme. Une femme aux seins plantureux, à la peau couleur de vanille, qui se nattait les cheveux d'un air provocant.

« A-t-elle parlé ? demandai-je à Marraine.

– Comment ça parlé ? Pourquoi voudrais-tu que ça soit aujourd'hui qu'elle le fasse ? Antilia retrouvera la mémoire quand cela sera nécessaire. Il n'est pas dit que cette maudition que nous a léguée ma mère nous poursuivra jusqu'à la fin des temps. »

Depuis qu'un troisième carême s'était écoulé et que la fille trouvée avait pris possession de notre vie, les gens s'étaient écartés de nous faute d'avoir pu découvrir le pourquoi et le comment de sa venue à Grand-Anse. Madame Léonce, la boulangère, cessa de nous faire crédit, persuadée qu'elle était qu'un jour ou l'autre nous paierions notre témérité. Le monde autour de nous n'avait point tort.

A l'approche de midi, toute allée et venue avait cessé et une pluie fifina sur le bourg, laissant dans l'air une senteur douce-amère qui angoissa Eau de Café. Pour se calmer, elle entreprit de cirer son grand buffet en bois de merisier surchargé de plats en cristal, de statuettes de mauvais goût, de portraits de famille et de napperons brodés. Antilia avait entrouvert la fenêtre qui donnait sur la mer et se tenait roide, le regard rivé au lointain, un vague sourire aux lèvres. Un immense grondement à demi étouffé parcourait le basventre des eaux qui avaient pris une teinte grisâtre peu habituelle. Je m'approchai d'elle et tentai de lui prendre la main. Ses doigts étaient froids à vous brûler presque.

« Antilia... » commençai-je.

Elle ne se retourna pas. Sa taille était maintenant deux fois supérieure à la mienne, atteignant presque celle de Marraine. Cette dernière, de peur qu'on ne s'aperçoive de cette étrangeté, avait fermé sa porte à clef et m'avait ordonné de demeurer à l'étage. Quand les premiers vents annonciateurs de la tourmente entreprirent de racler la tôle des toits, Marraine poussa un cri de chat-pouchine et me pressa contre elle. Son cœur résonnait avec sauvagerie à mes oreilles.

« N'aie pas peur, répétait-elle, ce cyclone-là ne sera pas méchant... »

La sirène hulula, interminable, avec des modulations cahotiques qui étaient sans doute l'œuvre des vents.

« Ferme la fenêtre, doudou-chérie » murmura Eau de Café à la jeune femme avec timidité.

Les embruns pénétraient par tourbillons dans la chambre, nous fouettant les yeux et embuant les vitres de l'armoire. Un goût de sel affleura à nos lèvres serrées. La jeune femme ne se départit pas de son immobilité sauf pour, de temps à autre, se rabattre la chevelure en arrière. La Rue-Devant était à présent désertée et la toiture de l'église bringuebalait de façon sinistre. Soudain, Antilia éclata de rire et la maison en fut secouée comme s'il s'était agi d'un tremblement de terre. Les tableaux se détachèrent des cloisons, les verres du buffet se brisèrent les uns contre les autres et les pieds du lit à colonnes bamboulèrent.

« Antilia, reprit Eau de Café, on n'est qu'une pauvre compagnie de nègres sans aveu dans ce pays-là. Ce n'est pas de notre faute : on a trouvé le monde avec les pieds à la place de la tête et on n'a pas eu la force suffisante pour changer ça... épargne-les ! Ils ne sont pas vraiment engoncés dans la méchanceté noire, ils font du tort sans mesurer le poids du mal et celui du bien. C'est moi qui te le demande, chérie... »

Soudain : la pluie. Une multitude de pluies toutes plus violentes les unes que les autres, étonnamment bruyantes, incroyablement drues, martelant les fragiles remparts des maisons. Puis des craquements et des effondrements échelonnés selon une précision déroutante. Antilia déchira sa gaule de coton blanc et l'envoya valser dans le vent en s'esclaffant de plus belle. Son rire ensemença le roulement du tonnerre et des éclairs écarlates jaillirent de ses prunelles exorbitées. Eau de Café se cacha la tête dans son édredon et me couvrit de tout son corps.

« Je suis venue de nulle part, cria la jeune femme de sa voix rare, c'est-à-dire de céans, d'ici même...

– Paix là ! » lança Eau de Café, de plus en plus terrorisée.

Antilia continua, prétendant que le cyclone était la punition annuelle du nègre. Les grands vents venus de l'au-delà de la mer avaient pour mission de laver leurs salissures d'âme, d'emporter à la fois leurs excréments et leurs jardins créoles. Le cyclone mettait le nègre à nu pour qu'il se voie dans sa solitude vraie et cesse de s'inventer des histoires à dormir debout. Et pour une fois, il se tait, il se tient coi dans le craquèlement incessant des tôles de sa case, il ne joue plus au major, au fanfaron, il demande pardon à l'Éternel, à la Vierge Marie, aux dieux de la Guinée, à la déesse indienne Mariémen. Il chigne dans ses paumes fripées par la déveine, il claque des dents, il frissonne.

« Le nègre de ce pays a tourné le dos à la dignité, hurla Antilia, perchée nue sur le rebord de la fenêtre, il ne révère plus que la caponnerie et l'oisiveté, les quatre cents coups et la fornication effrénée. Le temps de payer est venu. »

Et le grand oiseau jaune-abricot s'envola dans le giron de

la tourmente d'un seul battement d'aile majestueux, nous laissant, Marraine et moi, étourdis d'effroi...

Selon une autre parole, Antilia fut décrétée folle et la populace exigea son internement immédiat à l'hôpital psychiatrique de Colson. Le monde guetta une soudaine entrebâillure du ciel pour déployer l'impensable de sa joie et les chemins de pierre devinrent la proie d'une quantité innumérable de nègres exaltés, de bougresses et de marmailles prêts à brigander. Seuls les vieux-corps à la parole aussi dure que l'écorce du mahogany qui a crû dans l'antre des forêts inviolées, seules leurs bouches édentées bougonnaient quelque désapprobation, vite muée en hoquets sibyllins.

« Trop de paroles n'est pas bon à dire », concluait-on ici et là.

Un siècle de temps après ces événements (ce qui équivaut à environ vingt ans en langage de Blanc-France), je décide d'interroger les miens. L'Océanic-Hôtel est peut-être l'endroit le plus neutre où je puis m'acclienter avec mes piles de cahiers vierges, d'autant que le taxi-pays, le « Golem », m'y a déposé d'autorité...

2

LES TROIS AMOURS D'ANTILIA

Eau de Café qui ne s'était rendue qu'une fois dans sa vie à la salle paroissiale de Grand-Anse pour assister à une séance de cinéma (on y joua *Sissi* des mois durant à la demande du même public) avait une expression fort jolie pour désigner l'amour à la manière des Blancs : « confiture de crachats », décréta-t-elle, se taillant aussitôt une immense popularité auprès de la négraille qu'offusquait une telle pratique. En effet, ces acteurs-là, aussi resplendissants fussent-ils, ne pratiquaient aucune de nos trois techniques d'approche amoureuse. Ils se contentaient de discourir comme des crécelles du vendredi saint jusqu'à ce que, subitement nous semblait-il, le héros se plante devant l'élue de son cœur, lui darde le bleu de ses yeux dans les siens et s'en approche avec une lenteur calculée, le tout se concluant par une succion mutuelle de leurs langues. Thimoléon, qui avait connu l'époque du cinéma muet, affirmait à qui voulait l'entendre, surtout quand on avait eu l'amabilité de lui payer un verre de rhum :

« Messieurs et dames de la compagnie, le Blanc sera toujours en avance sur le nègre car il n'a pas besoin de se déshabiller pour faire l'amour, foutre! »

Si l'on s'en étonnait, il vous citait de mémoire tout un lot de titres de films des années 30 à nos jours, alignait d'impressionnantes listes d'acteurs et d'« acteuses » au nom le plus souvent américain afin de vous démontrer qu'il n'y en avait pas un seul dans lequel des corps nus se vautraient l'un dans l'autre.

« Ça c'est façon de nègre! » concluait-il, péremptoire.

Sa savantise étant tellement grande en matière cinématographique et notre connaissance des Blancs se résumant aux quatre gendarmes de Grand-Anse dont les épouses ne sortaient presque jamais de leur caserne, beaucoup d'entre nous finirent par croire que les Blancs fabriquaient leurs enfants à l'aide de leur langue et d'elle seule. Antilia qui ne voulait porter que des robes-France, des chaussures-France, des anneaux-France, du vernis à ongles-France décréta à tous ses soupirants (et ces bougres-là formaient un sacré paquet, croyez-le!) qu'elle ne céderait qu'à celui qui se prêterait à l'amour-France.

« L'amour-France, un point c'est tout! » répondait-elle sèchement au principal d'entre eux, le demi-Syrien Ali Tanin, auquel son père avait légué un magasin de toilerie et de quincaille au bas de la Rue-Devant.

Tout le monde pariait sur lui vu qu'en sveltesse, prestance et beau parler, il surclassait de loin les petits couillons qui n'avaient jamais quitté, hormis de brefs passages dans quelque commune avoisinante, le bourg et les campagnes de Grand-Anse. Lui, il avait voyagé dans de mystérieuses contrées levantines avec son père d'où ce dernier ramenait des tissus si doux au toucher et si émouvants au regarder que son étal ne désemplissait pas. On ne lui faisait qu'un seul grief : celui d'ignorer sa vieille négresse de mère qui gîtait dans une case délabrée du quartier En Chéneaux. C'était pitié de la voir arpenter le trottoir qui faisait face au Palais d'Orient, en quête d'un éventuel regard, peut-être d'un sourire, par miracle d'un petit morceau de parole de la part de son ancien mari ou de son fils. Elle avançait nu-pieds, avec toute la lourdeur conférée par l'éléphantiasis qui lui rongeait la jambe gauche, sa robe moult fois rapiécée laissant voir par endroits sa peau fripée.

« Nul ne sait ce que cette bougresse-là a pu commettre comme mauvaiseté, alors ne la plaignez pas trop vite », sentenciait Eau de Café qui l'attendait de pied ferme derrière le comptoir de sa boutique où elle s'entêtait à vouloir quémander une demi-livre de viande salée.

Personne toutefois ne reprochait à Ali Tanin d'être le collectionneur le plus invétéré de mamzelles de tout le nord du pays puisqu'il était craint de la presqu'île de Tartane à Grand-Rivière et s'en vantait en plus. Les après-midi de carême, quand la chaleur se faisait un devoir de vous engourdir la cervelle et que les désœuvrés cherchaient l'ombre d'un pan de mur pour faire une pause-tête ou jouer mollement aux dominos, Ali Tanin, toujours impeccablement vêtu d'une chemise en soie, tantôt verte tantôt noire, venait rendre compte en public de l'avancement de ses conquêtes. Il les notait sur un carnet qu'il cachait dans son portefeuille et, devant les nègres ébahis, déclinait les avantages de maintes jeunes filles à qui on aurait baillé le Bondieu sans confession. C'est pourquoi il fut surpris de n'obtenir aucune réaction lorsqu'il avait lancé d'une voix triomphante : « Cécilia Lafontant a passé à la casserole avant-hier soir dans ma voiture même, messieurs. Hier, à midi, j'ai attrapé Virginie Saint-Laurent qui allait laver un ballot de linge à la rivière. »

Ils avaient coutume de béer d'admiration devant de tels exploits, Dachine, l'éboueur municipal auquel sa taille plus que minuscule interdisait tout succès amoureux, lui demandant même :

« Hé! Mon bougre! Quand tu tiendras ces filles, bailleleur quelques bons coups de reins de ma part aussi! »

Pour la première fois, la péroraison du bâtard-Syrien ne recueillit qu'un silence goguenard. Alors qu'il chassait les gamins tels que moi qui tentaient de grapiller des morceaux de ses plaidoiries, il demeura planté là, plus raide qu'un bœuf qui venait de boire de l'eau frette, insensible à la sueur qui lui dessinait des ronds aux aisselles. L'enjôleur demeura debout en plein soleil tant que quelqu'un ne prit pas sur lui de le tirer de son insolite garde-à-vous en lui hélant :

« Tout ça, c'est très beau! Bravo, monsieur Ali Tanin, vous êtes un maître-coqueur, toutes les poules et poulettes des alentours craignent vos ergots, mais pourquoi vous ne vous êtes-vous jamais attaqué à Antilia, hein? »

« Antilia, la jeune fille qui vit chez Eau de Café », précisa avec une ironie appuyée un autre.

« Antilia, tu vois de qui on veut parler, mon cher, celle dont la belleté fait écarquiller les yeux des abbés eux-mêmes. »

Ali Tanin ressemblait à un combattant qui venait de recevoir un coup dans le dos au moment où il s'apprêtait à ajuster son arme. Ses lèvres montaient-descendaient, perlées de gouttes de sueur, et les feuilles de son carnet se froissaient sous ses doigts dont plusieurs étaient bagués (certains prétendaient que la pierre jaune qu'il arborait au petit doigt était un sésame qui lui ouvrait les cuisses les plus rétives).

« La... la... la négresse qui... qui ne parle pas ? fit-il.

– Ne fais pas semblant de ne pas l'avoir remarquée ! C'est chez Eau de Café que tu achètes tes cigarettes, fit remarquer un joueur de dominos, et ce n'est pas parce qu'elle jacasse pas comme les capistrelles que tu fréquentes qu'Antilia est muette pour autant.

– Mais qui d'entre vous sait d'où elle vient cette femelle ? Ce petit garçon-là, c'est bien le neveu d'Eau de Café, hein ? Demandez-lui s'il le sait, se reprit Ali Tanin.

– Ne mêle pas la marmaille aux affaires des grandes personnes, s'interposa, à mon grand soulagement, Dachine. Si tu es si fort que ça, montre-le-nous de suite en charmant Antilia ! Charme-la, mon vieux, et je serai le premier à courir le monde pour vantardiser sur tes conquêtes. »

On vit le bâtard-Syrien, perplexe et déconfit à la fois, se retirer à reculons du groupe d'amateurs de dominos, fixer le bitume ruisselant de chaleur avec obstination et soudain presser le pas jusqu'à son magasin d'où il ne sortit pas pendant quinze bons jours. Les muscadins de deuxième catégorie, les bêtiseurs et autres manieurs de phrases ampoulées apprises par cœur dans quelque roman-photo retrouvèrent leur superbe. Alors qu'une règle admise par tous voulait qu'on n'attaquât point une fille qu'Ali n'ait déjà eue à trois reprises dans ses bras (après cela, il les abandonnait à leur sort), le bourg fut envahi à la brune du soir par des cohortes de gandins sortis de Macédoine, de Vivée, de Morne Céron, voire même de Basse-Pointe, à la recherche de chair fraîche, et il faut bien avouer que ces dames ne demandaient pas mieux. Ce manège ne dura pas car il en allait de l'honneur d'Ali Tanin et tout un chacun ici sait de quel poids pèse ce mot dans la bouche d'un Syrien, le fût-il à moitié. Si bien que notre homme se résolut à affronter l'intouchée, la négresse venue d'ailleurs, celle qui n'ouvrait la bouche qu'avec rareté, cette Antilia contre laquelle bon nombre de gens nourrissaient une méfiance d'année en année plus puissante sans que jamais ils puissent en expliquer la cause.

Ali Tanin se vêtit donc pour la première fois d'une chemise rouge-sang, s'amarra un foulard de cow-boy autour du cou et se dirigea d'un pas martial vers la boutique d'Eau de Café. La nouvelle poudroya dans le bourg, rameutant les mères-maquerelles à leurs fenêtres, les fainéantiseurs et autres gratteurs de chiques. Ali Tanin franchit le pas de la porte la tête haute et fit sa déclaration :

« Mademoiselle, depuis le temps que mon cœur saigne de cette couronne d'épines qu'est l'amour, je ne mange plus, je ne bois plus, je ne dors plus, je ne vois que vous. Consentez à me suivre et je vous promets qu'il n'y aura pas de limites à la doucine de mes mains sur votre peau lorsque nos deux corps n'en feront qu'un. »

Une salve d'applaudissements accueillit cette envolée lyrique car les nègres, tout grands amateurs de tafia qu'ils soient, savent mieux que quiconque apprécier les vertus du beau français et c'est à se demander s'ils n'avaient pas lancé ce défi au bâtard-Syrien dans l'unique but de le voir déclamer en public ses phrases enchanteresses. Puis un silence occupa tout une charge de temps. Chacun regarda chacun. Ali Tanin fixait de ses yeux clairs la servante d'Eau de Café. Nul n'entendait plus le grondement infernal de la mer de Grand-Anse. En final de compte, Antilia se dérida et déclara :

« Je ne veux que l'amour-France. »

Et de se retirer dans l'arrière-boutique comme quelqu'un qui avait été inutilement distrait d'une tâche très importante. Le soir même, Ali Tanin descendit de son piédestal et se promena en short kaki, parlant en créole grossier avec le monde et buvant au goulot un reste de bière en grande amicalité avec la pire truandaille de notre bourg. Une fois saoul, il se mit à chantonner, imitant la voix de Tino Rossi :

« L'amou-ou-our Fran-an-an-ce ! »

« Ali Tanin est un homme fini, avait assuré Thimoléon, le menuisier. Fini comme ça s'écrit. Ne vous étonnez pas qu'il aille habiter avec sa mère dans le parc à cochons qu'elle a transformé en maison ! »

Avant de toucher le fond, le maître-coqueur qui arraisonnait les négresses les plus entêtées en six-quatre-deux (et parfois s'en vantait-il, en un simple battement d'yeux) se résigna à faire l'expérience d'une de nos plus vieilles méthodes de cour : la « coulée ». Cela demandait un art de la feinte, une capacité à se mouvoir sans provoquer de déplacement d'air tout en affirmant sa présence qui, en fait, dépassait de beaucoup les supposés dons naturels d'Ali Tanin. Aussi quand nous le vîmes poser son précieux séant sur le rebord du muret qui soutenait l'emprise de la boutique d'Eau de Café, chacun se mit à observer les mouvements de corps et surtout de bouche de l'amoureux transi. D'abord et pour commencer, monsieur avait brocanté ses tenues voyantes contre une modeste chemisette très haut boutonnée à la manière des adventistes. Un chapeau quelconque lui couvrait le devant du crâne, masquant la lueur ordinairement ironique de son regard. Un pied replié sur le ventre, l'autre pendouillant le long du muret, Ali Tanin murmurait à Antilia :

« J'ai nourri, au décours de mes nuits les plus échevelées, le rêve que nous irions, vous et moi, guetter l'envol de septembre au fronton de La Crabière, promontoire redouté de tous. Lors du dernier dimanche de la fête du bourg, quand le monde rangerait avec nostalgie les verres à tafia dans les paillotes éclairées à la lampe Coleman, nous attendrions la dernière petite marmaille occupée à douciner le dernier rond de manège de chevaux de bois. Le tambourier, fronçant la toison de ses sourcils, bougonnerait tout en cognant d'un tempo machinal la peau de cabri :

« “ Tibolonm, banbôch bout ! ” (Enfant, la fête est close !)

« Puis le carrousel solitaire des chevaux roses, bleus et jaunes (couleurs du rite, oui) s'effriterait dans un amas de silence. Grand-Anse redeviendrait deux rues : la Grand-Rue d'où l'on espère le passage plein de ballant des camions chargés à ras bord de canne et la Rue-Derrière où les familles qui ont de la respectation supputent les alliances matrimoniales de l'année à venir. Seule la mer, manman rageuse, rétablirait ce vacarme très supportable qui charpente chacun de nos gestes depuis l'époque où le Diable lui-même était dans sa prime enfance. Elle tisse nos pensées d'écume moirée et c'est pourquoi nos dires les plus infimes semblent des plaidoiries empreintes d'une si redoutable belleté. Pourtant, on lui tourne le dos, foutre! On injurie toute sa génération en oubliant que celle-ci comprend Dieu le Père en personne. Sacrilège! Sacrilège! Mais quand le malcaduc saccade la raison d'un nègre de céans, qui est le premier à courir au bordage de la mer pour rouler le corps du malheureux dans les flots du devant-jour? Qui éructe, les bras pressés sur la poitrine :

« " Mer de Grand-Anse, immacule pour moi cette âme que le péché a salie! Démarre ses pieds de la déveine folle! "

« Jeune femme, consentez à me suivre et l'univers entier vous appartiendra. »

Pour toute réponse, il reçut des éclaboussures d'eau savonneuse d'Antilia qui profita du moment où il jargouinait pour feindre de récurer la devanture de la boutique. Nous étions, les négrillons, subjugués par les propos incompréhensibles du bâtard-Syrien. Tout de suite après sa déclamation, il faisait des mimiques de baisers et de caresses à notre servante, jouait de ses mains pour dessiner dans le vide des attouchements sublimes, mais la câpresse n'en avait cure et s'en allait avec la même douceur féline. Pendant un temps que je jugeai interminable mais qu'aujourd'hui j'estime avoir duré quatre jours et trois nuits, Ali Tanin vint faire sa « coulée » à Antilia. Sa figure s'était faite un masque de gravité et, suivant en cela la croyance têtue des Grand-Ansois, il mêlait la personne d'Antilia à celle de la mer, cette mer qu'on nous enseignait à haïr dès que nous avions cessé de téter le sein maternel.

Devant son échec patent, un homme étonnant prit la relève. Il avait pour titre Julien Thémistocle et, selon les jours, paraissait vingt ans de plus ou vingt ans de moins que son âge réel. Il m'arrivait parfois de ne pas le reconnaître, surtout en ses périodes de soudaine jouvence. Rides et cicatrices cessaient de creuser ses joues, sa démarche devenait plus fringante et d'ailleurs, même sans le rencontrer, j'avais connaissance de sa métamorphose rien qu'à découvrir les traits encolérés d'Eau de Café. Il me semblait que Julien et elle ne brocantaient plus un seul mot depuis que j'étais en âge de comprendre le monde mais elle lui faisait parvenir des victuailles en secret par une de ses clientes de Morne Capot, fin fond de campagne où le bougre continuait, à en croire les malparlants, à apprivoiser les serpents-fers-de-lance à l'instar de son grand-père. Nous sûmes d'emblée que Julien Thémistocle avait décidé d'employer notre deuxième manière de cour : la « zaille ». Au contraire de la coulée, il fallait donner d'incessants coups de bec à droite et à gauche en utilisant tous les moyens possibles et imaginables. Il prit donc d'assaut la boutique d'Eau de Café qui se réfugia à l'étage tout le temps que se prolongea ce qu'elle jugeait être une infamie. Elle qui chassait à coups de balai-zo les importuns, qui houspillait les petits ma-commères empommadés qui s'évertuaient à faire des ronds de jambe devant Antilia, qui dévidait des pots de chambre pleins de pissat sur les bailleurs de sérénade, avait cette fois-ci pris le parti de se cloîtrer au grand dam de la populace qui avait soif (et ne s'en cachait pas) d'une affrontaille entre « ce beau morceau de nègre de Julien Thémistocle » et « la séancière des Blancs créoles ».

Dit Julien Thémistocle sous la fenêtre de notre boutique à Antilia accoudée au comptoir :

« Suivez-moi, jeune femme, et en haut de la pointe la plus extrême du promontoire, celle où jamais aucun nègre de Grand-Anse ne s'est rendu, nous ébaucherions, hors de toute fantaisie minaudière, une fusion de nos corps à même la roche et sa si froide épure. Je tenterais de découvrir votre secret à vous, Antilia, dans les sillons parfumés de vos aisselles. Je boirais le sel de votre sueur au goût de rhum-paille et ne ferais qu'une seule happée de votre coucoune. J'épuiserais la fièvre de ma bouche contre l'arrondi de vos bras puis de vos jambes et vous, hiératique, vous me laisseriez perdre ainsi mon être dans la forcènerie de tous mes sens. Car mes oreilles entendraient battre le fil de votre cœur, à l'endroit exact où palpite toute vie, mes yeux exploreraient au-dedans des vôtres des paysages empreints tout à la fois d'étourdition et de bonté. Je me rirais des affabulations des chabins de Macédoine qui affirment qu'en vous se cache la Diablesse. Je me gausserais de la mauvaiseté des nègres-gros-sirop de Morne Céron qui, chaque fois qu'ils viennent brocanter leurs ignames contre une chopine d'huile ou un quart de morue salée à la boutique d'Eau de Café, vous adressent des imprécations d'exorciste entre leurs dents bâillonnées. Quant aux Indiens qui se terrent à l'en-bas de Moulin-l'Étang, tout le monde sait qu'ils supplient leur dieu Maldévilin de faire tomber vos cheveux du jour au lendemain pour qu'on découvre sur votre crâne-coco-sec l'explication de votre soudaine irruption parmi nous. Il n'y a guère que les Grands Blancs pour hausser les épaules, trop occupés qu'ils sont à pocharder et à paillarder, manière pour eux d'oublier les déconvenues que le siècle nouveau leur a baillées en guise de cadeau. Suivez-moi, je vous en prie. »

Antilia ne réagit point aux allusions du nègre-marron. Pourtant, nous l'avions surprise dans sa posture habituelle d'admiration (le plat de ses mains accolé à ses oreilles) le jour où Julien Thémistocle avait bravadé devant une paire de gendarmes blancs qui tentaient de le menotter pour une sombre affaire de vol de bœufs :

« Je suis un nègre-marron. Le dernier descendant des nègres-marrons qui vous ont fait manger votre âme en salade dans les bois du Morne Jacob. Celui qui pose ses pattes blêmes sur moi est mort dans l'instant même ! »

La maréchaussée, intimidée, avait battu en retraite et l'homme Thémistocle était venu grossir la galerie de nos héros populaires, encore que maintes femmes lui gardassent une rancune qu'elles se refusaient à justifier. Ainsi donc la « zaille » du rebelle glissa sur Antilia comme l'eau pure du matin sur une feuille de chou-caraïbe. Émilien Bérard, le jeune instituteur auquel personne n'avait jamais connu la moindre aventure féminine et dont les verres des lunettes s'épaississaient d'année en année à cause de sa passion des livres, crut son heure venue. Ni la coulée ni la zaille n'étaient son fort. Nos mœurs créoles ne lui laissaient que le rôle du m'en-fous-ben, technique consistant à feindre l'indifférence totale envers l'objet de son désir, à s'en détourner avec ostentation dès qu'il se trouvait dans les parages et à prendre les autres à témoin avec un brin de grandiloquence. Le but de la manœuvre était de pousser le monde à l'agacement jusqu'à ce qu'il se sente obligé d'intercéder auprès de la fille. Au bout de ce harcèlement qui pouvait durer aussi bien deux jours que deux mois ou deux ans (les pratiquants du m'en-fous-ben étant en général des individus doués de patience), celle-ci n'avait plus qu'une alternative : soit céder à son amoureux soit briser le charme en étalant une vaste colère publique.

Le dit d'Émilien Bérard fut le suivant :

« Je saisirais votre main moite d'émotion dans la mienne et je purgerais son mitan pour m'imprégner de la chamade de votre cœur. Je vous murmurerais quelque déclaration insensée invoquant les pluies-fifines du carême qui trompent l'assoupissement d'avril, les oiseaux-mouches et leurs vibrations de pierrerie, la gamme et le dièse des pièces de canne-malavoi à Fond Gens-Libres à la veille de la récolte ainsi que tout un lot d'anciennes rumeurs qui tourmentent nos mémoires.

« Rien dont je ne vous aurais déjà bassiné les oreilles. L'essentiel pour moi, inexpuisible amoureux, serait de clamer une fois de plus votre nom-alizé :

« “ Antilia ! An-ti-lia ô ! ”

« Nous irions, bras dans bras, cœur dans cœur, sautillant sur le sable de cristaux noirs, enjambant les corps enlianés de Myrtha, femme-de-tout-le-monde, et d'un bougre à la figure indéfinissable car déformée par le plaisir. J'étreindrais des parcelles de vent – il faut s'adresser aux effluves venus du sud avec leur cargaison d'émois nés dans le fin fond des ravines sèches – et, passablement éméché, pour ne pas avouer une saoulardise de tonnerre de Brest, oui, je vous peinturerais d'échos insolites.

« Chaque empan de mer possède son secret. Vous le savez. Il y a là où il ne faut surtout pas piéter sous peine de disparaître nettement-et-proprement dans un abîme de bleu éternel. Tenez-vous même à trois pas en arrière car le chanter des Manmans d'Eau peut capturer votre esprit et vous ravaler à l'âge où votre nez coulait.

Il y a là où tout bonnement les vieux-corps viennent se cacher pour faire caca des heures durant, occupant leurs gencives décharnées à mâcher quelque cigare-pays. Ainsi apprivoisent-ils l'éternité du bourg et nos ombres graciles ne dérangent aucunement leur accroupissement dans le faire-noir. Il y a là, final de compte, où je souhaiterais vous conduire si vous consentiez à m'accorder un peu de votre hautaineté, celle qui a toujours fait roucler les maquerelleuses si assoiffées de débusquer le pourquoi de votre comment. Dans le grain de vos yeux roule tout un fleuve de lueurs indomptables qui mettait parfois Marraine dans une craintitude débornée. En ce lieu de raisiniers sauvages, on aperçoit l'île de la Dominique et, derrière sa masse inquiétante, les voiles de galions fantômes. Je vous demanderais de héler quelque capitaine à la jambe de bois et, j'en suis sûr, vous accepteriez de bonne grâce mes jouvencelleries car la passion sait susciter une quantité inumérable de visions et de prophéties. La passion dans sa nouvelleté n'est-elle pas un oiseau-mensfenil en partance pour le nombril des cieux?

« A mesure que nous grimperions sur les flancs dentelés du promontoire de La Crabière, à mesure vous me déchiffreriez mon destin dans une soudaine dévalée d'éclairs mauves, ceux que Thimoléon, nègre plein de hâblerie ho!, prétendait être un rappel de cette maudition qui pèse sur l'écale de notre bourg. Vous parleriez dans la langue dorée, celle de nos anciens maîtres, parce que, plus que la nôtre, elle sait façonner l'émerveillation et la tendresse. Quelle douleur de posséder une parlure maisonnière qui foucade jour et nuit contre l'enclos des habitations! Pourtant, notre chair déborde de charges de tendresse inassouvie : vous pouvez le constater au bras très hardiment dressé des coupeurs de canne qui, de Fond Massacre à Moulin-l'Étang, n'ont cure de défier l'immodération de la chaleur. Est-il besoin d'ajouter d'autres preuves? »

Personne ne vint au secours de l'instituteur qui acheta

aussitôt une corde pour se pendre. Il n'y eut qu'Honorat Congo pour ressasser cette évidence, entre deux coups de ciseaux :

« Jeu dis et reupeute queu leu nègreu parleu mieux leu français queu leu Blanc. »

Antilia disparut trois jours durant au promontoire de La Crabière pour signifier à ses trois prétendants qu'elle refusait leurs déclarations d'amour, les jugeant, probablement, trop entachées du désir de percer le secret de son identité et surtout de sa relation avec la mer de Grand-Anse. Quand elle réapparut, sa bouche plus jamais ne s'ouvrit...

3

Chaque fois que le Blanc-pays Honoré de Cassagnac garait sa Traction-avant bleu-pétrole au ras de notre porte, Eau de Café s'empressait de m'envoyer jouer très loin, elle qui d'ordinaire me taillait les fesses à chaque « drivaillerie » de ma part, comme elle disait dans son jargon mi-créole mi-français.

« Prends une tête de pain et une tablette de chocolat à la boutique », me lançait-elle tout en grimpant quatre à quatre à l'étage pour se faire une apparence de négresse présentable.

Le béké de Cassagnac était un bougre d'une stature impressionnante, « reste à savoir si sa verge l'est autant », rigolait-on dans son dos, et d'une maigreur tout aussi surprenante. Sa peau blanche et fripée était crevassée d'une multitude de petites marques rouges, chose qui, avec son nez crochu, lui baillait des airs de coq de combat énervé par le tumulte du gallodrome. Il possédait une habitation d'environ deux cents hectares plantée en canne à Séguineau, au sud du bourg de Grand-Anse, et vivait seul avec sa fille Marie-Eugénie que l'on ne voyait presque jamais, même à la messe. Une fois par mois, il mandait le prêtre pour qu'il lui fasse un office dans sa chapelle privée. Il avait la férocité tranquille des Blancs-pays, c'est-à-dire qu'il pouvait très bien blaguer en créole avec ses travailleurs nègres et l'instant d'après ordonner à son commandeur de remettre un billet-ce-n'est-plus-la-peine à untel ou unetelle parce qu'il lui semblait que la personne traînassait. Aussi était-il unanimement redouté, même par ceux qui ne travaillaient pas pour lui, à la grande fureur de Thimoléon. Le menuisier refusait de lui bailler le bonjour.

« Les békés sont une race luciférienne ! fulminait le vieux communiste. Depuis qu'ils ont débarqué dans ce pays-là, ils ne cessent de martyriser le monde. D'abord les Caraïbes, puis nous, les nègres, ensuite les coulis ! Quand est-ce que cette vagabondagerie va-t-elle cesser, hein ?

– Tu es trop couillon ! ripostait Eau de Café, le Bondieu sait ce qu'il fait. S'il a mis le Blanc en haut et le Nègre en bas, c'est qu'il a ses raisons. Ce n'est pas toi qui vas changer ça avec tes litanies de mécréant. »

C'est pourquoi dès que le menuisier voyait de Cassagnac extirper sa fille de la Traction-avant et l'escorter à bout de bras jusqu'à chez nous, il clôturait les portes et les fenêtres de son atelier et se mettait à jouer du tambour avec une virulence de nègre de Guinée. Les sons lourds du rythme du laghia enrageaient d'être ainsi emprisonnés et rugissaient à faire vibrer toutes les cloisons des maisonnettes des environs. Le plus extraordinaire c'est que de Cassagnac n'en avait cure. Il conservait une extrême dignité et seul un imperceptible tressautement de ses poils d'yeux pouvait dénoter l'agacement qui l'étreignait.

« Bien le bonjour, madame ! Monsieur de Cassagnac de Saint-Mérieux est chez vous, lançait-il d'un ton outrageusement cérémonieux.

– Bonjour-bonjour, entrez, je vous ouvre de suite », s'empressait Eau de Café.

Certains jours, au lieu d'aller drivailler comme elle me l'avait demandé, je me cachais derrière les sacs de sucre et de farine-France amoncelés dans le corridor reliant le salon à la boutique et observais le cérémonial immuable de ces trois êtres. Marraine et de Cassagnac étendaient avec précaution la jeune fille sur le cosy et s'asseyaient chacun dans une dodine sans parler pendant un siècle de temps. Marie-Eugénie de Cassagnac ouvrait les yeux qu'elle avait bleu pâle, se redressait quelque peu et fourrageait dans sa chevelure bouclée aux reflets châtains. Ses mouvements étaient saccadés, presque mécaniques. On aurait juré une de ces étranges poupées à qui l'on donne chaîne dans le dos afin qu'elles parlent ou remuent un bras.

« Tu es prête ? lui demandait son père d'une voix précautionneuse.

– Mmm! Mmm! » marmonnait la jeune fille dont les traits étaient agités par un tic violent.

A ce moment-là, elle devenait effrayante. Ses joues semblaient être aspirées par une formidable succion intérieure qui lui déformait le visage, lui tirait la peau jusqu'aux os et, tout aussi brutalement, les regonflait, tout cela à intervalles réguliers. De Cassagnac disait alors à Eau de Café :

« Montons, chère! »

A l'étage, Antilia était assise sur son lit à observer avec fixité la mer rageuse à travers les persiennes, perdue dans une méditation abyssale. Marraine se dépêchait de les fermer, ce qui avait pour effet de ramener aussitôt la jeune femme à son état de servante obéissante et un peu sosotte. Elle se pliait en quatre devant le planteur pour le saluer, attendant que Marraine lui baille l'endormi. Elle s'était révélée une excellente « dormeuse », une de ces somnambules de plein jour qui rêvaient votre devenir à haute voix sous la direction d'une « séancière ». Car Marraine était séancière à ses heures et cela exclusivement pour les Blancs créoles parce que, ronchonnait-elle, les nègres n'ont qu'à aller consulter des quimboiseurs et autres manieurs de philtres maléfiques. Une séancière ne trafique pas avec le Diable, elle ne prescrit ni ne manipule aucune de ces décoctions à base de crapaud-ladre-pilé-dans-l'eau-bénite-volée-la-veille-de-la-Pâque-mélangée-à-du-sang-menstruel-d'une-femme-vierge-âgée-de-plus-de-trente-ans. La séancière fait des séances, ce qui revient à parler, parler, parler et sa parole est révélation. Ou parfois elle lit dans vos rêves. Ou encore, elle endort une dormeuse et vous traduit son délire en termes de tous les jours.

Marraine se collait tout contre Antilia tel un lézard-margouillat sur la glace d'une armoire et lui emprisonnait la tête dans ses mains, transpirant d'abondance. Antilia se débattait quelques secondes dans de grotesques soubresauts et s'affaissait sur le lit, totalement endormie. Eau de Café semblait épuisée par l'effort et devait s'agripper aux colonnes de son lit pour ne pas s'effondrer à son tour. De Cassagnac s'asseyait dans un coin sombre, son casque sur les genoux, l'air inhabituellement humble. Etonnamment humble. Marraine déshabillait Antilia, ne lui laissant que son hausse-seins et sa culotte noire (noire afin de mettre en déroute les incubes qui pullulaient à Grand-Anse). Puis elle lui posait le plat des mains sur les yeux et accorait les coudes de la jeune femme à l'aide d'une paire d'oreillers. Elle allumait trois bougies qu'elle posait par terre près du lit. Deux près de la tête du lit. Une à son pied. Elle se couchait à son tour, le regard vitreux, et adoptait une voix plus masculine, plutôt inquiétante puisqu'elle me faisait tressaillir en même temps que de Cassagnac. Du dehors nous parvenait, étouffée mais hargneuse, la plainte du tambour de Thimoléon ce qui rendait la chaleur de la chambre encore plus accablante. Du pan de toit où j'observais la scène grâce à des interstices dans la tôle ondulée, j'entendais la rumeur rassurante du bourg. Les fainéantiseurs de tous âges assemblés sur le parvis de l'église à bavarder de tout et surtout de rien ou à jouer aux dames. Les marchandes de légumes s'arrêtant devant le pas de chaque porte et s'écriant : « Qui me veut ? Madame ne me veut pas aujourd'hui ? J'ai du giraumon, de l'oignon-pays, de la barbadine, des ignames Saint-Martin, des choux durs. » Et surtout, de l'autre côté, l'envol incessant des gibiers marins (sorte d'hommage à la grâce volatile des jours) par-dessus la mer dont la haïssance nous couvait de ses gigantesques prunelles d'écume mordorée.

Je frissonnais lorsque la fausse voix d'Eau de Café commençait à emplir la chambre. Elle demandait à Antilia de lui livrer un nom, un « titre », disait-elle. Elle la suppliait, l'implorait de lui bailler ce secret et, comme la dormeuse répondait, en proie à une quasi-hystérie, « Je ne sais pas qui vous recherchez ! Je ne sais pas ! », Eau de Café s'encolérait et se mettait à hurler en français : « Parle ou bien je t'arrache la langue ! » De Cassagnac se dressait subitement de sa chaise et se mettait à arpenter la pièce en tous sens, s'éventant de temps à autre à l'aide de son casque colonial en toile blanche. Depuis des années que duraient ces séances, Antilia avait tout révélé sans la moindre réserve : la raison de l'improductivité incompréhensible d'une parcelle de l'habitation Séguineau surnommée « Douleur de ma vie » par les journaliers nègres; le remède contre la maladie de la peau qui avait ravagé le corps de De Cassagnac; la cachette du scélérat qui empoisonnait à intervalles réguliers les boquittes d'eau salée des bœufs amarrés à Savane Zicaque; les tractations sordides entre deux békés de Macouba en vue d'acculer de Cassagnac à la ruine. En effet, en homme de tradition, de Cassagnac était attaché de manière viscérale à la culture de la canne bien qu'elle ne rapportât guère plus et que la sucrerie de Grand-Anse menaçât de fermer d'une année à l'autre.

Sa séance terminée, Marraine lui offrait du quinquina au salon où, s'écoutant, il expliquait toujours la même chose :

« La canne est toute une civilisation, vous comprenez. Elle règle la vie de quatre heures du matin à six heures du soir. Chacun est à son poste : le commandeur qui distribue les tâches et en surveille l'accomplissement, les coupeurs qui aiguisent leur coutelas sur la meule avant de partir en guerre contre les bataillons de canne, les amarreuses qui passent dans les pièces pour lier les piles. Oui, ma chère dame! Les petites bandes de négrillons qui ramassent les cannes oubliées. Le maréchal-ferrant qui s'occupe des mulets, les muletiers eux-mêmes qui sellent et brident et charroient les piles de canne pour la pesée devant l'usine. Hein, n'est-ce pas grandiose, madame ? »

Marraine souriait d'approbation, quoiqu'en son for intérieur elle devait mauditionner ce que ce grand couillon de Blanc osseux appelait « la civilisation de la canne ». Il avait d'ailleurs une sacrée tonnerre de chance qu'elle fût d'une honnêteté sans faille car en diverses occasions certains békés, adeptes de la civilisation plus moderne de la banane, avaient tenté de la soudoyer afin qu'elle incitât de Cassagnac à se débarrasser de ses terres et à se retirer dans sa résidence du Plateau-Didier, à Fort-de-France, avec sa fille débile.

« De Cassagnac cogite sur trop de livres, avait tenté

d'argumenter le béké Dupin de Médeuil, un bon vivant crasseux à souhait qui avait été nommé sous-chef de la Milice du temps de l'amiral Robert et ne tarissait pas d'éloges sur le maréchal Pétain. Si vous pouviez voir son séjour : des livres, des livres et encore des livres! Sa servante m'a assuré que dans sa chambre à coucher c'est encore pire. Pendant qu'il gaspille son temps à lire comme un bachelier attardé, son habitation périclite, elle part en capilotade, et nous, dans le nord, le Conseil général nous refuse les subventions indispensables à nos plantations de banane faute d'un tonnage suffisant. Il faut, madame, que tout Séguineau soit couvert de bananeraies d'ici à la fin de l'année, tonnerre de Brest! »

D'aucuns assuraient que de Cassagnac était trop occupé à faire des fouilles sur sa plantation pour s'occuper d'agriculture. Il rechercherait, à les entendre, une fameuse jarre pleine de pièces d'or que son grand-père avait fait enterrer du temps de l'esclavage.

Marraine nourrissait un faible inexplicable pour lui (ne fut-il pas jadis l'amant de sa mère, Franciane ?), aussi le protégeait-elle de ses ennemis, ceux de sa race en tout premier lieu. Peut-être était-elle, tout autant que lui, désireuse de connaître le nom du verrat qui s'était, un mardi gras, affublé d'un énorme masque rouge cornu orné de mille débris de miroir et avait poursuivi (en se dandinant de façon grotesque) la fillette nubile du seigneur de Séguineau à travers la maison et ses vérandas, profitant de l'absence de sa gouvernante qui faisait ses besoins sous un manguier des environs. Le hurlement de Marie-Eugénie l'avait contrainte à revenir en toute hâte, et le spectacle qu'elle avait trouvé l'avait laissée pantoise : la fillette et le Diable face à face, ce dernier la menaçant de son sexe bandé. La gouvernante se saisit d'un balai et le mit en fuite. Elle ne pouvait espérer l'aide de quiconque car tout le monde dansait dans les rues du bourg depuis trois bons jours. La fillette semblait clouée sur place, foudroyée par la peur. De ce jour, elle cessa tout net de rire et de converser, elle qui égayait la grand-case de ses piailleries incessantes et son père en conçut un chagrin d'une vastitude sans nom. Il l'emmena aux États-Unis, à Caracas, à Paris voir les plus renommés des médecins et, de guerre lasse, se fit violence pour demander secours non seulement à une vulgaire séancière mais en plus à une femme de couleur. Quand Antilia résistait, il l'implorait :

« Si c'est un Blanc qui a commis ce forfait, dis-le-moi ! Blanc, nègre, mulâtre, chabin, couli ou Syrien, il paiera. Je serai sans pitié. »

Dans ces cas-là, la dormeuse demandait qu'on fasse monter Marie-Eugénie à l'étage et là, un étrange dialogue s'établissait entre elles qu'Eau de Café s'avérait impuissante à traduire, hormis les bribes suivantes :

« Femelle aquatique, grommelait Marie-Eugénie, je n'aime pas ton odeur de marée. Ne tente pas de bousculer mes songes dans ma tête. Tu ne sauras rien.

– Rappelle-toi ! Je t'ordonne de te rappeler, criait Antilia, Je peux retourner l'envers de ta vie et mettre ta détresse à blanchir au soleil.

– Ha ! ha ! ha !... à quel cirque joues-tu, fille de cette mer maudite de Grand-Anse ? Tu sais fort bien que ce bourg porte sur son écale une damnation éternelle. Tu sais que ce peuple qui tourne le dos à la mer a désobéi et sera puni. Alors à quoi bon punir un seul ?

– Je te comprends, mijaurait Antilia dont les yeux s'ouvraient soudain, immenses et glauques, ils sont coupables, tous coupables. Il n'y a ici ni innocent ni sainte âme. Cette île entière sera effacée de la surface de la Terre et il n'y aura que des méduses en dérade pour pleurer sa disparition. Je te jure !

– Cessez tout de suite », hurlait Eau de Café qui attrapait une petite cravache en corde de mahault et fouettait les cuisses de la dormeuse.

Elle la réendormait ensuite plus profondément en lui pressant la plante des pieds et recommençait sans merci son questionnement : qui ? quel nom ? Marie-Eugénie gloussait comme un bébé de trois mois, ce qui contraignait son père à la ramener au salon avant que sa crise ne prenne plus d'ampleur. Eau de Café, énervée par la résistance des deux jeunes femmes, passait sa rage sur Thimoléon. Elle ouvrait l'auvent qui donnait sur son atelier et lui criait :

« Hé, le nègre ! J'ai assez supporté ton doum-doum-doum

infernal. Si vous êtes un Africain, monsieur, tu n'avais qu'à le dire!

– Moi un Africain! s'exclamait le menuisier qui sortait de son antre le visage chiffonné à la manière d'un vêtement usagé enfoui depuis des lustres sous un matelas. Eh ben, eh ben... »

Il répétait, inlassablement, « Eh ben », incrédule, furieux, abattu, vengeur. Il était la proie de trente-douze mille états d'âme, cela en un battement d'yeux, et concluait :

« Dès que le mulâtre possède un quelconque cheval, il déclare tout-de-suitement qu'il n'a pas eu une négresse pour mère.

– Le nègre en enfer finira sa carrière », lui lançait Marraine en lui claquant l'auvent au nez.

Entre-temps, Antilia se réveillait et allait se rafraîchir dans la bassine d'eau de gouttière. De Cassagnac n'attendait pas que Marraine redescende au salon. Il transportait Marie-Eugénie dans ses bras en faisant signe à son chauffeur de mettre le moteur en marche. Il fallait parfois à ce dernier quatre coups de manivelle avant d'y parvenir, ameutant du même coup les gamins du quartier. Par les vitres de la Traction-avant, je percevais les yeux bleus de Marie-Eugénie qui semblaient fixer le toit de notre maison où je me trouvais plaqué. Je me faisais tout petit contre la tôle brûlante, précaution inutile sans doute car la jeune fille était aveuglée par l'hébétude.

Dans sa chambre, Eau de Café brocantait aussitôt les draps du lit où elle avait endormi Antilia, prenait une palme de samedi-gloria qu'elle sauçait dans de l'eau bénite et aspergeait tous les coins et recoins avec soin.

« Mon Dieu, si ce n'est pas Julien Thémistocle qui a dérangé l'esprit de cette petite Blanche, foudroyez-moi sur place! bougonnait pour elle-même Eau de Café. Il a eu tous les vices. »

Antilia avait déjà rejoint son comptoir et pesait des livres de lentilles ou mesurait des musses de pétrole comme si de rien n'était. J'aurais parié qu'elle n'avait souvenir de quoi que ce soit, hormis qu'elle avait fait la sieste toute l'après-midi sur l'un des bancs du corridor.

4

A marée haute, si mon souvenir n'est pas pure infidélité, le ressac se faisait curieusement plus discret ou peut-être étions-nous moins veillatifs, le soir venu, moins disposés à épier les moindres bruissements venus de l'ennemie. Certains hommes en profitaient pour rejoindre sur la plage les deux femmes-de-tout-le-monde de la Grand-Anse. L'une était une négresse d'une stéatopygie délirante et d'une taille très au-dessus des autres femmes ; l'autre, une mulâtresse aux cheveux d'huile. Elles n'étaient point méprisées car elles accomplissaient là une besogne que nous reconnaissions d'utilité publique et, d'ailleurs, elles n'étaient ni vulgaires ni dénuées d'instruction. Jamais on ne se serait autorisé la moindre plaisanterie déplacée à leur égard, hormis le sieur Ali Tanin qui affichait un moralisme des plus féroces depuis sa défaite devant Antilia. Les gamins souffraient en secret du mal d'amour pour l'une ou l'autre et attendaient avec fébrilité le moment où ils pourraient d'abord réunir deux francs et quatre sous, puis prendre langue avec celle-ci ou celle-là, en final de compte la convaincre et choisir une nuit. C'était un rituel, une initiation fort bien établie qu'aucun abbé n'avait jamais pu briser. Nous ne perdîmes nos reines d'amour que lorsque le gouvernement instaura une agence d'expatriation des nègres vers Paris.

Or, l'on prétend que c'est de Myrtha, la négresse aux formes plantureuses, qu'advint la maudition. Cette autre version, aussi répandue et ressassée que les autres, on la chuchote, en se signant, à ceux en qui on a entière confiance. Voilà : Myrtha, comme sa sœur en dévergondation – ainsi que toutes celles qui les ont précédées au temps de l'antan –, venait se confesser une fois par mois et communiait à la messe de neuf heures, le dimanche matin, sans que cela choquât les serviteurs de Notre-Seigneur Jésus-Christ. A l'époque dont il est question, elle était toute jeune et venait de s'établir dans le métier sur les conseils de sa famille et d'admirateurs inumérables. Coïncidence malheureuse, on avait envoyé à Grand-Anse un abbé, jeune lui aussi, qui ne marchait pas en soutane et jouait aux dominos l'après-midi avec les amateurs de tafia dans les obscurs débits de la Régie de la Rue-Derrière. Il rabrouait vertement les ravets d'église et les bondieuseuses qui voulaient le contraindre à passer toute la sainte journée à écouter leurs sottises et préférait partir à la pêche au lieu de sonner les matines. « Ça finira mal, hon ! » grognait-on dans les milieux rigoristes mais, en gros, les habitants de Grand-Anse appréciaient fort ce blondinet jovial à la peau roussie par le sel marin. Il les stupéfiait aussi par des calembours qu'il improvisait dans notre langue qu'il avait apprise « flip-flap » comme disait comiquement la vieille Adeline, bonne au presbytère depuis trois générations. Jusqu'au jour où Myrtha se mit à se confesser tous les jours pendant près d'une heure à chaque fois et que l'abbé Michel en sortit livide et étrangement épuisé. On se mit à maquereller sur cet événement car c'en était bien un dans ce bourg où il ne se passait jamais rien. Bientôt le jeune abbé cessa de fréquenter le monde, de jouer au football avec les garçons et ne sortit plus de son presbytère. Bien que cela convînt mieux aux conceptions que l'on se faisait chez nous de la vie ecclésiastique, on ne manqua pas d'échafauder trente-douze mille hypothèses sur cette subite retraite. La plus communément admise était que Myrtha lui avait avoué un crime horrible et qu'il ne savait comment l'en absoudre. Madame Léonce, la boulangère, déclara :

« Il n'est bruit que des femmes qui ont la cruauté d'arracher le fruit de leurs entrailles et de le jeter dans les halliers ou à la mer. Du côté de Morne Céron vit une certaine Doris qu'on dit fianceuse du Diable et qui connaît les herbesmoudongues qu'il faut laisser macérer trois nuits de pleine lune d'affilée avant d'en boire le thé. Après, on sent ses boyaux qui se déchirent, on sent son cœur qui chavire et déchavire. On implore l'aide de sa mère, on mange ses mains, ses doigts, on se roule par terre et puis, entre ses jambes, une chose rouge et flasque descend, descend. Alors il faut ramasser force et courage pour la faire disparaître avant que quelqu'un ne vous surprenne. Et puis, on reste deux jours couchée, sinon trois, car le sang a ralenti dans votre corps.

– Mais on dirait que tu as déjà essayé, commère, lui dit une autre femme, foutre que tu en parles bien, eh ben-eh ben! »

Toujours est-il qu'il paraîtrait que Myrtha, affolée par la condamnation à l'enfer que lui avait prédite l'abbé Michel, dénonça toutes celles qui, dans le bourg, avaient eu recours à de telles pratiques, et elles étaient un sacré bon paquet à cette époque-là. Le pauvre abbé fut terrifié d'apprendre qu'il avait fraternisé avec un peuple qui commettait l'infanticide avec autant de facilité qu'il avalait un verre de rhum. A force de tourner-virer comme mangouste en cage dans son presbytère, soutient la rumeur, il se décida à partir. Le dernier jour, on le vit, embarqué dans un rêve, faire les cent pas, bible en main, le long de la plage. Eau de Café, toujours plus hardie que quiconque, tenta de le faire revenir sur sa décision mais en vain. Les vagues venaient lécher le bas de sa soutane blanc et mauve et le vent dérangeait ses cheveux dorés. Il orchestrait des gestes pleins d'emphase en direction de la mer comme s'il s'entretenait avec elle si bien que de ce jour, on le qualifia dans notre parlure d'« abbé de la mer ». Son souvenir ne devait jamais plus s'effacer des mémoires après qu'il eût, de manière ostensible, voire ostentatoire, secoué sa robe à l'endroit des flots. Le lendemain de son départ, la mer de Grand-Anse se souleva de colère, vers les midi, sans crier gare, et brisa tous les canots qui se trouvaient sur la grève. Trois d'entre eux qui étaient partis à marée basse ne revinrent jamais et dès lors, on n'osa plus s'approcher du monstre. On clôtura les fenêtres et les portes qui donnaient sur elle et on lui tourna le dos en l'injuriant entre les dents. Quand, des mois et des mois s'étant écoulés, quand le temps eut fabriqué du temps comme nous disons ici, un oublieux se hasarda à aller taquiner le poisson avec l'ultime embarcation à n'avoir pas encore pourri, il s'épuisa une journée entière au large sans capturer ne serait-ce qu'un coulirou ou un marignan-tête-de-fer. Un autre, puis d'autres lui succédèrent, rentrant eux aussi bredouilles, et l'on en conclut que le garde-manger était désormais vidé. Bien entendu, on chercha un coupable et on le trouva en cet abbé Michel et son stupide émoi qui avait sûrement jeté à jamais la maudition sur notre mer. Entre-temps, Myrtha avait tué son corps au Rubigine, un produit qui servait à enlever les taches récalcitrantes sur les vêtements et qui se montrait très efficace contre la colle de banane. L'autre reine d'amour, la mulâtresse s'était enfuie en métropole où, à ce que rapportaient nos jeunes conscrits fraîchement libérés, sa chair de sapotille faisait fureur sur les trottoirs de Pigalle.

Mais, même dans cette version, on peut déceler une variante tout aussi plausible que celle qui vient d'être narrée et qu'il convient de consigner si l'on veut bien saisir notre drame. A la nuit tombée, la plage de Grand-Anse servait, comme il a été dit, de refuge aux amours de nos deux femmes-de-tout-le-monde et de nos mâles de céans. N'imaginez point quelque bacchanale païenne sous le sourire moqueur de la lune, quelque hymne aux dieux de la débauche. Au contraire, chacune d'elles dispensait à ses partenaires un amour infini, une tendresse inouïe où les cris, les râles ou les éructations obscènes étaient bannis. On en revenait tout bouleversé, avec le sentiment d'avoir goûté à un fruit que jamais l'amour conjugal ne pourrait offrir. Un fruit si pur, si dénué des habituels tourments du vice qu'on omettait de le confesser aux différents abbés qui se succédaient dans notre bourg et, grand Dieu!, ils s'en accommodaient tout-à-faitement dans la mesure où on devinait qu'ils y avaient eux-mêmes trempé leurs lèvres. Ce n'était donc point un péché!

Vint l'abbé Michel qui commerçait si bien avec la race nègre et dont nul n'aurait pensé à se méfier une miette d'instant. Il feignait de se gausser de nos habitudes nocturnes et tirait sa révérence dans la rue à Myrtha ainsi qu'à la mulâtresse, Passionise, celle qui avait fui son mari, Julien Thémistocle, deux mois seulement après qu'il l'eut épousée. Le mal s'appuya sur sa jeunesse et sa blondeur pour nous grimper sur les épaules et nous terrasser une fois pour toutes. Il affola le cœur de la mulâtresse sans qu'aucun nègre de Grand-Anse ne s'en rendît compte et d'ailleurs sans qu'elle leur fît part de son trouble. Trouble inhabituel puisqu'il était socialement convenu qu'elle devait dispenser la même quantité d'amour au nègre manieur de fourche qu'au receveur des Postes aux mains propres, au béjaune frémissant d'ardeur qu'au vieux-corps décaduit par la faute de décennies de labeur et de tafia. Même Dachine, l'éboueur nain, avait droit à la félicité de leurs bras tiédis par les embruns. Passionise avait donc enfreint une première règle et dans l'étroitesse de notre monde, dans son étroite rigueur, il faut préciser, quand l'une d'elles est chavirée, c'est l'ensemble qui risque de s'étaler de tout son long et c'est ce qui, pour de vrai, se produisit.

Dès cet instant, la mulâtresse se cloîtra dans sa chambre au milieu de ses couffins en cachibou, de ses poupées qui fermaient les yeux quand on les couchait, de ses colliers-forçat en or massif, de ses boîtes de biscuits de Bretagne qu'elle collectionnait pour la belleté de leurs enluminures, de son gramophone où elle jouait à longueur de temps une rengaine affreusement triste de Billie Holiday. On accepta de croire au début à quelque mal d'estomac prolongé. Puis, les semaines passant, on fit encore un effort pour admettre qu'il lui fallait une convalescence. Mais ce que l'on ne supportait pas, c'est que l'abbé Michel vînt tous les jours la confesser comme si elle risquait de monter en Galilée d'une minute à l'autre et qu'il demeurât enfermé avec elle plus de trois heures de temps. La rumeur se déchaîna et les hommes faisaient passer leur aigritude sur le ventre vite meurtri de Myrtha qui répétait : « Je ne comprends pas! Je ne comprends pas, non! » en s'essuyant des larmes brûlantes et furtives.

Un soir, on n'en put plus. Une trentaine de bougres solides entourèrent la maisoncèle de la mulâtresse alors que l'abbé Michel lui faisait sa visite quotidienne et protestèrent à haute voix. L'un d'eux improvisa un chanter d'une cochonnerie jamais entendue par ici :

Labé Michèl, sa ou ka fè nou an?
Tiré lolo'w nan bonm siwo-a O!
Labé Michèl, Bondyé pa di sa
Tiré djòldou'w anlè tété sik la O!
Labé Michèl, mèt kokè, mèt konfésè.

(Abbé Michel, qu'est-ce que tu nous fais là?
Ote ta verge de la boîte à sirop!
Abbé Michel, Dieu n'est pas content
Ote ta bouche vorace des seins sucrés!
Abbé Michel, grand baiseur, grand confesseur)

Et l'on accourut de partout, selon la coutume, pour reprendre le chanter et l'enfler au fur et à mesure de couplets plus lubriques les uns que les autres. En ces occasions-là, l'imagination se déchaînait aidée par les fioles de tafia que l'on se passait et repassait sans discontinuer. Bientôt, tout le bourg fut éveillé alors que de toute éternité, le peuple de Grand-Anse se couche une heure environ après les poules. Femmes, enfants, vieillards, paralytiques, quasi-aveugles et autres variétés pitoyables de l'espèce humaine vinrent seconder les hommes, apportant des casseroles ou des plats, esquissant des pas de danse ou des mimiques ordinairement jugées indignes de nègres civilisés.

Au matin, en guise de vengeance, l'abbé alla réciter sur la tête de la mer. Ainsi notre mer s'en trouva maudite et, vous en êtes témoins, Antilia n'entre pour aucune part dans cette affaire-là...

5

Sans doute dois-je me résoudre à plonger plus au fond dans mes propres souvenirs et en déblayer de moi-même les gravats. Hier, j'ai pu enfin hasarder quelques pas sur la plage noire de Grand-Anse et ma surprise a été de ne point retrouver cette fascination que les colères subites de la mer exerçaient sur moi. Maintenant, je déchiffre à la perfection sa fausse aménité : elle feint de se renfrogner et tu vois les lames s'assouplir tout d'un coup comme sous l'effet d'un peigne divin. Tu vois l'écume saupoudrer de vastes quartiers d'eau bleuâtre. Les raisiniers de La Crabière se redressent en un régiment sublime de gardes-côte à cheval. De très antiques passions semblent être sur le point d'embraser le promontoire mais, menterie, foutre!, c'est la mer qui se réveille, s'enfle la panse et retombe à fracas redoublés sur sa propre masse. Mer de Grand-Anse. Mer de janvier jaune d'une rancune jamais apaisée. Mer de carême, taraudante, interminable.

En guise de prémisses à une proche réconciliation, je conserve désormais ouvertes toute la nuit les deux petites fenêtres de ma chambre, ne les reclouant (avec le talon de mes souliers!) qu'au devant-jour afin de ne pas semer d'effroi dans l'Océanic-Hôtel. Le propriétaire, retraité de la Marine, ne me pardonnerait pas une telle incartade. Quant à la bonne, il est vraisemblable qu'elle refuserait de changer mes draps. Or j'y passe de plus en plus de temps, devant la sourde hostilité qui colle à ma personne les rares fois où je m'aventure à travers les rues du bourg. Je suis, pour l'heure, mon seul secours.

J'ai souvenance, en effet, que la boutique d'Eau de Café fleurait bon la morue salée débitée en tranches et le rhum vieux. Sur une étagère trônait une pile de « carnets de commissions » tout chiffonnés sur lesquels elle griffonnait les achats de ses débiteurs avec une application d'écolière. Invariablement, elle maugréait contre la façon de balier d'Antilia, lui reprenait d'autorité le balai des mains et faisait le petit tas de poussière rebrousser chemin sur le pas de la porte.

« Quelqu'un peut passer par là et me dérober ma poussière oui, lançait-elle, tu ne sais pas à quel point les nègres ont de la mauvaiseté en eux. Il suffit que l'un d'eux joue dedans et voilà que je n'ai plus un seul client ! Hein, voilà que demain si Dieu veut, je dois disputer un croûton de pain aux chiens errants ! »

Antilia haussait les épaules et, s'armant d'un large torchon, s'agenouillait pour essuyer les carreaux avec du crésyl. La rondeur de ses cuisses et de sa croupe émouvait le livreur de pain, les travailleurs matinaux sirotant leur décollage au comptoir avant de subir l'entêtement du soleil, le chauffeur du camion de Royal Soda qui déposait ses caisses avec une lenteur anormale, et même monsieur le curé. Oui, monsieur le curé qui aimait venir saluer ses plus proches voisins avant la messe de six heures, manière insidieuse sans doute de les rappeler à leurs devoirs envers la Sainte Église. Sa soutane virevoltait entre le comptoir surchargé de boucauts de sucreries multicolores et les sacs avachis de lentilles et de pois rouges qui attendaient qu'on vienne y puiser une demi-livre.

« Attention, monsieur l'abbé », bougonnait Antilia en effleurant de son torchon le bord des godillots noirs qu'il arborait de manière militaire, cela les jours où elle affichait une humeur humaine, mais d'autres fois, elle hurlait telle une harpie : « Baillez-moi de l'air ! Allez, baillez-moi de l'air, mon bougre ! » en éclaboussant partout avec l'eau de sa boquitte. L'abbé s'enfuyait sur la pointe des pieds, rouge de confusion et de concupiscence inassouvie.

« On n'ouvre pas sa bouche comme ça sur un abbé! protestait Eau de Café.

– Quoi! N'est-ce pas un homme comme tous les autres? N'a-t-il pas un saucisson qui lui pendouille entre les jambes? rétorquait la servante.

– Blasphème! Blasphème! » faisait Eau de Café en se signant sur les lèvres.

Derrière la boutique se trouvait un dédale de cases en fibrociment, de planches récupérées sur des caisses, de lattes de bambou et de briques rouges entassées à la hâte. Marraine y avait son dépôt, lieu magique où les livreurs venus d'En Ville lui stockaient les marchandises les plus hétéroclites dans un désordre qui défiait toute velléité de rangement. Aussitôt que le prélart vert sombre d'un camion se profilait au fond de la Rue-Devant, Marraine prenait la place d'Antilia au comptoir et l'envoyait s'occuper du déchargement. Opération fort compliquée consistant à guider le chauffeur qui faisait marche arrière dans la ruelle tortueuse menant au dépôt à grands coups de « A gauche! A droite maintenant! » et de « Tourne, tourne les roues! ». Opération dont s'acquittait Antilia avec une dextérité stupéfiante bien qu'à notre connaissance, elle n'eût jamais voyagé en automobile. Toutes ces manœuvres duraient bien une demi-heure et une fois le camion rangé à la perfection dans l'axe du dépôt, un gaillard noir-charbon et torse nu qui voyageait à côté du chauffeur, grimpait sur le tas de marchandises, détachait le prélart et se mettait à tout transporter sur ses puissantes épaules. Pour nous, la bande de gamins à laquelle j'appartenais, chaque arrivée d'un camion de marchandises était une véritable bamboche. Par une sorte d'accord tacite, nous avions le droit de nous approprier tout ce que par mégarde le débarqueur laissait échapper par terre. Nous excellions à accorer ses pas à l'aide de notre index replié sur notre pouce et de deux formules magiques lorsqu'il transportait des caisses de jus de pomme-France ou de tablettes de chocolat. En contrepartie, nous l'aidions à propreter la benne du camion une fois ce dernier vidé. Nous nous bousculions pour lui charroyer des boquittes d'eau depuis la fontaine municipale. Le plus clair de notre temps, en fait, se passait à observer les ébats d'Antilia et du chauffeur à l'intérieur du dépôt. Nous nous engouffrions derrière le poulailler de Thimoléon, le menuisier, et là, malgré l'extrême puanteur ambiante, nous écarquillions les yeux à travers les fentes des cloisons rongées par des colonies de poux de bois. Antilia remontait sa robe à son menton et s'étalait face en l'air contre un sac de farine-France. C'étaient des sacs blancs et donc les seuls dont on pouvait savoir à coup sûr s'ils étaient propres ou pas. Elle écartait largement les cuisses, les bras repliés sous la tête pendant que le chauffeur, qui n'avait fait que baisser son pantalon aux genoux, la bourriquait de toutes ses forces, ahanant de façon comique. Ses lèvres libellulaient sur les seins bruns d'Antilia durcis par le plaisir et pourtant doués d'une étonnante élasticité. Du fond de la gorge de la jeune femme montait un murmure monotone mais excitant, emplissant le petit dépôt jusqu'à créer une sorte d'écho qui ne semblait point gêner le débarqueur de marchandises. Simplement évitait-il d'empiler trop dangereusement les caisses à leurs côtés. Parfois, nous l'entendions marmonner dans notre langue :

« Koké koké zòt! Koké avan zòt mò, lébann malkochon! » (Baisez donc tout votre saoul! Baisez avant que vous ne creviez, tas de porcs!)

Antilia éclatait de rire, un rire si-tellement hystérique qu'il faisait sursauter la moitié d'entre nous et s'égailler l'autre telle une rafale de merles. Nous voyions la verge boursouflée du chauffeur pénétrer avec rage l'entrecuisse de la servante tandis que leurs deux corps dégoulinaient de sueur. Leurs figures se couvraient d'une pluie couleur d'opale. Il devait faire une chaleur de four à l'intérieur car le dépôt, outre le fait qu'il ne possédait aucune aération, était recouvert par de la tôle ondulée. Nos amoureux n'en avaient cure. Il fallait que Marraine, qui s'était lotionnée et habillée pour la circonstance, les hélât depuis la boutique pour que cessât leur étreinte. Le chauffeur nous demandait, contre quelques sous, de le bassiner d'eau fraîche et lui aussi se vêtait d'une chemise kaki propre dans la cabine du camion. A la fin, tout le monde se retrouvait, mis à part

Antilia, au salon, autour d'un plateau de verres pleins à ras bord d'anisette ou de vin doux et nous trinquions. Marraine était aux anges, étant à tu et à toi avec les différents chauffeurs qui desservaient la région. Ils l'appelaient « Manman » d'une voix affectueuse et elle adorait cela. Elle se rengorgeait de leurs compliments sur ses anneaux neufs ou la fraîcheur de son teint. Elle leur demandait des nouvelles de leurs femmes, de leurs enfants qu'elle ne verrait jamais de sa vie et quand c'était l'heure du retour vers la capitale, elle les embrassait sur les deux joues, le regard chargé du reproche qu'on lance d'ordinaire aux enfants prodigues. Elle glissait avec malice à l'oreille de certains :

« Koukoun-la té dous jodi-a an ? (La chatte était douce aujourd'hui ?)

– Sa ou ka di a ! » (Tu peux le dire !) répondaient-ils sans exception en la félicitant sur les qualités de celle qu'ils croyaient en toute sincérité être sa sœur.

Mais aussitôt que le serein brutal avait englouti les fumées d'échappement du camion, Eau de Café devenait comme folle. Elle hélait Antilia qui, sachant ce qu'il adviendrait d'elle, se recroquevillait près du bassin adossé à la boutique qui servait à la fois de lave-vaisselle et de douche. Elle devenait rouge comme un piment, elle trépignait, elle criait :

« Antilia, viens ici immédiatement ! Petite chienne que tu es, traînée va ! Je vais t'apprendre à ouvrir tes fesses à tous les nègres-vas-tu-viens-tu que le vent charroie par ici. On va entendre parler de ça jusqu'en Guadeloupe, je te le jure. Je vais t'esquinter pour le restant de la vie, tu vas voir. Je vais te péter le fiel. »

Mamzelle courait se cacher sur le sable déserté de la plage de Grand-Anse, sachant que jamais Marraine n'oserait l'y poursuivre. La jeune femme offrait alors, étendue en croix, la fente de son sexe aux lapements feutrés de l'océan. Toute habillée, yeux fermés raides-et-durs, poings serrés. C'est à partir de là que des bougres qui s'étaient aventurés en cet endroit pour pisser à la faveur de la nuit ou remâcher quelque obscure rancune ou forniquer l'une de nos femmes-de-tout-le-monde ou commettre une action diabolique, forgèrent la légende selon laquelle la fille recueillie par Eau de Café n'était pas de notre monde et la colportèrent jusqu'aux campagnes les plus reculées de Grand-Anse.

« Dlo koukoun fanm épi dlo lanmè ki migannen, sa ka prézonnen latè Bondyé-a ba'w! » (L'eau du sexe de la femme mélangée à l'eau de la mer, ça peut vous empoisonner la terre entière!) prophétisait-on dans les caboulots de la Rue-Derrière.

Certaines fois, Marraine parvenait à barrer la route à celle que j'avais coutume d'appeler « notre âme en peine » et la suiffait avec une ceinture large comme le plat de la main. La jeune femme ne bronchait pas, même si chaque coup dessinait des empreintes de feu sur sa peau. Au contraire, c'est Eau de Café qui s'effondrait comme minée par l'inutilité de son geste et alors elle l'implorait presque de lui révéler ses origines. J'entendais une litanie de « D'où viens-tu, ma chère? » jusque dans la chambre, à l'étage, où elles dormaient ensemble. Litanie sans réponse évidemment. Parfois, à n'importe quelle heure du jour, Antilia décidait que l'air était trop lourd et se dévêtait devant ma petite personne dans l'arrière-boutique en riant aux éclats. Sa chair au parfum de caïmite mûre, déclenchait en moi une excitation incontrôlable. En ces moments-là, je ne voyais plus en elle la frêle enfant qu'elle était censée être mais une femme, une mâle-femme, c'est-à-dire un être que je ne caressais l'espoir d'approcher un jour que dans mes rêves les plus insolites. Elle passait sa main avec douceur sur la toison crépue de son sexe en me fixant avec ironie puis, au bruit des pas d'Eau de Café, elle s'élançait dans le bassin et s'ébrouait à grandes eaux. Il lui arrivait de me proposer de lui savonner le dos et mes doigts adolescents s'égaraient sur sa chair plantureuse que les jeux de l'eau et du soleil rendaient encore plus époustouflante. Ma bouche se posait peureusement sur ses épaules à la recherche d'un peu de son musc mais elle la repoussait avec gentillesse quoiqu'avec fermeté, nullement troublée par de telles agaceries. Si Marraine faisait la sieste et qu'un client réclamait qu'on vînt le servir, elle glapissait à la volée :

« Wonm pa ni! Sik pa ni! Loyon pa rété! Ponmtè pa menm palé! » (Du rhum y'a pas! Du sucre y'a pas! Des oignons y'en a plus! Des pommes de terre, n'en parlons même pas!)

Et le client devait attendre son bon vouloir surtout s'il était tributaire d'un carnet de commissions réglable en fin de mois. D'où la rancune qu'Antilia provoqua autour d'elle, en particulier chez les femmes qui aimaient maquereller toute la sainte journée sur les faits et gestes d'autrui et qui ne trouvaient pas une miette de racontars à proférer sur sa vertu. Quant à notre voisin, le major Thimoléon, il scrutait avec philosophie cette étrange agitation de la fenêtre de son atelier, ne posant son rabot ou sa scie que lorsque Antilia dépassait les bornes (en fait quand elle osait lui rappeler avec verdeur que son pot de chambre puait et qu'il était grand temps de le déverser à la mer).

« Man pa kanmarad ti kapistrèl! » (Je ne suis pas le copain de cette donzelle!) clamait-il à qui voulait l'entendre sans que personne ne prenne la hauteur de son courroux; alors, vexé, il empoignait son pot et le court balai en bambou qui servait à le nettoyer et se dirigeait de son pas incertain vers cette mer de Grand-Anse qu'il mauditionnait du fond de son cœur à l'instar de tous les habitants d'ici-là.

Il avait bien tenté de louer mes services, chose à laquelle je m'étais toujours dérobé, non pas que je méprisasse ce genre de corvée (toute corvée nous était bonne, à nous négrillons, pour glaner deux francs et quatre sous) mais parce que le voisinage avait convaincu Marraine que son caca puait autant que celui d'un mort.

« Monsieur a gaspillé tout son argent à tafiater et à jouer aux dés au lieu d'élever une famille en vrai chrétien-vivant, affirmait-on, Dieu lui a trouvé cette punition. Il ne s'est pas montré trop dur car Thimoléon est quand même un bon artisan... »

Ainsi nul n'entrait jamais chez lui, le menuisier. Tout juste haltait-on à la fenêtre de son atelier afin de lui passer commande. Quand il souffrait trop de la solitude, il venait entretenir Eau de Café des faits et méfaits de sa jeunesse ou de la guerre de 14-18 en jetant des regards furibards à l'endroit d'Antilia. Si d'aventure il parvenait à m'attraper, il me terrorisait en me susurrant à l'oreille :

« Prends garde à toi avec cette femelle sans mère et sans nom ! Elle peut déposer dans ta chair un désir à te déchirer l'âme en mille petits paquets de douleur. Elle peut mettre ta vie en haillons. Écarte-toi d'elle autant que tu le pourras ! »

Le 12 janvier 1937

Très cher,

Ils nous ont cernés. Au tréfonds de chacun d'entre nous, ils ont installé un déchirement inouï et j'entends par là le bruit mat du coutelas qui fend en deux le coco sec. Geste familier, geste famélique. Les négrillons mâchonnent dans l'arrière-cour des cases sa pulpe blanche non pour tromper la faim, non par désœuvrement, ni quoi que ce soit de ce genre. Ils mâchonnent les mangots verts, les jujubes, les têtes de pain rassis, les berlingots chapardés à la boutique, tout cela en coquillant leurs yeux sur la course déglinguée des autos.

Au rond des arbres à pain, on a disposé des caisses ou des barriques désaffectées en guise de sièges et les femmes peignent à grand-peine la chevelure crépue de leur marmaille. La route des Religieuses commence au Pont Démosthène, envahi à l'approche de la nuit par une cohorte de péripatéticiennes jacassantes, sangle la masse inquiétante du Morne Pichevin et se perd plus haut en dehors de la ville.

Un homme prédit la fin du monde pour l'an prochain et nous presse d'acheter une camelote invraisemblable, hâtivement amassée dans une camionnette bâchée.

Chacun d'entre nous s'épuise dans le dérisoire. De la fenêtre de ma chambre d'où je découvre les toits rouges de la ville et le ballet des chauves-souris qui s'y terrent le jour, il me vient l'idée, somme toute saugrenue, de recoudre ma vie.

ANTILIA

Deuxième cercle

Depuis trois décennies, la jeunesse a répudié le bourg. Entre cette mer aux entrailles inutiles (« bréhaignes » préfère-t-on dire) et la fumée qui ne tige plus des sucreries et des rhumeries, l'espoir est plus vain que celui du papayer mâle. Alors les gens du temps ancien ruminent leurs songes dans les rues prisonnières du soleil. Désormais, il ne sert plus à rien de distinguer le carême de l'hivernage ou si peu, ni même de compter la cadence des cyclones et encore moins d'interroger le vol des tourterelles et des caïalis graciles.

Pourtant l'explication doit bien se trouver quelque part, au beau mitan de la Parole figée...

6

Antilia, négresse à présages, dont on craignait par-dessus tout la bouche cousue, se mit un jour à courir une calenda d'une obscénité jamais vue sur la place du bourg. Je venais de fêter mon onzième anniversaire, me semble-t-il. Elle paraissait enrouler les ruades de son corps autour d'un être invisible et s'empaler en lui par saccades dans une éblouissante voltige d'écume. On se rassembla en silence, à distance respectueuse de la visionnaire, pour attendre le moment où le mal-caduc la terrasserait. Quelle calamité pire que cette deuxième guerre qui chiquetaillait l'écorce de nos vies pouvait-elle bien annoncer ? Les vieux-corps demeuraient incrédules et goguenards, leur pipe de terre à la bouche, croyant à une simple démonstration de haut-mal, comme ils le décrétaient, car cela se produit, hélas, lorsqu'une femelle à la coucoune qui la gratte trop. Si vous n'avez pas saisi : parce qu'aucun bougre de céans n'a jugé bon de lui labourer le ventre depuis quelque charge de temps. En tout cas, leur rire est resté accoré dans leur gorge quand Antilia a commencé à vocaliser toute une fièvre d'exclamations qui ont huilé les toits de tôle ondulée puis se sont emparés des mornes avoisinants, faisant palpiter les diaprures des figuiers-maudits et des bois-gommiers. Au début, nul n'a saisi la chair de ses mots qui charroyaient une fulgurance insupportable pour les oreilles les plus aguerries :

« Lamadòn rivé ! Lamadòn kay pwofondé an tjou bonda marenn zòt, bann isèlèp ! » (propos intraduisibles en langage civilisé où il est question de l'arrivée d'une Madone qui viendrait émasculer les nègres et taillader le vagin des négresses, autant dire tout un lot de couillonnaderies auxquelles il était inutile de prêter foi).

Au nom de Madone, l'abbé Le Gloarnec, neuf parmi nous, abandonna une réunion des Cadettes de la France, au presbytère, où il s'escrimait à plaider en faveur de la chasteté auprès de négresses qui avaient avorté trois-quatre fois ou qui traînaient derrière elles un kilomètre de marmaille, pour se présenter au Bord de Mer muni, à tout hasard, d'un encensoir et d'un goupillon. Savait-on jamais avec ces païens! Bien qu'il fût installé aux colonies depuis la fin des années 20, il redoutait la fourberie de ses paroissiens et n'avait pas une once de confiance dans leur prétendue conversion aux préceptes du Saint Évangile, hormis la poignée de ravets d'église à qui il baillait la communion sans confession tous les beaux matins à six heures vingt-cinq. Ainsi, chaque messe dominicale était pour lui une épreuve de force, un nouveau combat dans la noble et ingrate tâche d'évangélisation des nègres et coulis païens dans l'âme, sans même parler des mulâtres francs-maçons de l'acabit de maître Féquesnoy qui minaient dans l'ombre tout ce qu'il entreprenait.

Antilia était à présent toute nue lorsque l'abbé la découvrit après s'être frayé avec peine un passage dans la grappe des curieux. Sa belleté le frappa droit au cœur. Il en était tout bonnement statufié. Il lui avait donc fallu buter sur les seins fermes, les hanches généreuses et le sexe rutilant de sueur fine d'une négresse pour s'apercevoir que cette race-là était aussi faite à l'image de Dieu. Pire, cette belleté s'était muée en un désir brutal dans le mitan de son ventre maigrichon et gagnait ses reins avec un ballant inarrêtable, chose qui produisit chez lui un modèle de bande qu'on n'avait pas vu par ici depuis l'abolition de l'esclavage. Ce phénomène, aux dires des érudits locaux, ne se manifestait que durant la torture dite des « quatre-piquets », au moment où l'écartèlement devenait si maximal qu'il convoquait l'article (indéfini) de la mort. Donc la verge de Paul-Germain Le Gloarnec, natif de Bretagne, entreprit d'enfler-enfler-enfler, tant et tellement qu'elle lui fit une bosse monstrueuse sur le devant de sa soutane. Chance pour lui, les grains des yeux de tout le monde étaient collés sur les macaqueries d'Antilia et on essayait en se grattant la tête de comprendre ce qu'elle entendait par Madone vu qu'on n'avait jamais entendu la couleur de ce mot auparavant.

« La Vierge du Grand Retour arpentera chaque commune de cette île en perdition, annonçait la visionnaire, et vous devrez tous ramper à genoux sur son passage pour implorer l'absolution de vos nègreries. Sachez que Dieu vous a envoyé monsieur Julien Thémistocle en guise de punition comme il a fait péter le volcan à l'orée du siècle ou comme, chaque septembre, il décrète un cortège de cyclones. La mère de Jésus arrivera à Fort-de-France dans un flamboiement de clartés et déjà elle a commencé à... »

La plaidoirie fut interrompue par la chute inopinée de l'abbé Paul-Germain. Sa verge boursouflée, trop durcie par le désir, coupa sa circulation sanguine et mit un terminus aux chamades de son cœur. Il tomba à la renverse, sa verge crevant sa soutane au grand effroi de la gueusaille qui s'escampa dans les ruelles pavées du bas-bourg. Seule Antilia, impériale, s'approcha du corps et entreprit de ramollir avec force « Ave Maria » cet étrange bâton de maréchal, sans y parvenir. Le glas vibrillonnait déjà au clocher de l'église, la sirène de l'usine de Fond Brûlé crachotait déjà, les Grand-Ansois, dans un bel ensemble, envahissaient déjà le Bord de Mer, vêtus déjà de blanc et noir, que l'abbé refusait encore de « rengainer ses prétentions fornicatrices » comme l'écrivit plus tard l'instituteur Émilien Bérard dans un article que lui avait commandé un journal de Fort-de-France. Jamais veillée mortuaire ne fut plus cocasse de mémoire de nègre ! On charroya le corps dans le vestibule désert de la Société Mutualiste « La Famille Solidaire » et l'on improvisa contes et chanters sur la vie du décédé, révélant au passage ses entorses répétées au vœu de chasteté. Ainsi rit-on beaucoup des attouchements auxquels il procédait sur les jeunes filles en retraite de première communion afin de vérifier si leurs culottes étaient propres car « Dieu Tout-Puissant ne reçoit pas dans son royaume les mariesouillonnes » ou des assauts brefs, à la lapin, qu'il faisait subir à certaines paroissiennes quinquagénaires dans les pas perdus du presbytère. Au fond, on se réjouit d'avoir eu un abbé si compréhensif envers notre lubricité naturelle de créoles et l'on oublia la prédiction d'Antilia. Cette dernière ne participa point à la bamboche. Elle se réfugia à nouveau dans un effrayant mutisme, se contentant de temps à autre de hocher la tête et de lancer des regards lourds de reproches aux veilleurs. On ne la vit sourire qu'au moment de mettre en bière l'abbé dont le corps avait commencé à pourrir et donc à sentir plus vite que celui des nègres, Dieu seul sait pourquoi.

Le conseil municipal au grand complet dut se réunir à huis clos sous la présidence de maître Féquesnoy, le maire s'étant, en parfait diplomate, fait porter malade.

« Ah, ce Mussolini au petit pied! pestait le notaire, jamais là quand il faut prendre des décisions capitales! »

Autour de lui, le jeune docteur Valmont, Ali Tanin, nouveau coopté depuis qu'il avait à juste titre fait valoir que l'Empire ottoman s'était rangé aux côtés de la Révolution nationale, le directeur d'école engrosseur d'élèves et quelques autres inutiles dont il serait par conséquent oiseux de révéler l'identité (autant marquer un zéro devant un chiffre).

« Je propose qu'on... qu'on scie son... appareil génital... avança maître Féquesnoy, d'un ton prudent.

– J'adhère! s'écrièrent d'une voix unanime neuf conseillers qui n'avaient foutrement rien compris à ce baragouin.

– Ça va être compliqué... fit Valmont qui craignait que l'opération ne lui échût.

– J'adhère! » approuvèrent deux conseillers analphabètes, empressés de faire plaisir au docteur.

Le directeur d'école, qui était un expert en matière de scatologie, s'étonna que la verge de l'abbé Paul-Germain ne se soit pas affaissée quelques minutes après la mort. Ce à quoi le docteur Valmont répliqua par une formule latine qui lui cloua le bec.

« En clair, cela signifie, continua-t-il, qu'en certaines circonstances extrêmement rares, il peut se produire un étranglement des vaisseaux sanguins à la base de la verge, si l'excitation a été trop forte, une sorte de priapisme, que l'arrêt des fonctions vitales ne parvient parfois pas à dissiper.

– Qu'on foute cette chienne d'Antilia à la geôle ! hurla un des conseillers. Qu'avait-elle à se dénuder comme ça ?

– Où est le brigadier-chef Cardont ? s'enquit subitement le maire remplaçant. Qu'on aille le quérir d'urgence... au nom de la République Française Une et Indivisible... »

L'expression favorite du gendarme déclencha l'hilarité générale du conseil municipal auquel elle remémora sa faconde méridionale qui s'était exprimée pour la première fois à l'occasion de son extravagante soi-disant arrestation de Julien Thémistocle. Cardont vivait depuis lors dans une sainte terreur de la population. Souvent, il se surprenait à penser qu'il aurait été plus à l'aise dans un camp de travail en Allemagne que dans cette île pourrie où l'on prenait tout, à commencer par la mort, à la rigoladerie. Il se calfeutrait à la gendarmerie sous le fallacieux prétexte que l'alcool de canne à sucre avait démantibulé le carburateur de sa jeep et que ses maux de reins lui interdisaient de longs trajets à dos de cheval. Mais dans le cas présent, il ne pouvait faire aucune échappade : la mairie se trouvait à trois cents mètres de là.

« J't'en foutrai moi d'la République Une et Indivisible ! » grommela-t-il en ajustant ses bretelles.

Puis il rédigea son testament à la va-vite pour le cas où. S'armant de deux revolvers 6,35, il se dirigea avec résignation vers la mairie où l'attendait probablement une fin tragique. Il entra au moment où le maire remplaçant prononçait une nouvelle fois le mot « scier » et crut que l'on discutait du mode de torture qui lui serait infligé. Il dégaina aussitôt ses armes et mit le conseil municipal en joue, dos au mur, contre un gigantesque portrait du maréchal Pétain orné de la devise :

SAUVONS LA FRANCE

TRAVAIL-FAMILLE-PATRIE

Les conseillers se liquéfièrent dans leurs caleçons. Maître Féquesnoy voulut parlementer mais il songea à l'avenir et préféra ne pas remuer.

« Vous ne me scierez pas, tas de sauvages! hurlait le brigadier-chef Cardont, bande de fadas! Je vais vous aligner les uns après les autres, vous verrez. Ça va barder, mes cocos! »

Il enferma le conseil municipal dans un cagibi à balais et emmena le suspect numéro un, à savoir le bâtard-Syrien Ali Tanin, dans le bureau du maire où il entreprit de le questionner à la manière des marins de l'*Émile-Bertin* et du *Barfleur*, méthode infaillible sortie tout droit, disait-on, du génial cerveau du maréchal Pétain : la torture aux génitoires. En effet, alors que toutes les polices et gendarmeries du monde s'épuisaient à tabasser leurs suspects sur la tête, sur l'écale du dos ou aux jambes pour, final de compte, n'obtenir que de très médiocres résultats, une note en provenance du Service de renseignements de la Marine indiquait ce qui suit :

« Notre vénéré maréchal Pétain, sauveur de la Patrie et régénérateur de la Race, a décidé que l'interrogatoire de tous les individus appréhendés pour cause de haute trahison devait se dérouler selon une méthode établie par lui-même et une commission d'experts composée de psychologues catholiques, cela à compter du 1er mars 1943. Selon les recherches effectuées à Vichy par les médecins personnels du Chef de l'État, il apparaît que la partie le plus sensible de l'anatomie masculine se situe, sans contestation possible, au niveau des gonades. Aussi est-il facile de faire avouer les plus arrogants des soi-disant résistants, appelés " dissidents " aux Antilles françaises, en leur infligeant quelques décharges électriques au niveau de celles-ci. Dans les régions de France où l'électricité fait défaut, ou bien se trouve rationnée, une variante peut être tout aussi efficacement utilisée. Elle consiste à chatouiller les gonades du prévenu à l'aide d'une plume d'oie mâle jusqu'à ce que la peau se fripe comme s'il avait la chair de poule. Il parle en général au bout de quatre minutes et demie, six ou sept s'il s'agit d'un pervers. Cette méthode nécessite par contre une très

grande expérience et un doigté sans faille car il faut éviter à tout prix tout écoulement séminal.

« *La présente note sera affichée dans toutes les gendarmeries et hôtels de police de nos possessions américaines encore sous le contrôle de notre bien-aimé Maréchal, sauveur de la Patrie.* »

Signé : Lieutenant de vaisseau Bayle,
Pour l'amiral Robert empêché.

Ici, se produisit une manière d'événements dont Radio-bois-patate a conservé maintes facettes, l'une d'entre elles se révélant au descendant du temps plus crédible que les autres. Au moment où Ali Tanin s'apprêtait à subir les cruautés du brigadier-chef Cardont, une volée de poings tambourinèrent sur la grille d'entrée de la mairie. Des voix exigeaient : « Aux armes ! Aux armes, citoyens ! » Des nègres surexcités, armés de barres à mine, de coutelas, de becs de mère-espadon et d'antiques fusils de chasse, occupaient la Rue-Devant. L'un d'eux hurla :

« Les Allemands vont débarquer ! »

En un battement d'yeux, le brigadier-chef dégaina son arme et grimpa quatre à quatre au dernier étage du bâtiment où il se barricada, abandonnant le demi-Syrien à son sort. Le pauvre en profita pour s'enfuir et trouva refuge dans la boutique d'Eau de Café. Marraine aiguisait un couteau de cuisine sur une meule quand elle vit le bonhomme arriver tout penaud et apparemment bouleversé de craintitude. Elle le repoussa avec violence au-dehors en criant :

« Comment ? La France est attaquée et toi, tu fais le capon. Va au combat ou je te dénonce en public ! »

Les rues étaient devenues tout le portrait de niches de fourmis-folles. De jeunes mâles-nègres entonnaient *la Marseillaise* tandis que leurs mères, sœurs ou concubines applaudissaient aux balcons. Ali Tanin fut bien obligé de saisir une fourche que lui tendait un vieux-corps qui ne s'était pas levé de son grabat depuis la fête du Tricentenaire de notre rattachement à la France, en 1935. Il se rendit au bord de la mer où les fainéantiseurs, les tafiateurs, les joueurs de dés, les djobeurs, les nègres aux pieds pleins de chiques se trouvaient au premier rang, scrutant la rage de la mer d'un air matamore. Le bougre qui avait baillé l'alerte expliquait pour la dixième fois :

« J'avais voltigé ma nasse pas loin de La Crabière, les hommes, lorsque j'ai vu le ventre de la mer se bomber et faire une sorte de qualité de vrombissement. On aurait juré l'hydravion Latécoère, et puis une chose noire, deux fois plus grosse qu'une manman-baleine, a tigé du fond de l'eau : un sous-marin, les hommes! Le temps que je crie ouaïe! ouaïe!, que je saute sur mes rames pour retirer ma carcasse de là, il était déjà complètement sorti. Deux bougres, plus blêmes que des christophines qui ont mûri sous leurs feuilles, sont apparus par une sorte d'auvent et m'ont visé. Oui, visé avec des mitraillettes! Ils criaient sur moi dans une langue féroce. J'ai failli faire caca sur moi. Ils prononçaient tout le temps le nom de ce vagabond d'Hitler en riant et c'est là que j'en ai déduit qu'il s'agissait de soldats ennemis. J'avais une de ces tremblades, les hommes, malgré la chaleur du gros soleil qui pétait sur nous. Alors, les Allemands ont tiré en l'air, toujours en prononçant leurs paroles raides et puis ils sont rentrés dans leur sous-marin et sont redescendus sous l'eau. Ils sont là, serrés derrière La Roche, ils longvillent le moment où ils pourront débarquer... sans doute cette nuit, pendant qu'on n'est pas sur nos gardes...

– Les Allemands attaquent toujours en masse, affirma quelqu'un. C'est comme ça qu'ils nous ont eus en 14, et puis en 40. Ils sont plus rusés que des macaques puisqu'ils se gardent bien de s'en prendre à Fort-de-France où se trouve notre flotte. La *Jeanne-d'Arc* et l'*Émile-Bertin* leur foutent une peur du tonnerre alors ils viennent ici, à Grand-Anse, où on n'a rien pour se défendre... »

Les vaillants défenseurs du drapeau bleu-blanc-rouge espérèrent l'ennemi toute la nuit. En vain. On alluma des bois-flambeaux tout le long de la côte et cela seul suffit à le dissuader d'envahir le pays. De guerre lasse, les nègres se mirent à jouer au sèrbi et aux dominos à blanc c'est-à-dire sans mises, chose qui est chez nous la marque d'un ennui profond. Ali Tanin, dont c'était apparemment le jour de chance, gagnait à tous les coups sous l'œil goguenard de Julien Thémistocle auquel tout ce chambardement ne faisait ni chaud ni froid.

A minuit tapant, les entrailles des flots se mirent à s'agiter en tous sens. La milice se mit aussitôt sur le pied de guerre quand on vit mamzelle Antilia surgir de la mer, radieuse et sardonique à la fois, vêtue d'une robe d'algues phosphorescentes et tonner :

« Nous sommes maudits! Cette mer-là est maudite! Écartez-vous d'elle si vous ne voulez pas pleurer toutes les larmes de votre corps. La Madone viendra! »

Inutile de dire que le monde a battu en retraite. Entretemps, le corps de l'abbé qui était exposé depuis plusieurs jours dans l'attente d'une solution pour son sexe bandé, avait retrouvé la posture normale de tout honnête cadavre. Seulement, un sacré modèle de sourire décorait le pourtour de ses lèvres. Oui, un sourire...

Ma mémoire d'enfance ne portait pourtant aucune trace de cette arrivée fabuleuse d'Antilia à Grand-Anse pour la simple raison que c'est moi, bel et bien moi, qui le premier avais découvert la folle dans son antre de sable noir au beau mitan de la plage. Et c'était encore moi qui avais arraché son corps aux rochers lorsqu'elle se fut noyée...

7

Son cri s'est enfoui pour l'éternité dans la mémoire de nos tables de nuit. Il a fait éclater nos tempes comme de vulgaires goyaves. Il a surpris le cantonnier cassant ses roches de rivière, la marchande de poissons débitant le thon au coutelas à la devanture du Grand Marché, les négrillons hâbleurs défiant l'agilité du gibier de mer avec leurs chassepots, la femme vénale qui espère dix heures du matin pour sortir de sa couche et faire ses ablutions dans l'eau tiède du bassin. Et même plus : il a momifié la mer et sa cohorte d'échos railleurs. Cri terrifiant!

Les gens de Grand-Anse s'appliquèrent alors à engranger du silence. Ils mesuraient le bruit de leurs pas sur l'asphalte granuleuse, ils baissaient le ton ou se parlaient avec des gestes démesurément lents. Après l'ampleur du cri, chacun éprouvait l'impérieuse nécessité d'un immense calme, comme pour accorder aux choses le temps de se remettre en place. Comme pour éviter qu'une cassure définitive ne se produise en quelque endroit de leur route immuable. Baillez-moi ma paix, s'il vous plaît! Telle est notre litanie.

Eau de Café, qui venait de s'installer au bourg depuis à peine deux mois, agit en vraie campagnarde en cette circonstance et c'est de là que vint la condescendance avec laquelle on nous regarda longtemps. En effet, elle se suspendit à son balcon et lança à la volée :

« Sa ki rivé ? » (Que s'est-il passé ?)

Elle descendit la Rue-Devant tout excitée, pieds nus,

interrogeant avec avidité chaque passant, chaque visage aux persiennes qui claquaient aussitôt. Elle tenta d'arrêter la course-poursuite des deux taxis-pays de Grand-Anse, le « Golem » et le « Bourreau du Nord », mais leurs chauffeurs, visionnant déjà les dépassements sanguinaires qu'ils s'infligeraient à tour de rôle sur l'interminable route mal asphaltée conduisant à Fort-de-France, ne lui accordèrent aucune attention. Le cœur désarroyé, elle s'en alla trouver monsieur l'abbé au presbytère où elle ne vit pas un chat, à l'église où une bondieuseuse lui reprocha sa tenue et, en final de compte, elle comprit : il ne pouvait être qu'au côté de la personne qui avait poussé ce cri terrifiant. Il l'avait sûrement aidée à enjamber la mort car il sentait la mort à pleines dents ce cri-là, il puait la mort. Ses vibrations interminables avaient d'un seul coup encadré le bourg depuis La Cité jusqu'au quartier Bord du Terrain, le secouant sans ménagement, gonflant le cœur des nègres d'une peine et d'une frayeur si étroitement mêlées qu'ils s'en sentirent tout désarmés.

Eau de Café, ébouriffée, rebroussa chemin et ne récolta au devant d'elle que le vide du jour. Elle avait, sans le savoir, effarouché le monde avec sa hardiesse de négresse des mornes. Sans doute s'attendaient-ils qu'à tout instant la colère du ciel ne la déraille dans sa marche. Eau de Café s'accroupit sur le pas de sa porte, comme cela lui était coutumier à Macédoine, frottant d'un geste machinal ses échauffures, et la nouvelle courut, quelques semaines plus tard, qu'elle avait vidé le pissat de son corps au devant du cadavre d'un innocent. Elle m'appela et me demanda de m'asseoir auprès d'elle. J'avais peur, très peur mais j'aurais été bien incapable d'en dire la raison. Peut-être parce que son cœur battait à grand ballant contre ma tête et que je devinais par là l'annonce d'un vaste malheur. Ce que l'on ignore n'est-il pas plus grand que soi ?

Trois heures plus tard, chacun avait retrouvé ses activités habituelles et plaisantait, hélait le voisin, gesticulait comme s'il ne s'était jamais rien passé. Nous en étions, Eau de Café et moi, tout bonnement abasourdis. Nous n'avions jamais eu commerce avec une race de nègres qui brocantaient si prestement de figure et d'humeur. Elle m'envoya acheter du pain à la boutique de Man Léonce qui, trônant au mitan des sacs de farine-France, était en train de dire à un client :

« Je ne suis pas plus grande-grecque qu'une autre, non, mais j'ai toujours répété qu'il allait finir par perdre sa tête... un petit bougre que j'ai embrassé sur les deux joues le jour de sa naissance, oui. D'ailleurs, chaque matin en allant à l'école, je lui offrais un pain au chocolat ou un gâteau au coco. Il était gentil, calme. Je ne l'ai entendu babiller qu'une fois, quant à injurier la mère de quelqu'un, je ne crois pas... »

Le client acquiesçait sans mot dire. Il était visible qu'il avait l'esprit ailleurs. Ici on oublie vite. L'oubli commence presque en même temps que l'événement : on crie, on sanglote pour commencer à oublier car on hait la douleur, grande faiseuse de dérangements, pourvoyeuse d'emmerdations sans limites. On oublie pour s'épargner l'effort de comprendre et il faut dire que le vacarme incessant de la mer de Grand-Anse nous y aide bien. Nous devenons d'étranges animaux hébétés, des nourrissons brutalement sevrés, de pauvres hères feignant l'indifférence totale. La cadence de chaque lame venue de Miquelon, s'écrasant sur le sable noir, nous imprègne tellement que les étrangers blancs qui, par hasard, s'égarent ici échafaudent toutes espèces de théories compliquées et farfelues sur ce qu'ils nomment notre « sens inné du rythme ». Ils confondent le chaloupement de croupière d'une négresse stéatopyge avec le trémoussement de la danseuse de haute-taille livrée corps et âme à la frénésie des tambours. Ils mélangent tout, les bougres. Ils ignorent que dans notre sommeil le lent déplacement de la mer repue nous fabrique des rêves d'une impalpable douceur, nous rive à son incessant balancier et c'est ainsi qu'elle nous tient. Elle s'est emparée de notre raison et de notre folie. Elle gouverne nos désirs et nos refus. Elle nous impose sa splendeur stérile et nous met au défi.

Parfois, elle nous provoque tant et tellement qu'il n'y a plus d'autre issue que la pendaison sans crier gare un jour d'intense chaleur et elle se réjouit du cri qui tige de nos gorges. Elle feint, la salope, elle feint la stupeur, hon! C'est ainsi qu'Émilien Bérard, instituteur, fils brillant de Grand-

Anse et philosophe de renom, a mis fin à ses jours au quartier En Chéneaux, par-delà l'école où chaque beau matin, il s'épuisait à enseigner la langue des Blancs à des petits nègres qui venaient d'abattre quatre ou cinq kilomètres à pied et qui s'étaient nourris en hâte de figues mûres ou de mangots dégrappés le long des routes. Ah, ce cri! Cette pureté du cri, cette stridence implacable qui figea la lumière elle-même!

A ses côtés, le rebelle avait suspendu un baluchon comprenant des livres, deux chemises, un pantalon, une règle, une équerre et l'étui de ses lunettes. Le message était clair : mon âme et moi retournons dans cette Guinée où nos pères furent arrachés il y a plusieurs siècles de temps. Mais dans sa poche, on trouva un bout de papier plié avec soin où il avait marqué :

« Rendons grâce aux dieux qui ne retiennent personne dans la vie » (Sénèque).

Eau de Café, qui l'avait pourtant moins bien connu que toute autre personne d'ici-là, fut saisie d'une profonde chagrination et maugréa contre les gens du bourg qui n'avaient pas su deviner et prévenir son geste. D'ailleurs, personne d'autre qu'elle n'avait élevé de protestation : on savait ce qu'il en était et surtout qu'on n'y pouvait rien. Le cours des choses est inscrit depuis que le monde est monde dans l'histoire de notre bourg. On conclut qu'Émilien Bérard lisait de « mauvais livres ». Mais il n'était que fasciné par le mystère de la mer de Grand-Anse, par sa solitude splendide sous le soleil et il aimait à s'y baigner, se laissant prendre au ressassement hypnotique de son écume. Effrayés, nous le voyions rouler dans les vagues, partir à leur rencontre et être ramené au rivage tel un tronc à la dérive. Nous l'entendions réciter des poèmes en créole de sa composition dont nous ne comprenions pas un seul mot.

« C'est une âme en peine, ce petit bougre-là » avait inévitablement décrété Eau de Café en l'observant depuis sa fenêtre à la brune du soir.

Un jour, Antilia l'avait ramené à la maison en le halant par la manche de son veston fripé. Il riait, ruisselant de sable, ses lunettes à double foyer couverts d'embruns, ce qui tempérait la lueur folle de ses yeux. Il s'assit en titubant sur le canapé en répétant tel un automate :

« Madame... Ah, madame !... nous allons trouver le chemin. Nous le cherchons depuis une éternité, nos plantes de pied sont usées à force de tourner sur nous-mêmes mais bientôt nous saurons où aller. Ce bourg sortira de son manège de chevaux de bois, je vous le promets... ce pays-là aussi...

– Vous prendrez bien un jus de corrossol, monsieur l'instituteur, demanda Marraine avec toute la respectation du monde.

– De l'eau... de l'eau de carafe, ça ira fort bien, merci. »

Antilia s'était assise à ses pieds, le dévorant du regard. Lui, on aurait juré qu'il ne la voyait pas. Il se parlait à lui-même, enfiévré, chaleureux, puis soudain chimérique, abattu. Lui que les maquerelles du bourg croyaient dur comme fer l'amant d'Antilia.

« Je lis en ce moment le témoignage d'un visiteur illustre du siècle passé, entretenait-il Eau de Café, un étrange voyageur helléno-anglais du nom de Lafcadio Hearn. Il avait la nationalité américaine. Cet homme était tombé en admiration devant la vie créole de Saint-Pierre. Il a passé aussi par chez nous et on trouve dans son ouvrage *Esquisses martiniquaises* les plus belles pages que l'on ait jamais consacrées à Grand-Anse. Elles m'ont bouleversé ces vingt pages et c'est pourquoi j'en veux un peu à Hearn car j'aurais aimé les avoir écrites. »

Marraine lui demandait de lui en lire des passages et tous deux gaspillaient ainsi des après-midi entières. Rien d'étonnant donc que sa disparition ébranlât l'existence de celle-ci. Toutefois, une autre parole, plus tortueuse, court sur la fin tragique d'Émilien Bérard et met en cause une fois de plus Eau de Café, véritable souffre-douleur des nègres de Grand-Anse. Marraine avait, en effet, hérité une malle en bois de courbaril de sa mère Franciane qui elle-même l'avait reçue du béké avec lequel elle avait connu les effluves de la passion. Voilà le comment du comment : quand l'épouse de De Cassagnac eut été internée à Fort-de-France (comme on le verra plus avant – ô lecteur pardonne les errements du récit qui semble courir comme une fourmi folle !) et que sa détresse cessa de déchirer le cœur de tous ceux qui l'approchaient, surtout sa valetaille, Franciane put investir la maison du maître. Sans faire montre de la moindre arrogance. Sans ostentation non plus. Elle refusa bizarrement de s'approprier les robes en crinoline et les bijoux de sa rivale, désarçonnant net les langues effilées qui redoublaient de hargne dans les cuisines et les cases à nègres. Ses vêtements continuaient à être en simple madras et à peine coiffait-elle son opulente chevelure frisée en la mouillant à l'eau du bassin dans lequel elle ne cessait de s'ébattre quelle que soit l'heure du jour. De Cassagnac fut admiratif devant un tel désintéressement qui démentait le proverbe créole « Pas d'argent-jambes fermées », forgé sans doute au vu de la comportation des demi-mondaines du Saint-Pierre d'antan. Un jour, en dépoussiérant le galetas, elle buta sur une malle si lourde qu'elle ne parvint pas à la déplacer d'un pouce. Un énorme cadenas rouillé en interdisait l'ouverture. Franciane, intriguée, courut au-devant de De Cassagnac qui revenait à cheval du bourg de Grand-Anse où il avait fait quelques achats dont une bague en or surmontée d'une bête-à-Bondieu en argent. La jeune femme ne prit même pas la hauteur de ce présent. Elle pressa son homme de questions au sujet de la mystérieuse malle. Il se renfrogna et ne parla plus jusqu'à la maison.

« Pourquoi êtes-vous en colère ? demanda-t-elle à la fin.

– Je t'adjure d'oublier cette malle.

– Je veux l'ouvrir.

– Non ! Non, non, non et non ! »

De Cassagnac se servit plusieurs rasades de tafia à même la bouteille et s'affala dans un rocking-chair sous la véranda, le visage empreint d'une profonde perplexité. Il se mit dès lors à fuir la maison. Souventes fois, il enjambait sa monture et disparaissait au-delà des limites de la plantation, dans les bois épais du Morne l'Étoile, ne rentrant qu'à l'approche de minuit. Et ce n'est pas à dire qu'il gagnait la couche de Franciane ! Point du tout. Il s'asseyait parmi ses nègres, à même la terre battue de la grande cour, et écoutait bouche bée les aventures de compère Éléphant et de compère Lapin. On murmurait, à tort, qu'il nourrissait le regret, plus amer que l'orange du même goût, de son ancienne épouse.

On redoublait de flatterie à son égard. On venait lui offrir les plus beaux fruits de saison sans qu'il touchât aux précieuses merises qu'il appréciait si fort d'ordinaire. Sa gouvernante, grosse négresse-majorine, dut prendre l'affaire en main avant que l'habitation ne tombât en capilotade. Elle traîna Franciane par les cheveux en la sermonnant :

« Cette malle contient de vieux livres. De mauvais livres en somme, des choses qu'il est interdit de lire, alors laisse notre maître en paix avec tes couillonnades. D'abord sais-tu seulement déchiffrer du noir sur du blanc, hein ? Qu'en ferais-tu ? »

Soulagé, le Blanc-pays reprit peu à peu son équanimité habituelle et plus personne n'aborda cette question pendant etcetera de carêmes et d'hivernages. Seule Franciane, à l'insu de tous, montait au galetas quand il n'y avait personne à la maison et se mettait à caresser le bois soyeux de la malle, lui chuchotant parfois des mots mignonneurs ou lui chantonnant des berceuses créoles. Sa passion secrète dura jusqu'à la terrible révolte de 1927 où de Fabrique, le bon Blanc (le sort est si expert en macaqueries!), périt décapité sous les coups de coutelas de seize coupeurs de canne nègres et coulis. Elle dut évacuer la maison et s'établir à Macédoine où elle dénicha un mulâtre compatissant et sans le sou qui l'avait toujours portée dans son cœur, pour la mettre en case. Dans sa fuite, elle réussit à faire emporter la malle à bord d'un cabrouet et la rangea dans un débarras de sa nouvelle demeure où elle l'oublia pour de bon cette fois-ci. A sa mort, également violente (par la faute du nègre-marron Julien Thémistocle), la malle à mauvais livres faillit être dépotcholée à la hache par son homme pour en faire du charbon de bois. Il se ravisa sans raison et la porta à Doris, la fianceuse du Diable, à qui Eau de Café, orpheline, venait d'être confiée. Quelque quinze années plus tard, cette dernière charroya la malle dans sa pérégrination au bourg de Grand-Anse. Ainsi cet héritage mystérieux des premiers temps de la colonisation vogua-t-il de destinée en destinée, chacune plus tragique les unes que les autres pour finir dans les mains d'Émilien Bérard qui, plus fouailleur que personne, voulut à tout prix en violer le secret et récolta, hélas, sa pendaison...

Un autre dire court sur Émilien Bérard. Le voici : ce nègre-là avait été traversé par un déchirement sans-manmam un jour quelconque de sa vie – un mardi de carême – et il était demeuré raide sous le soleil, incapable de savoir s'il devait suivre la créature féerique qui venait de lui happer le cœur ou bien rebrousser chemin jusqu'à sa case où l'espéraient femme et marmaille. La personne lui répétait, les yeux hagards :

« Homme, tu possèdes deux pieds mais tu ne peux prendre qu'un seul chemin, pas deux. Marche à mes côtés ou sinon ce sera comme si je n'ai jamais existé. »

Et lui de balbutier :

« Deux pieds, un seul chemin... deux pieds, un seul chemin. »

Mais que pouvait être d'autre le destin d'un nègre qui répétait à qui voulait l'entendre :

« Je me sais habité, depuis le temps-longtemps de l'enfance par l'imminence d'un grand désastre. La feinte plénitude du ciel, sa bleuité désinvolte, le silence qui tient sous son emprise les manguiers, les arbres-à-pain, les bananiers et les goyaviers, toute cette insolence de vert et de marron, ce n'est pas de la belleté, c'est la mort tout sourire, foutre ! »

8

L'INCUBE DE GRAND-ANSE

Le père d'Ali Tanin avait été baptisé Syrien une fois que les nègres se furent exténués à tenter de prononcer son nom. On ne se rappelait plus la date de son arrivée à Grand-Anse mais comme on l'accusait d'avoir fait fortune en détroussant les cadavres des habitants de Saint-Pierre, détruite deux ans après le début du siècle par la montagne Pelée, tout portait à croire qu'il avait vu naître bon nombre d'entre nous. Syrien n'avait pas toujours possédé le Palais d'Orient et Eau de Café se souvenait de l'avoir aperçu à travers mornes et savanes poussant devant lui une brouette chargée de vêtements et de quincaille. Il faisait peine à voir d'autant qu'il se débrouillait avec difficulté dans notre créole. Si bien qu'une négresse, qui avait des petits zéros en guise de chevelure, l'accueillit dans sa case et en fit son homme, puis son mari bien que Syrien fût mahométan. A force de bourriquer et de couillonner le monde, notre homme finit par acheter une masure à la Rue-Devant où il installa quelques ballots de toile. De ce jour, tout un chacun apprit à parler l'arabe puisqu'il suffisait de se racler le fond de la gorge et de cracher à toute vitesse des sons gutturaux pour y parvenir. Pas un quidam qui, passant devant son magasin, ne l'apostrophât en toute gentillesse.

« Hé, La Syrie ! Ça va aujourd'hui ? Acham falhad ichtijad boukhednaf Allah mahabnahar ! »

On voyait d'abord surgir son ventre proéminent, couvert de sueur quelle que fût l'heure du jour, retenu avec peine par un tricot isotherme crasseux et un pantalon dont les poches étaient gigantesques. Puis ses mains, poilues, blanchâtres, aux doigts si fins qu'on aurait juré une fillette et enfin sa figure rouge surmontée d'un nez levantin « plus long que trois nez de nègres mis bout à bout » assurait Man Léonce la boulangère. Loin de se fâcher de cet arabe de dérision, Syrien se répandait en salutations et en félicitations sur votre santé, vos finances ou votre devenir. Quand sa femme mit au monde Ali, il organisa une bamboche du tonnerre de Dieu où tout le monde fut invité quelle que fût sa complexion et, de ce jour, Grand-Anse adopta définitivement cet étranger qui roulait trop les « r ». Son magasin prospéra tant et tellement qu'il put retrouver par deux ou trois fois les doucines de son pays natal dont il nous rapportait de fabuleux tissus et des histoires non moins fabuleuses. Toutefois sa fortune ne devint sonnante et trébuchante qu'à partir du moment où un incube scélérat se mit à soulever les chemises de nuit des jeunes négresses de Grand-Anse. Au début, on crut même à une épidémie d'incubes car plusieurs femmes étaient attaquées au cours de la même nuit, mais une rapide enquête, diligentée à la fois par l'archevêché de Fort-de-France et la maréchaussée de chez nous, put démontrer que l'assoiffé de coucounes était une seule et même personne. L'incube opérait entre deux et quatre heures du matin, choisissant de préférence les jeunes filles dans la fleur de leur virginalité, sur les corps desquelles il laissait grafignages, morsures, bave et traces de sang. Une messe d'action de grâces ne suffit pas à en venir à bout et le Code pénal français ne prévoyant pas de sanction à l'égard de tels actes, la population dut se rabattre sur les simagrées du quimbois pour se protéger. Les manieurs de zinzins, les fabriquants de garde-corps et de philtres protecteurs, les melchiors qui se réclamaient de la Sainte Bible qu'ils lisaient à l'envers, les mentors de la sorcellerie furent à l'ouvrage pendant un bon paquet de semaines. Rien à faire! Julien Thémistocle (tout le monde l'avait désigné coupable à l'unanimité) continuait en toute impunité à se métamorphoser en souffle et à percer serrures, murailles ou cloisons pour vivre son corps entre les cuisses des mamzelles de Grand-Anse. Man Léonce, qui était experte en macaqueries de vieux nègres, comprit avant les autres que l'incube poursuivait là une sourde vengeance et qu'il ne cherchait point à assouvir sa lubricité bien connue (n'avait-il pas violé Franciane, la négresse-aux-grandes-manières, alors même qu'elle était enceinte-gros-boudin d'Eau de Café ?). La boulangère avait, en effet, trouvé curieux que Thémistocle visitât pas moins de vingt filles à chacune de ses incursions nocturnes, ce qui lui laissait à peine quelques minutes de plaisir pour chaque victime. Les incubes se déplaçaient bien dans les airs mais tout de même !

Elle porta ses soupçons sur les deux fiers-à-bras du bourg qui, chose encore plus curieuse, semblaient n'en mener pas large depuis l'apparition du défonceur d'hymens. Le premier, menuisier de son état, avait pour titre Major Thimoléon et son territoire comprenait le quartier de l'hôpital, les abords de l'abattoir (quand ce n'était pas jour de boucherie), En Chéneaux, Long-Bois et toute la partie du bourg se trouvant à gauche de l'église quand on faisait face au soleil levant. Le reste de la commune, Fond Massacre, Morne Carabin, Redoute et bien entendu la Rue-Derrière, appartenait au second à savoir le frère aîné d'Émilien Bérard qui avait interdit au monde de vocaliser son prénom (qui était sa « force ») si bien qu'on avait fini par l'oublier nettement-et-proprement. Nous disions tout bonnement Major Bérard. A l'époque du drame dont il est question, juste après la seconde guerre donc, les deux majors et leurs affidés respectaient avec scrupule leurs aires de chasse et de pouvoir. Sinon, la Rue-Devant, terrain neutre, servait d'arène pour des duels et des gourmeries toutes plus homériques les unes que les autres. L'allié de Thimoléon qui possédait quelque femme sur les terres de Major Bérard devait lui demander la permission-s'il-te-plaît chaque fois qu'il voulait rendre visite à celle-ci et ces laissez-passer n'étaient accordés que si une paix relative avait régné à Grand-Anse depuis un bon bout de temps. La marmaille, qu'on ne mêlait pas à ces conflits d'adultes, bénéficiait d'un droit permanent de libre circulation et gagnait deux francs-quatre sous en allant porter des commissions de la part d'untel pour unetelle dans les moments de trafalgar. La plupart du temps et à mesure que le siècle avançait et que les mœurs françaises empiétaient sur les nôtres, les querelles se vidaient autour des tables de sèrbi, jeu de dés redoutable aux règles si mystérieuses et au rituel si rigoureux que nombre d'esprits pourtant bien formés avaient renoncé à les faire leurs et se contentaient de se confondre en admiration devant les parties où se criait le chiffre magique : onze.

Man Léonce, qui disposait d'une autorité non négligeable sur les deux majors, les convoqua pour exiger qu'ils révèlent lequel d'entre eux avait eu une attitude forfantière (ou pire avait commis une grave dérespectation) sur le territoire du sieur Julien Thémistocle. A lui, le fier-à-bras des campagnes : Fond Gens-Libres, Macédoine, Morne Capot et Assier. Major Bérard, piteux, avoua qu'il avait calotté un nègre d'usine impudent qui prétendait posséder de meilleurs coqs de combat que lui.

« Ce bougre-là voulait faire son intéressant sur moi, alors j'ai dû le mettre au pas. Si je ne lui avais pas flanqué un bon paraviret sur la figure, assurément que vous m'auriez tous traité de zéro devant un chiffre, hein ? »

Syrien, qui se contentait d'observer nos disputailleries de nègres-gros-sirop sans jamais y mettre son grain de sel, grimpa un nouveau barreau sur l'échelle de notre estime en proposant un remède imparable. On coquilla les yeux devant sa proposition :

« Il faut que toutes les madames de Grand-Anse portent des culottes noires pour dormir. Yallah !..

– Des culottes noires ? Arrête tes couillonneries ! s'écria la boulangère.

– Couillonnaderies ! fit, haussant les épaules, Dachine, l'éboueur municipal.

– Couillontises ! ajouta quelqu'un.

– Couillonnades ! » trancha d'un ton définitif Major Thimoléon.

Le pauvre Syrien ne savait plus où se fourrer devant une telle dévalée de rebuffades d'autant qu'il demeurait incapable, comme la plupart des nés-ailleurs, de saisir les subtilités de notre parlure bien qu'après tant et tant d'années de séjour il parlât créole à la flouze et français à moitié. C'est qu'au sortir de l'esclavage (il y avait moins d'un siècle, hé oui!), les Blancs n'avaient pas voulu recevoir nos enfants à l'école et ne condescendirent à nous apprendre qu'un nombre fort limité de mots de leur langue. Ils s'imaginaient pouvoir nous maintenir de cette façon dans l'indigence mais c'était méjuger le nègre créole, vieux macaque auquel personne ne saurait apprendre à grimper un arbre. Faute de connaître « sottise », « bêtise », « ânerie », « connerie » et consorts, il entreprit de jouer sur la gamme des suffixes pour rendre les nuances existant entre ces différents termes, ce qui bailla, au grand dam des Blancs créoles, « couillonnaderie », « couillontise », « couillonnerie » et « couillonnade ». Et dans un autre domaine, « mensonge », « mensongerie », « menterie » et « mentaison ». Et ainsi de suite. Et merde pour toi qui veux garder jalousement les richesses du dictionnaire pour toi tout seul. Ha! ha! ha!...

Man Léonce sauva la situation :

« Moi-même, je mets déjà une culotte noire, mais elle me vient de ma mère. Crois-tu pouvoir dénicher cent ou mille de ces modèles de culottes, La Syrie ? Aujourd'hui, on ne vénère que le rose, le rouge ou le blanc....

– Sur la tête de mon fils Ali, je jure que demain matin au chant de l'oiseau-pipiri, je baigne tout le bourg de Grand-Anse plus les campagnes d'etcetera de culottes noires, les amis!

– Ah oui! Et pour la taille ?

– Pas la peine de tisonner votre esprit, j'en aurai pour les nubiles et les négresses en ménopause, pour les femmes encore vertes et celles qui sont déjà à maturité, pour les croupions de poule et pour les croupières larges comme des barriques de viande salée. Yallah! »

Le miracle eut lieu. Le lendemain, vers onze heures du matin, une camionnette conduite par deux Syriens montés d'En Ville, livra une tralée de cartons sans aucune inscription particulière que « Père et fils » (Ali portait seize et quelques ans sur sa tête). Ils déchargèrent sans demander l'aide des nègres qui s'acagnardaient à la Rue-Devant dans l'espoir qu'une âme charitable leur offre une tournée. Ti Fène Auguste, cousin de Marraine, figure tiquetée comme une figue mûre, taille encore plus réduite que Dachine, trônait au comptoir de son bar auquel il n'avait pas jugé bon de mettre enseigne. Quand un soiffard s'agrippait au bras d'un bourgeois pour le supplier : « Baille-moi un petit sec, patron ! », Ti Fène renchérissait :

« Ah non ! Il est trop bonne heure. Offre-lui plutôt un jus de canne. »

Le stratagème ne trompait personne mais cela faisait partie du rituel matinal de Grand-Anse et les affaires du bougre prospéraient. Un second miracle eut lieu le jour du déchargement des culottes noires : Ti Féne Auguste se planta, pour la première fois depuis des décennies, à la devanture de son bar et lança à Syrien :

« Je suis ton premier acheteur. Je veux la taille de Myrtha, s'il te plaît. »

Et c'est de là que le monde apprit que celui qu'on croyait dénué d'appétits sexuels à cause de son nanisme fréquentait avec assiduité l'une de nos deux femmes-de-tout-le-monde, Myrtha, la putaine, négresse au grand cœur et au popotin phénoménal puisqu'on assurait pouvoir y poser en toute tranquillité une tasse de café. On comprit que Ti Fène Auguste était ce protecteur mystérieux que les marchandes de médisances les plus effilées n'étaient pas parvenues à découvrir malgré d'âpres investigations. Nous fûmes fiers de lui et pour lui. Personne n'osa la moindre raillerie et Syrien s'empressa de déchirer l'un des cartons, puis un second pour lui dénicher la taille idoine. Quand il exhiba triomphalement la culotte noire en la tenant par les deux pouces, maints fainéantiseurs s'exclamèrent, admiratifs et songeurs à la fois :

« Fout Mirta ni an bèl môso bonda mézanmi ! (Quel cul elle se paye cette Myrtha !)

– Gina Lollobrigida elle-même en serait jalouse », approuva Thimoléon, notre expert en cinématographie.

A onze heures et demie, les négresses de Grand-Anse défilèrent dans une arrière-salle du Palais d'Orient transformée à la hâte en salon d'essayage, refusant net que Syrien les aide à se déshabiller. Cette tâche échut donc au garnement innocent qu'était Ali Tanin et c'est de là que lui vint cette science hors du commun du caractère de la femme, de ses manies et de ses ruses, de la largeur de son derrière et surtout de l'arrondi de sa coucoune. Devenu un coursailleur de jupons respecté des années plus tard, il n'avait cesse de raconter ce jour mémorable sous trente-douze mille facettes et à chaque fois, le monde l'écoutait en salivant. Le bougre, en effet, effleura les coucounes bombées et crépues des négresses-bleues, les plus sublimes qu'on pût imaginer, les plus affolantes aussi, chose qui lui faisait marmonner parfois :

« Respectez une négresse, oui ! »

Il vit les coucounes hardies des chabines aux poils jaunes comme la mangue-zéphyrine, la fente mordorée et pudique des mulâtresses qui ne se déchaînait qu'à l'instant de l'extase, la toison chatoyante des câpresses et quand la femme et les filles de René-Couli se présentèrent, Syrien traîna son fils derrière une montagne de tissus et lui glissa :

« Fais attention à tes mains, les poils des Indiennes sont coupants. »

Aussi admira-t-il le soyeux de leur sexe qu'on aurait dit « naturellement peigné » nous informa-t-il plus tard. Ali Tanin connut ainsi ce qui se cachait à l'en-bas de toutes les robes de Grand-Anse, c'est pourquoi, quand le moment fut venu pour lui de jouer au coq, aucune femme ne lui résista car chez nous, une fois que tes yeux ont pu se poser sur la chose, ma foi, pourquoi continuer à faire macaqueries et minauderies, se disent nos femmes. Le mal n'est-il pas déjà fait ? On comprend par là que le talent d'enjôleur d'Ali ne tenait pas seulement au vert tendre de ses yeux, ni à sa peau claire, ni à sa prestance, toutes choses indiscutables, mais aussi et surtout à l'événement exceptionnel qu'il avait vécu à l'orée de son adolescence. Il n'eut que deux regrets : celui de ne recevoir dans le salon d'essayage ni les Blanches créoles ni Antilia. Les premières ne portaient aucun crédit à ces billevesées de nègres et d'ailleurs l'incube se gardait bien de violer les murs de leurs habitations. De plus, la coucoune blanche est réservée aux Blancs depuis que le monde est monde et pas à la couleur.

« Nous autres, la couleur, on n'a qu'à rêver dessus », maugréait Bogino, le fou.

Antilia, qui à l'époque n'était pas encore la servante d'Eau de Café et qui errait sur la plage du bourg, sans famille, sans amis et sans maison, ne jugea pas bon de se protéger contre les assauts de Julien Thémistocle. Elle dormait à même le sable noir et ne se levait pas lorsque la mer envoyait une vague la recouvrir.

« Cette fille maudite est sortie tout droit du giron maudit de cette mer maudite », sentenciait-on.

Syrien écoula trois cent quarante-sept culottes noires à midi et demi. A treize heures, sept cent trente-deux. A quinze heures, mille cent dix-sept et cela jusqu'au finissement de l'après-midi. A la brune du soir, tous les cartons de culottes étaient remplis de pièces de monnaie ou de billets. Son fils et lui mirent toute la nuit à comptabiliser leur fortune dont l'étendue ne fut jamais révélée – les Syriens ne sont pas bavards sur ce sujet – mais qui leur permit dans la même semaine d'entreprendre d'importants travaux d'embellissement de ce qui deviendrait le somptueux Palais d'Orient que nous connaissons aujourd'hui. La femme de Syrien, la négresse aux cheveux en petits zéros qui l'avait recueilli à l'époque des temps difficiles, jubilait :

« Ah merci, mon Dieu! Merci! La déveine ne pointera plus les pieds devant chez nous. La sueur verte et les temps de misère bleue sont finis et bien finis. »

Elle n'avait oublié qu'une chose : prévoir une culotte protectrice pour sa propre personne. Le soir même, fou de rage, déchaîné par les échecs cuisants qu'il subissait partout, l'incube lui laboura le corps pendant trois heures et au matin, elle se réveilla en se disant :

« Je fais même de beaux rêves maintenant. Ah merci, mon Dieu! Merci! »

Quand elle se rendit à la cuisine où Syrien méditait aux sillacs du destin et rêvassait à son pays natal, son bonheur s'écroula d'un seul coup. Le bougre détailla les formes épanouies de son corps, fixa son regard sur ses lèvres, chercha à lire dans ses yeux et explosa :

« Espèce de salope-vagabonde-putaine-rat de dalots! Pendant que j'ai tué mon corps à compter la recette toute la nuit avec Ali, toi, tu me baillais des cornes, hein ? N'ouvre pas la bouche! Je ne veux pas écouter tes mensongeries, les marques que tu as sur ton corps sont suffisamment explicites. La joie que tu colportes sur ta figure te trahit. »

La négresse, stupéfaite, regarda ses bras, ses hanches, ses cuisses et ne sut rien avancer pour se défendre. Sa langue semblait s'être pétrifiée et les paroles avaient beau aller-venir-courir dans sa tête, elle ne réussissait pas à prononcer la moindre phrase. L'incube lui avait amarré la langue, en conclut-on. Si bien que La Syrie la répudia et qu'elle assista, impuissante, les larmes aux yeux, au débagagement de ses maigres effets sur le trottoir. De sa longue vivance avec le commerçant, la pauvresse n'avait acquis qu'une cuvette de bain en émail, une mallette fatiguée dont l'un des fermoirs refusait de fonctionner, quelques hardes du dimanche et une vieille machine à coudre Singer. Personne n'eut le temps de la prendre en pitié car le bourg exultait : l'idée de Syrien s'était révélée pleine de génie. Pas une mamzelle ou une dame, hormis son épouse, ne fut forcée au cours de la nuit par ce chien-fer de Julien Thémistocle. La négresse emporta son bien et monta au quartier En Chéneaux où elle nourrissait un cochon-planche de la plus belle allure. Elle l'en chassa et prit sa place, entrant ainsi dans la confrérie des nègres dits de dernière catégorie, ceux qui ne se lavent pas depuis la naissance et qui survivent de restes qu'ils disputent aux animaux dans les boîtes à ordures. La Syrie ne chercha jamais à savoir la vérité car cette race-là vit dans l'excès. Autant elle peut être d'une générosité débordante (Syrien offrait des chemises, à chaque rentrée scolaire, à des garçons dont les familles étaient momentanément dans la gêne), autant elle peut faire preuve de la dernière des férocités.

Il devint une personnalité de Grand-Anse à laquelle on proposa un siège de conseiller municipal qu'il préféra léguer à Ali Tanin. Une fois ce dernier en charge du Palais d'Orient, Syrien avait pris l'habitude de s'asseoir à califourchon sur une chaise, à l'entrée du magasin, et de soliloquer sur sa terre d'origine. Il évoquait des lieux inconnus et beaux, il vantait le désert, les cieux sans nuages, il racontait des fêtes nuptiales et des fantasias, interrompues par d'interminables guerres entre cousins et les nègres l'écoutaient la bouche ouverte, rêvant eux aussi du pays de Syrie. On ne l'interrompait pas. Une seule et unique fois, Dachine lui demanda, se faisant l'interprète d'une inquiétude collective :

« Dis-moi, mon bougre, la Syrie est-elle plus grande que la France ?

– Non... non, mes amis, elle ne lui arrive pas à la cheville. »

Rassuré, l'éboueur municipal redemanda :

« Est-elle plus... plus belle que la France ?

– Ah non !... aucun pays n'est plus beau que la France, vous le savez tous. »

Les nègres l'écoutèrent ainsi pendant des années. Seul Julien Thémistocle, qui avait de bonnes raisons de lui en vouloir, venait parfois étaler ses mauvaises manières de nègre-marron devant le Palais d'Orient. Il éructait, la bouche puant le rhum-coco-merlo qu'on lui baillait gratuitement à la distillerie de Fond Gens-Libres de crainte qu'il ne foute le feu aux champs de canne à la veille de la roulaison :

« Hon ! Vous êtes en admiration devant la France et la Syrie, bandes de couillons, mais vous tournez le dos à la Guinée ! Pas un qui veuille y retourner, compères ! Moi, je n'attends que la mort, tuez-moi et vous verrez que mon cadavre ne sera plus dans ma tombe le lendemain matin. J'ai ma place en Guinée ! »

Le monde se gaussait de lui maintenant qu'il ne faisait plus peur. Nous n'avions que faire de cette Guinée dont il nous bassinait les oreilles, de ce pays de nègres sauvages et de cannibales, et il n'y avait que ce liseur de livres d'Émilien Bérard pour être d'accord avec lui. Nous apprîmes que de guerre lasse, l'incube Thémistocle se rabattit sur Marie-Eugénie de Cassagnac, la fille du béké de l'habitation Séguineau. Devenu imprudent, il n'avait même pas pris la peine de se rendre invisible et l'avait attaquée en plein jour, sur la véranda de la maison du maître, où une servante avait laissé l'enfant seule. Le bourg le maudit encore plus et d'honnêtes citoyens portèrent plainte contre lui à la gendarmerie car « à notre époque, il n'est plus tolérable que des nègres-marrons de son acabit courent les rues ». Julien Thémistocle fut sauvé d'une probable incarcération pour vagabondage public et attentat à la pudeur par l'éclatement de la deuxième grande guerre. Il s'était mué en vaillant soldat de la France après avoir entendu l'appel du général de Gaulle sur la radio anglaise de l'île de la Dominique. Il s'échappa en dissidence à la barbe et au nez de la milice de l'amiral Robert, fut transporté en Amérique, puis participa au débarquement en Normandie et nous revint galonné, propre, peu disert et doté d'une rage de travailler qui forçait le respect.

Grand-Anse oublia ses crimes et il saluait Syrien quand il passait aux abords de son magasin. Est-ce à cette époque qu'il entra en relation étroite avec Eau de Café ?...

9

L'Océanic-Hôtel n'est ni un bouge ni une pension de famille. Ni un véritable hôtel bien entendu. Le premier soir, le propriétaire avait semblé contrarié de devoir me préparer lui-même une chambre. En caleçons et buste nu, il avait farfouillé dans une armoire à la recherche de draps propres en bougonnant sans arrêt :

« Ola i mété sa ? Ola tèbè-a mété sa, tonnan ? » (Où a-t-elle mis ça ? Où cette idiote a-t-elle mis ça, bon sang ?)

Ma chambre avait l'avantage de posséder un auvent qui fermait si mal que l'on entendait la mer rugir en contrebas. Dès que le grognon m'avait laissé seul (sans même s'inquiéter de savoir si j'avais besoin d'un rafraîchissement), j'avais tenté de l'ouvrir et découvert qu'il était cloué de haut en bas par deux lattes de contreplaqué. Un vent chargé de sel pénétrait par tous les interstices de l'auvent et même du toit, dont on apercevait les tuiles qui jadis avaient dû être rouges. Le robinet du minuscule lavabo ne laissait s'échapper qu'un très maigre filet d'eau pour s'arrêter définitivement avant que je ne me lave la figure. Je me pris à regretter de n'avoir pas osé réveiller Eau de Café. Les gens du temps-longtemps n'aiment pas les surprises, nous a-t-on toujours enseigné. Leur cœur n'est pas rompu aux cabrioles de la vie des nègres d'aujourd'hui. Honneur et respect à leur sagesse (ou plutôt à leur sage enfollement).

J'avais une envie irrépressible de contempler la mer bien que je susse qu'aucune lueur ne la dévoilerait à mon regard.

Les nuits de Grand-Anse sont terribles, hormis celles d'août si propices aux débauches. J'étalai livres et documents sur mon lit avec perplexité.

« Vous restez combien de temps ? s'était enquis le propriétaire, revenu à de meilleurs sentiments.

– Je déciderai demain matin...

– Vous savez, je peux vous faire aménager une meilleure chambre que celle-là. Si vous nous aviez prévenus, on aurait fait le nécessaire. J'ai une espèce d'empotée qui me sert d'employée, dès que l'hôtel se vide, elle relâche son travail et ne s'occupe plus que du restaurant en bas. Prévenez-moi, alors. »

J'avais passé une nuit agitée. La mer ne m'avait pas accordé une miette de répit. Elle avait assiégé mon auvent, labouré toute l'étendue du toit, clamé des douleurs qui m'avaient glacé d'effroi. Je m'attendais à tout instant à la voir envahir ma chambre et me rouler-mater, dans son chamaillis aux allures de rancune immémoriale. Je m'étais surpris à lui murmurer que je ne lui avais rien fait. Je n'avais pas attenté à sa souveraineté ni ne m'étais moqué de sa superbe. Nos rêves n'ont-ils pas été de tout temps sous sa coupe ? D'être parti si loin et si longtemps ne m'avait pas affranchi d'elle. J'étais revenu à elle enveloppé de la même révérence que celle de n'importe quel nègre d'ici. Qu'elle cessât de m'intimider !

La matinée avait fort avancé quand, hagard, j'avais essayé à nouveau d'ouvrir l'auvent. En vain. Le propriétaire m'avait envoyé son aide de camp. Personne raide de maintien et avare de paroles. Elle m'avait tendu un savon de Marseille et m'avait informé que la douche se trouvait au rez-de-chaussée, derrière les cuisines. Je n'avais plus qu'une envie : quitter cet endroit bizarre et retrouver ma marraine, Eau de Café. Me réinstaller dans la chambrette où, enfant, j'attendais qu'Antilia vienne me border. J'avais réemballé mon linge et mes livres et m'étais précipité dehors. La Rue-Devant m'avait interloqué. Profusion des robes chatoyantes, des yeux tendrement inquisiteurs, des voix rauques de buveurs de rhum blanc. Coups de corne des camions surchargés de marchandises. Piaillements de grappes de négrillons désœuvrés. Chaleur massive, omniprésente, fantasque par endroits. Et de l'autre versant du jour, la mer. La mer qui ressassait sa colère. Qui prenait plaisir à accumuler tout un déferlement de colère.

Et Eau de Café, sur le pas de sa porte, qui n'avait exprimé ni joie ni étonnement mais qui s'était mise à parler d'entrée de jeu et moi de subir le joug de sa parole.

Complainte d'Eau de Café, femme-matador

Est-ce parce que je ne sais pas accoler deux mots de français que vous prétendez me coudre la bouche ? Est-ce parce que mes entrailles sont réputées bréhaignes et que la décharge de vos bandes se perd en moi, plus inutile qu'une pluie blanche au mitan du carême ? Parce que je vais vous parler mon compte de parler et vous ne pourrez rien faire d'autre que feindre de ne point entendre mais je suis sûre qu'en votre for intérieur, ça fera un insupportable remuement. Tant et tellement que certains courront plonger leur tête dans leurs bassins, d'autres mâchonneront le bout de leur pipe en terre jusqu'à le briser et même les nés-couillons qui cesseront d'enduire leurs rêves de bave, soudainement illuminés par mes révélations. Car je sais tout et l'envers de tout. Je sais que mademoiselle Rose-Aimée de Morne l'Étoile n'arbore de grands airs que parce qu'elle habite si haut et qu'elle a le vertige de ne pas regarder ce qui roule en bas dans la savane. Elle avance parmi nous autres, les amarreuses, comme si les pièces de canne étaient des haies d'honneur et on aurait juré tout bonnement que leurs flèches qui feuillissent en décembre lui servent de diadème. Alors, fière et farouche, elle ne nous baille ni bonjour ni bonsoir, à peine un petit morceau de merci quand on lui signale un bout de canne oublié sous une pile d'amarres. Or, d'abord et pour un, cette Rose-Aimée n'est pas la fille de son père présumé, gratteur d'un minuscule carreau de terre ingrate où il s'esquinte à faire lever des ignames et quelques pieds de banane étiques, pour la bonne raison qu'il a toujours eu la déveine sur sa tête. Ce bougre-là avait comme qui dirait signé un pacte avec la déveine et une manière de courants d'air farfouillait le fond de ses poches. Comment a-t-il pu dans ce cas enfanter cette déesse qu'est Rose-Aimée ? Impossible ! Je veux bien croire qu'il possède des droits sur la naissance de Louis au pied crochu, de Marcel et Gérard, voire même, si l'on ferme les yeux, de Thérésine, la chabinette espiègle qui a le Blanc-pays Marreau Deschamps pour parrain (ha ! ha ! ha !) mais je dis non, non et non pour mademoiselle Rose-Aimée qui présentement attache les piles de canne à nos côtés sur l'habitation Fond Gens-Libres. Si vous voulez savoir de qui elle descend et a hérité ses façons de négresse-que-la-terre-ne-semble-plus-porter, vous ne pourrez vous fier qu'à ma langue car je connais les vices de sa mère et même ses envies de vices qu'elle n'a pas eu le courage de réaliser puisqu'il y a une limite à la malpropreté. Sa mère, messieurs et dames, l'a conçue avec ce bougre plein de faroucheté qu'était Congo Laide. Voilà !

Qui prétend m'interdire de faire mes plaidoiries sous le soleil pour toutes celles qui se fendent les reins dans la canne depuis un siècle de temps (ma mère préférait dire « depuis le temps du marquis d'Antin » quoiqu'elle n'ait jamais pu m'expliquer qui était ce champion en vieillesse et sagesse) ? Si je demeure seule dans ma case à Macédoine, ce n'est pas parce que j'aime qu'on m'appelle mangouste. La raison en est fort simple : vous ne partagez pas ma quiétude. C'est le seul bien que je possède, la seule richesse que Dieu qui a tant oublié les nègres le jour de la Création – ou qui en a fait la dernière des races après les crapauds ladres, c'est tout comme ! – a bien voulu m'accorder. C'est pourquoi aussi aucun nègre n'a jamais franchi la cour qui est à la devanture de ma case, aucun n'a jamais posé ses pieds à chiques sur le pas de ma porte pour qu'il m'entende lui souffler d'une voix mignonneuse « Viens sur moi, j'ai besoin de ton fer dans ma chair ». Non ! Que le premier qui affirme avoir vu la couleur de ma couche se plante là, droit devant moi, et je le fais retourner tout-de-suitement dans le giron de sa putaine de mère, oui. Ah ! Vous allez me dire qu'il y a eu, avant le temps de l'amiral Robert, cette petite couille de chien de Dachine qui se cachait dans les pieds de pois-doux pour me jouer du tambour-bel-air à la nuit tombée, comme si, moi, Eau de Café, j'étais femme à apprécier sa musique de nègre de Guinée. Hon! S'il savait au contraire combien il ensemençait de la terreur dans mon cœur, il n'aurait même pas osé, au finissement de trois mois de charme, me demander s'il pouvait frotter son corps contre le mien. Point d'étonnement d'ailleurs qu'il ait fini charroyeur d'ordures municipales! Il n'y a, je l'avoue, que l'accordéon de ce beau morceau de nègre de Moulin-l'Étang qui me fait frissonner lors de la fête patronale du bourg. Malheur pour moi, il n'a jamais voulu révéler son nom et personne ne le rencontre jamais sauf quand la saison est arrivée. Il se tient en général près du manège de chevaux de bois et distrait le monde entre deux tours, cela toute la longueur de l'après-midi et, à la brune du soir, il devient le chef du bal public sur la place du marché. Il joue si-tellement bien que les femmes ont envie de danser seules et de se laisser enivrer par le ballant de ses notes mais, remarquez-le bien, je suis l'unique bougresse à l'oser. Vous vous dépêchez alors de m'accabler de vos critiques mordantes de fourmis-manioc : « Regardez cette Eau de Café faire son intéressante. On lui aurait baillé le Bondieu sans confession » et etcetera de mauvaisetés de cette sorte, exprès pour voir si je vais m'arrêter de tourner-tourner-tourner sur mon corps comme une toupie-mabialle et chercher un quelconque cavalier dans la foule des campagnards habillés en dimanche. C'est que vous me confondez avec ces petites capistrelles lotionnées qui espèrent un homme depuis que le sang s'est mis à leur fifiner entre les cuisses et qui rongent leur vie au rebord d'une fenêtre si les jours chassent les jours et que pas une ombre ne se dessine dans l'allée qui conduit à leur case. Moi-même, tchip!, je n'ai pas besoin de ces encombrantes cargaisons de rêve pour devenir après plus chimérique que la chatte dont on a noyé la portée. Ce n'est pas Eau de Café qui marchera dans vos macaqueries, messieurs et dames! Je ne sais pas parler beaucoup de français mais mon esprit n'est pas engourdi pour cela. Je vois tout, je sais tout, je devine tout et surtout je clame tout haut et fort. C'est la raison pour laquelle vous avez peur de moi et que vous voulez enterrer mes paroles dans ma bouche. Allez faire un ours vous péter dans le nez! Je ne mettrai pas de corde-mahault à mon causer car, s'il ne vous plaît pas, sachez qu'il enchante mes compagnes de sueur et de maux de reins les jours de récolte. Il les aide à supporter la raideur extrême du ramassage de cette canne que les coupeurs abattent avec de grandes démonstrations de vigueur comme s'ils voulaient prouver quelque chose au ciel. Ou alors au Blanc-pays. Ou alors à ce commandeur qui m'a détestée dès le premier jour et que vous appelez, je ne sais foutre pourquoi, Julien Thémistocle. Moi-même, je trouve ce titre si ridicule que je n'arrive pas à le prononcer sans pouffer et vous voudriez que je m'esquinte pour les beaux yeux de ce bougre-là ou bien pour le petit argent jaune qu'il aligne devant nous le samedi de chaque semaine. N'est-il pas de la même engeance que nous, malgré la couleur grise de ses yeux, et n'est-il pas craint pour la simple raison qu'il a eu la chance d'asseoir son pantalon sur un banc d'école? Je ne marche pas dans la comédie de mes commères amarreuses de canne. Elles glapissent soi-disant de jouissance, les quatre fers en l'air, à même la paille dans l'unique but de lui soutirer des petites faveurs. Voilà! Moi, il ne m'a jamais intéressée et je n'ai rien fait pour qu'il se retrouve seul avec moi près de la source de Bois-Serpent comme cette vagabonde de Rose-Aimée qui marcherait tout le temps accroupie si les verges poussaient à même le sol. Dès qu'un bougre lui chatouille le bout des seins, là voilà à gigoter et à se pâmer malgré la sueur rêche qui cavalcade le long de ses bras, les fourmis rouges et la gratelle qui lui démangent le dos. Elle se renverse dans ses hardes sales pour recevoir le fer chaud et le mollit en un battement d'yeux tellement elle remue ses hanches cambrées.

Vous dites : « Elle est folle dans le mitan de sa tête cette Eau de Café-là! » Tchip! Arrêtez avec moi, s'il vous plaît! Je me moque de vos critiques de mouches-à-miel et de vos imprécations. Vous êtes victimes de la couillontise de l'abbé Le Gloarnec qui m'a comme qui dirait déshabillée en chaire avant de m'interdire la communion. Il m'aurait défendu de piéter à l'église s'il en avait eu le droit, le misérable. « Eau de Café est une femme hystérique! » hurlait-il dans la dégringolade de ses sermons en regardant avec fixité dans la direction du bénitier où j'ai hérité de ma mère une place de banc avec plaque argentée. Hystérique! Personne n'avait d'abord compris cette expression-là et le monde a cru que j'avais attrapé une maladie contagieuse. On s'écartait de moi dans les rues quand j'allais faire un rond au bourg, on me voltigeait la monnaie sur le comptoir à la boutique pour n'avoir pas à me manier les doigts. Hon! Hystérique, cela voulait dire quoi? Plus je secouais mes idées dans ma tête, moins je percevais la raison d'une telle calomnie. Je m'étais confessée la veille et avais tout normalement avoué mes péchés de la semaine écoulée sans rien dissimuler à l'abbé avec lequel j'avais toujours été bonne commère.

Qu'avais-je omis? Sincèrement rien. J'ai toujours vécu dans la craintitude de laisser derrière moi un sillage de péchés non absous qui ne pourraient que m'attirer encore plus de chicanes en l'autre monde. Pour dire la franche vérité, monsieur l'abbé préfère mille fois commercer avec les femelles hypocrites qui viennent s'agenouiller devant lui comme des petits anges, leur corsage aussi décolleté que la fenêtre de madame Périnelle. Prenez cette Passionise dont le commandeur a fait, dieu sait pourquoi, son épouse avant qu'elle ne finisse femme-de-tout-le-monde sur la plage de Grand-Anse à la nuit tombée. Ses confessions duraient la longueur d'une seule et unique phrase : « Mon père, je n'ai pas péché », le couillon lui baillant l'absolution dans le même ballant. Or, moi Eau de Café, toute hystérique-tafiateuse-vagabonde-malparlante-sans-sentiments que je suis, j'ai la certitude que Passionise Thémistocle joue la comédie. Non, madame n'est pas la sainte qu'elle veut faire croire et la mantille qu'elle porte à la messe, ce n'est pas une façon de pudeur pour ses yeux mais un masque pour que le vice qui est marqué en toutes lettres sur son front ne puisse être déchiffré. Je l'affirme et s'il vous plaît, ouvrez vos oreilles de dix-sept largeurs pour l'entendre : Passionise Thémistocle coque avec le petit béké qui fait le géreur sur l'habitation Fond Massacre et si elle ne s'est pas encore fait attraper, c'est parce que son mari et son amant portent le même prénom et que sa langue n'a pas à craindre de dérapage, voilà ! Et voyez-vous, je n'ai rien révélé à quiconque malgré que je le savais. Je m'étais dit comme ça « Honneur et respect pour Julien Thémistocle ! C'est notre commandeur, il est juste avec nous autres, il ne nous traite pas comme du caca de chien, donc pas la peine d'empoisonner sa réputation. D'autant que, comme dit le proverbe, vous pouvez larder l'eau de coups de couteau, cela ne lui fera pas mal... » Mais le bougre a enjambé les limites de l'arrogance avec moi le jour où il nous a collées, Mathilde, Tertulia et moi-même en train de chercher une explication possible au gros ventre de la nièce de Man Léna. On avait bourriqué depuis le devant-jour, amarrant plus de piles de canne en une matinée qu'en deux jours parce qu'on avait hâte de fuir ce soleil qui s'était levé de plus bonne heure que d'habitude et qui nous déraillait sans pitié. L'homme est venu sur son mulet avec toute une démonstration de gamme dans les manières et toute une charge de méprisation dans les paroles. Nous profitions de l'ombrage d'un pied de pois-doux près du semblant de rivière qui traverse Fond Gens-Libres. Nous ne l'avions pas entendu arriver. Il était comme cela, notre économe. On aurait juré le vent ; il apparaissait et disparaissait aux quatre coins de la plantation sans qu'on puisse repérer la pesanteur de ses pas ni accorer son ardeur et d'un seul coup d'œil, il vous démontrait qu'il fallait réparer la roue de tel cabrouet, vous désignait les trois cannes oubliées près d'un paquet d'amarres, le coutelas fiché dans le tronc d'un pied de mangot ou la calebasse d'eau qui avait perdu son couvercle. Il baillait ses ordres et les nègres s'exécutaient sans bougonner car Julien Thémistocle ne parlait jamais en l'air et comme il évitait les paraboles, il était difficile de se méprendre sur le sens de ses plaidoiries de nègre grand-grec. Monsieur affectait de ne pas me voir. Quand il se trouvait face à moi, son regard voletait par-dessus ma tête comme s'il voulait éviter de se salir les yeux. Cette incompréhensible comportation m'avait toujours secrètement irritée, je dois dire, car je connais tous les sillacs de la vie de ce nègre arrogant avant qu'il ne s'alliance avec sa Passionise.

Je sais qu'il a connu Rémise de Morne Capot, troisième

fille d'Hortense Larcher, qui n'arrive pas à tenir un enfant dans sa matrice et qui, de rage, jette son corps en pâture à tous les mâles-nègres affamés de femme. Et puis il a fréquenté Floriane de l'habitation La Mancelle, fille de mère inconnue (ce qui est rarissime parmi nous autres), élevée par son père qui devint vite son concubin et lui fit toute une tralée de marmailles maigres jusqu'à l'os. Et puis il a connu Étiennise de l'Anse Four-à-Chaud qui cueillait des centaines de cocos secs pour en faire de l'huile qu'elle vendait à prix d'or aux mulâtres de Grand-Anse. On la disait habitée par une drive de mangouste ce qui signifie en langage habituel qu'elle ne tenait pas en place, qu'elle était sempiternellement en route, à battre la campagne et surtout le bordage de la mer où elle avait construit une case en gaulettes de bambou sur les cinquante pas du Roy, cela en toute impunité. Je n'étais pas la seule à penser que jamais Julien Thémistocle ne conduirait la moindre femme à l'autel. C'était oublier qu'il n'y avait pas une intrigante du calibre de Passionise à vingt kilomètres à la ronde. Qui peut toutefois croire que ces épousailles m'ont dérangée ? J'ai toujours évité avec soin que mes pas ne croisent ceux d'un homme de la nation Thémistocle. Je ne comprends pas qu'on m'ait traitée de femme-matador parce que, deux ou trois mois après qu'il a mis sa Passionise en case, il est venu me forcer dans les cannes. Je ne l'ai jamais provoqué, moi, et s'il a succombé à mes charmes, c'est par sa faute. Pas par la mienne. J'étais si-tellement jeune et lui si-tellement vieux que je n'ai rien senti. D'ailleurs, ne dit-on pas qu'il a précipité l'heure de ma naissance ?

Appelez-moi folle si ça vous chante mais, s'il vous plaît, tirez ce « femme-matador » qui grafigne ma fierté !

10

La mer de Grand-Anse, notre mer, est bréhaigne. Jamais elle n'a offert à quiconque le moindre poisson – de mémoire de chrétien-vivant en tout cas – et elle clame à tous les vents alizés son impudique inutilité. A la pointe du promontoire de La Crabière, jaillit un petit tas de récifs que nous appelons la Roche où d'intrépides jeunes nègres, munis d'un simple masque, plongent à la poursuite de crabes de mer et de poulpes. Quand ils rentrent avec leurs proies, les anciens ricanent en expliquant qu'ils ont été entraînés à leur insu dans des cavernes sous-marines, fort loin de la côte, par des Mamans d'Eau, sortes de femmes-poissons terrifiantes, et que s'ils s'avisaient de les manger, ils perdraient aussitôt l'esprit. De fait, ils les jettent en pâture aux chiens-fer ou les offrent à leurs ennemis intimes.

« Comment tu peux comprendre ça ? » me serinait Eau de Café peu après que nous nous étions installés au bourg.

L'explication la plus communément admise est si cocasse qu'on pourrait la balayer d'un revers de main : au début de la fondation de Grand-Anse, quand les derniers nègres-marrons tentaient encore de résister aux mousquetons et donc bien avant l'explosion du volcan, il y avait un prêtre qui empêchait le monde de vivre sa vie comme il l'entendait, de plaisirer comme nous disons, c'est-à-dire avec cette luxure bonhomme qui est si particulière à notre créolité. Il tonnait en chaire menaçant nommément untel ou unetelle des foudres du ciel. Il allait même jusqu'à épier les épouses adultères et à les prendre sur le fait. En ce temps-là, la mer était aussi poissonneuse qu'à Fond d'Or ou à Basse-Pointe et les pêcheurs tressaient leurs nasses de bambou dans la chaleur raide des après-midi. Ils gîtaient à l'endroit où se dresse aujourd'hui l'abattoir. A la brune du soir, les habitants accouraient sur la plage afin de brocanter leurs produits contre des poissons volants ou des espadons. Une fois le bourg rassasié, des revendeuses battaient les campagnes avec du poisson séché, si bien que l'on colportait partout une belle légende :

« Grand-Anse est une contrée bénie. Jetez-y une graine et elle devient un arbre dès la lune montante. Quant à sa mer, c'est un véritable garde-manger. »

Grâce à cette réputation, la région se peupla plus vite que les alentours. Chacun voulait posséder sa part de paradis... jusqu'à l'arrivée de ce janséniste excité et ses excommunications quotidiennes. A peu près à la même époque, le malcaduc commença à faire des ravages dans nos têtes de nègres abrutis de travail et de soleil. On aurait juré une tralée de fourmis-manioc qui vous rongeaient le front, la nuque puis d'un seul coup tout le corps et alors on se prenait à danser une calenda démoniaque, proférant des messages parfaitement audibles, extraordinairement simples dans leur ordonnancement mais dénués d'un sens palpable. Les souffrants venaient se frotter à vous dans l'espoir secret d'une guérison, les femmes enceintes-gros-boudin se bouchaient les oreilles pour que leur bébé n'entende pas et votre famille vous roulait comme une barrique de salaison dans les flots matinaux de Grand-Anse afin que le Seigneur vous délivre du mal. Puis on se mit en quête de la cause de cette frénésie et on jugea que ce ne pouvait être que ce chenapan en soutane noire.

Ne pouvant lui administrer une bastonnade ni le vouer aux gémonies ni le rendre impuissant ni lui clouer de manière définitive son moulin à paroles inutiles, on échafauda un stratagème. Des pêcheurs lui proposèrent, un samedi soir, de se rendre avec eux à Miquelon pour qu'il mesure de lui-même à quel point le Bondieu était généreux. Ils l'assurèrent qu'il serait de retour le dimanche avant le lever du soleil, ce qui lui permettrait de dire la messe de six heures. L'abbé hésita puis s'imagina en final de compte qu'il pourrait apprendre quelque révélation au sujet de ses paroissiens. En dépit de son extrême vigilance, il y avait toujours des vices qui pouvaient lui échapper. Sait-on jamais avec les nègres !

En mer, il n'arriva pas à arracher un traître mot aux pêcheurs. Il se retrouva à soliloquer d'une manière interminable sous le sourire narquois de ses compagnons, lesquels faisaient mine d'être trop occupés à haler leurs lignes pour pouvoir entretenir causement avec lui. Déçu, notre saint homme s'endormit dans un coin du gommier au mitan d'un monticule de bonites. Les deux pêcheurs pétèrent de rire et continuèrent leur besogne sans plus se gêner pour lâcher les jurons les plus orduriers quand ils rataient une belle prise.

Le lendemain, la calebasse jaune et hagarde du soleil se dressait déjà aux confins de la mer lorsque l'abbé s'éveilla, l'air épuisé. Les pêcheurs l'informèrent qu'il était à peine cinq heures du matin « car ici, on aperçoit le soleil plus vite que sur la terre ferme ». Il les crut et se mit à faire ses dévotions matinales. Effectivement, à un moment, il distinguèrent un petit point gris, droit devant eux, qui ne pouvait être que Coco-Assier, quartier le plus élevé de la campagne de Grand-Anse et point de repère traditionnel des marins. Quand l'un d'eux murmurait « Nou pèdi Koko-Asyé » (On ne voit plus Coco-Assier), ses compagnons savaient qu'ils étaient désormais seuls à affronter l'immensité des flots et chacun en ressentait un léger pincement au cœur.

Au bout d'une heure, l'abbé commença à montrer des signes d'inquiétude. Il allait être en retard, pour sûr. Alors les deux hommes entamèrent un étrange dialogue :

« Ou kwè i ni dé kon tout moun ? (Tu penses qu'il en a deux comme tout le monde ?)

– Dé ki sa ? Ha ! ha ! ha ! (Deux quoi ? ha ! ha ! ha !)

– Anba wòb-la man ka palé'w, ès nonm-lan ni dé grenn ka pann tou ? (Sous sa soutane, je te dis, le bonhomme a-t-il une paire de génitoires ?)

– Annou gadé-wè, fout ! » (Voyons voir, foutre !)

L'abbé, qui saisissait les plus fines nuances de notre langue (la preuve : il connaissait tous les noms déguisés du sexe de la femme et dénonça un jour en chaire les bougres qui aimaient trop jouer de la « mandoline »), comprit qu'ils allaient le dénuder. Il invoqua les saints du ciel, il tempêta, menaça les deux pêcheurs de la damnation éternelle, tenta de résister mais rien n'y fit. Ils lui ôtèrent même ses bas et sa croix avant de le balancer à l'eau, à environ trois cents brasses du rivage, en s'esclaffant à qui mieux mieux.

« A moué! A moué! » (Au secours! Au secours!) hurla-t-il, usant d'une tournure désuète et comique à la fois de notre parlure.

Sachant à peine nager, il disparut à plusieurs reprises, puis réapparut, gros cochon blanchâtre à la dérive, recrachant de l'écume de toutes parts. Sur la plage, le peuple de Grand-Anse, complice hilare de ce carnaval, s'était massé dans son entier bien avant le devant-jour. Personne n'aurait voulu manquer un tel spectacle. Des maîtres-tambouriers s'étaient disposés en rond sur le sable noir et faisaient bambouler la jeunesse. Les marchandes de sorbet au coco et de pistaches grillées avaient même quitté la place de l'église où elles attendaient, depuis le commencement du monde, la sortie des messes, pour s'installer bordure de cette mer qu'elles apprendraient bientôt à haïr, à l'instar de tous les nègres du bourg. On improvisa un chanter sur l'abbé, un chanter paillard évidemment :

Misyé Labé, tjenbé dé grenn ou fò
Tjenbé yo fò O!
Davwè s'ou wè wakawa pasé, i kay brilé yo ba'w
Tjenbé yo fò O!
Davwè s'ou wè mè-balawou pasé, i kay dégrennen yo ba'w.

(Monsieur l'abbé, fais attention à tes génitoires
Protège-les bien!
Car si la raie électrique les voit, elle te les brûlera
Protège-les bien!
Car si l'espadon les voit, il te les sectionnera.)

L'ensemble des noms et surnoms des poissons y passèrent et sachez qu'il y en avait deux fois un millier à Grand-Anse en cette ère d'abondance. Pendant tout ce temps, le pauvre abbé nageait avec peine vers la côte, engloutissant force gorgées d'eau salée (notre mer est aussi plus salée qu'ailleurs). Dès qu'il eut pied, la foule cessa tout soudain ses moqueries comme si elle venait de réaliser l'ampleur de son sacrilège. A ce qu'on prétend, les cloches de l'église sonnèrent toutes seules le finissement de la messe de six heures bien qu'elle n'ait pas eu lieu. On frissonna malgré l'ardeur montante du soleil. On se signa, grommela de vagues prières sans se rendre compte du ridicule de ces invocations dans le moment même où l'on était en train de mettre à bas de son piédestal le représentant du Bondieu sur terre. Quelqu'un osa même lancer un saugrenu et tonitruant :

« Bondieu-Seigneur-la Vierge Marie! »

Arrivé sur la plage, l'abbé se dressa dans une posture vengeresse, les yeux exorbités et s'effondra de tout son long. Nul n'osa l'approcher et une sourde terreur se mit à germer dans le cœur de chacun. Trois heures ou trois jours s'écoulèrent ainsi. Le bourg de Grand-Anse semblait frappé de stupeur. Puis l'abbé finit par reprendre ses facultés. Son visage paraissait étonnamment radieux pour un homme qui venait de subir une telle bouleversade. Il jubilait même, à en croire certains. Pointant un doigt chargé d'accusations sur les nègres effarés, il leur tint le discours suivant, tout en secouant avec application les pans de sa soutane sur les flots :

« Vous vous êtes ri de moi, chers paroissiens, et sans le savoir votre rire a pénétré dans la matrice de la mer. Aujourd'hui, je vous maudis et je maudis cette mer complice qui répercutait à mes oreilles vos canailleries de diables vivants. Elle vous volera vos enfants, la fine fleur de votre jeunesse, et jamais plus elle ne vous offrira la profusion de poissons dont vous vous vantez partout. JAMAIS PLUS!... Allez en paix! »

Et dans un ricanement spiralien, il regagna son presbytère et, dès le lendemain, le chef-lieu, d'où il devait être envoyé peu après en Guyane. La franche vérité est qu'à dater de ce jour, la mer de Grand-Anse devint bréhaigne et laide comme un crapaud ladre. Voilà la thèse la plus communément exposée et à laquelle je suis très loin d'adhérer car je suis venu pour trouver et je trouverai. Antilia ne sera pas morte (noyée ?) pour rien...

Le 12 janvier 1947

Très cher,

Ils nous ont dessouchés. Au mitan de chacun d'entre nous, ils ont mis à nu les sarments vulnérables de la désespérance. J'entends par là le craquèlement du pied d'acoma-franc que l'on démantèle pour rectifier la route coloniale car, pense le géomètre (et récite l'élève), « la droite est le plus court sentier entre deux points ». Ils nous ont affublés de rêves de droiture, de pureté, de claireté, voire de raison et c'est la raison pour laquelle les nègres du Morne Pichevin s'entre-tuent pour un coup d'yeux ou une parole en biais. Le vendredi précédant la Pâque, raconte le journal la Paix, *les frères Moriot relevaient leurs ratières à crabes aux abords de la Croix quand ces deux êtres, que l'on avait toujours connus plus unis que l'unisson lui-même, s'éventrèrent au rasoir sans un cri. L'un d'eux, l'aîné, s'en alla agoniser sur la trente-troisième des quarante-quatre marches de l'escalier du Morne Pichevin et c'est là qu'on découvrit le forfait. Quant au puîné, les viscères entre les mains, une bave sanglante dégoulinant de ses lèvres, il eut la force et le courage d'atteindre le bar Aux Marguerites des Marins, en face de la Transat, et de commander un rhum vieux.*

Vrai de vrai! C'est ce que rapportait le journal. Jusqu'à ce jour, on s'interroge sur le silence incroyable dans lequel se déroula leur gourmage. Sans doute s'étaient-ils mutuellement « amarré » la langue, commentait le journaliste.

Je hais les poètes pleurnichards qui démantibulent la misère d'un coup de phrase bien senti pour vous amener les larmes aux yeux ou la rage au cœur. Ils n'ont rien compris. Les miens n'ont jamais fait pitié et je les en remercie...

ANTILIA

Troisième cercle

En Ville nous a enseigné le cynisme et nous ne croyons même plus que les manguiers fleurissent en mai car les supermarchés nous en offrent toute l'année. Nous rions à gorge défoncée de notre errance.

Il existe désormais deux races dans ce pays-là : ceux qui persistent inexplicablement à bougonner dans la vieille langue coloniale née dans les sillons des champs de canne à sucre et ceux qui affichent une cravate différente à chaque sortie.

Il y a donc ceux qui parlent, qui parlent, qui parlent, véritables crécelles du vendredi saint, car, pour eux, se taire équivaudrait à périr et ceux qui brûlent leur vie en limousine avec une joie masochiste, muets de plaisir...

11

Marraine n'a pas proposé de m'héberger. Il est vrai que j'avais eu du mal à reconnaître la boutique flambant neuve qu'elle avait fait reconstruire grâce à une aide publique spéciale. A l'époque, elle serinait au monde :

« Que celui qui profère des mensongeries sur le dos du gouvernement se dispense d'acheter chez moi sinon gare à ses os ! »

En toute bizarrerie, elle n'en avait amélioré que la façade et, au-dedans, des caravanes de poux de bois traversaient les poutres et les cloisons dont des morceaux s'étaient effilochés, laissant pénétrer la rumeur entêtée de la mer. Au cours de cette première journée à ses côtés, elle ne reçut que trois clients dont deux quémandeurs de tafia à crédit et elle n'eut cesse de soliloquer et de grandiloquer comme si j'étais demeuré l'enfant de huit ans qu'elle avait élevé. Munie d'un mouchoir de table, elle se levait à intervalles réguliers pour cirer le comptoir, habitude héritée du temps glorieux où elle y débitait ses marchandises des quatre coins de l'univers.

« Ma bonne commère, Man Léonce, est morte deux ans après que tu as quitté Grand-Anse, mon nègre », répétait-elle à mi-voix.

En début d'après-midi, un homme se présenta en grande tenue du dimanche et ne prit pas ma hauteur. Il se débarrassa de son feutre noir d'un geste désinvolte, desserra le nœud de sa cravate, se racla le fond de la gorge tout en s'asseyant sur la seule chaise à peu près en bon état du salon. Brusquement, Thimoléon me reconnut et déclara, très solennel :

– C'est bien d'être venu la veille du 14 Juillet. C'est très bien de ta part... Dans le monde d'hommes du Marché où je te conduirai sous peu (mais cet arraisonnement ne durera qu'un jour seulement, celui de notre fête nationale, car le reste du temps, on n'y rencontre que de robustes marchandes de poisson), tu feras attention à attirer la sympathie des rares femelles, ce qui veut dire des serveuses de punch, des préparatrices de boudin, des vendeuses de bonbons ainsi que, oui !, des joueuses, « mâles femmes » comme elles se nomment elles-mêmes. Tâche encore plus difficile que toutes celles qui t'attendent si tu as fait le vœu de revenir parmi nous, épreuve majeure, puisque tu ne dois pas t'adresser directement à elles comme si tu quémandais leur appui. On ne te pardonnerait pas une telle ostentation. Sache qu'elles ne s'attendent pas à ce que tu les rehausses ainsi. Elles seraient les premières surprises et, mécontentes, elles te le feraient sentir dans la vulgarité de leurs soudains éclats de rire pour faire remarquer dans le même ballant à tout un chacun (mais est-ce bien utile ?) tes mauvaises manières de terre rapportée. Tu dois simplement happer au passage un verre de tafia sur un plateau en y voltigeant deux francs et quatre sous, tendre un billet, l'air absent, au cas où tu désirerais deux bouts de boudin dans une tête de pain et, à ta façon d'homme d'agir, elles jugeront à qui elles ont affaire. Car, as-tu vécu les souffrances de l'enfantement solitaire dans une case alors qu'autour de toi irruptionnent sans arrêt une dizaine de marmailles curieuses et pourtant effrayées ? As-tu ressenti l'insignifiance de ton corps quand ton concubin emballe ses chemises kaki, son pantalon, son chapeau-bacoua, son tabac, toutes ses affaires et démaisonne parce que tu lui as annoncé que ça va descendre dans ta matrice. Peut-être cette nuit, peut-être demain-si-dieu-veut dans la journée, tu ne sais pas... et pourtant, il faut se lever sur ses deux pieds et bailler à manger aux cochons qui grognent, balier le dedans et la devanture de la case pour mettre de la propreté pour quand se présenteront le voisinage et les parents, chasser (en vain) les enfants que tu as voulu placer chez ta mère quelques jours, le temps que leur petit frère (ah, misère si au contraire c'est une pisse-au-lit!) veuille bien arriver, chauffer de l'eau et empiler des serviettes sur une chaise pour la femme-sage. Tout ça, c'est de la vie de femme créole, rien que de très commun, d'infiniment banal, une déveine très supportable parce que ancestrale, alors ne viens pas déranger tout ce bel ordonnancement avec des mots vastes comme des savanes d'herbe de Guinée, des gestes cérémonieux qui te bailleraient l'allure d'un ma-commère ou tout comme. Elles n'ont pas besoin de toi pour dérober un petit plaisir de temps en temps. Elles savent se réunir en aparté le dimanche après-midi (leur unique morceau de liberté) et là, bavarder, raconter la pesanteur des jours et en rire, tancer le nom de l'homme qui les bat, ridiculiser la grosseur de son sexe dont il est si fier et en rire. Prévoir le lendemain, le garde-manger qui sera peut-être vide si l'hivernage n'allonge pas le pas pour venir engrosser le jardin d'ignames et de choux-caraïbes. Les robes qu'il faudra rapièceter, rapièceter, rapièceter jusqu'à ce qu'elles deviennent toutes en fil et en rire. Pister les jeunes mamzelles qu'on ne voit même pas grandir et qui ouvrent leurs cuisses dans les champs de canne qui au commandeur d'habitation qui au Blanc-pays, et, ma foi, en rire aussi quand le mal est fait. Rire pour vivre, puisque les hommes frappent les dominos à la case-à-rhum et qu'on n'a point besoin d'arranger le contour de phrase. Les secrets se délient, passent de bouche en bouche. Ainsi la paternité des derniers enfants nés dans le morne est restituée à leurs véritables propriétaires dans d'énormes gloussements de coqs d'Inde. Et puisque, ces après-midi-là, la marmaille est autorisée à drivailler dans la campagne à la recherche d'icaques et de pois-doux et qu'on n'est pas forcé de se transformer en zombi pour parler français – quel mal de tête, Seigneur! mais il le faut bien pour qu'ils apprennent à l'école – on se livre au créole, on lui fait exprimer des choses que seules les entrailles d'une femme peuvent modeler et on goûte à la substance de chaque bon mot comme à une chair inconnue et délicieuse. Ça, même si tu n'étais pas parti, tu n'aurais pu le soupçonner avant d'avoir atteint l'âge où l'on n'a plus envie du corps d'une femme. Ah, certes!, tu t'en serais douté mais, embrouillardé par tes propres affaires, ton propre cheminement d'homme, tu n'y aurais pas pris garde outre mesure. C'est avec la galopade des ans que le nègre se rend compte avec effroi combien ses épouses ont su se ménager un monde à part, bien à elles, qui les met à l'abri de la désespérance qui les guette, eux, tout soudain. C'est de là que certains en arrivent à déclarer d'un ton docte : « Nos femmes sont fortes, oui, tonnerre du sort! » comme si elles nécessitaient un si tardif compliment, elles qui n'ont jamais entendu de leurs bouches que des moignons de syllabes et, plus souvent que rarement, des insultes d'amateur de tafia. Mais ne t'imagine pas que c'est le bonheur, ce n'est pas ça du tout. D'ailleurs, elles ignorent superbement ce mot, lui préférant celui d'heureuseté. Non, c'est la vie de négresse qui tient tête et se débat avec la vilainerie sans faillir, sans mollir.

Sache aussi que le hurlement d'une femme peut te sauver car il a le pouvoir de pétrifier la hargne du mauvais bougre qui, à ton insu, s'apprête à te fendre les boyaux parce qu'il ne réussit pas à te gagner un seul petit billet de mille francs et que toi, insolent, tu es passé de table en table, gonflant ton pécule, n'appelant même pas le « Onze » magique (on jurerait que c'est lui qui se précipite vers toi!), bloquant d'un rictus les gestes travaillés des fiers-à-bras qu'on appelle ici « majors » ainsi que des maîtres des dés, dispensant la frousse-cacarelle et la sueur verte aux joueurs de maigre calibre qui comptent sur aujourd'hui pour surnager toute la semaine à venir. Fais donc tant et si bien qu'elles en arrivent à s'exclamer : « Ce chabin-là c'est un beau nègre! » et le tour est joué. Plus dur est d'amadouer les joueuses, dont Doris, la fianceuse du Diable, celle qui a pouvoir de dégrapper les enfants du ventre maternel, est l'égérie, car elles ne faraudent pas, elles ne rient pas, leurs figures et les grains de leurs yeux sont fermés, impénétrables, et d'avoir déjà quasitoutes un certain âge sur leur tête, elles t'ont placé plus bas que leur garçonnaille, surtout toi, celui qui est parti et revenu. Pour elles, sache-le, on ne revient pas sur la fatigue de ses pas à moins d'être un sacré capon ou bien d'être animé de quelque intention maligne. Elles ne se sont jamais retournées sur les leurs pour dévisager, au temps de leur jeunesse, l'impudent qui s'était permis de leur lancer des quolibets, ou si certaines l'ont fait, chose dont elles n'ont eu cesse de se morfondre depuis, sois-en sûr!, ce n'est pas pour décontrôler ses dires puisque tout ça c'est vrai – « laide », « grosse patate », « tachetée comme une figue mûre », – mais pour s'affirmer : « Dis tout ce que tu veux, couillon, mais ne me traite pas de femelle, tu as saisi ? » Et le bougre interloqué se jure qu'il ne recommencera plus, incapable qu'il est de trouver la moindre parade. Ces femmes qui empoignent les dés comme qui dirait les graines d'un salaud qu'elles s'apprêtent à arracher, que sais-tu d'elles? Que sais-tu des milliers de boquittes d'eau qu'on les a envoyées quérir à la fontaine municipale dès l'âge de cinq ans? Que sais-tu des petites paroles à la vêture anodine mais qui sont de véritables morsures de serpent-trigonocéphale : « T'es pas suffisamment noire pour héler dans ma tête, non? Va faire de l'herbe pour les lapins! » ou bien « Tes cheveux, c'est des graines de bois d'Inde, ma fille! Bondieu, quel labeur que de peigner cette négresse-là! » Au bal annuel de la fête patronale qui se déroule en général à la cantine scolaire, on ne les a jamais vues, sauf derrière le comptoir à servir des sodas aux capistrelles à grands cheveux et à peaux claires comme Passionise de Morne l'Étoile ainsi qu'à leurs cavaliers pomponnés. Ne crois pas qu'elles ont le loisir de rêvasser, de s'esbaudir dans le tintamarre de la biguine et de la mazurka en battant machinalement la cadence. Pas du tout! A trois heures du matin, quand les amoureux se sont éclipsés sur la plage du bourg, du côté des raisiniers, à l'embouchure de la rivière Fond Grand-Anse, lieu béni où le sable est si propre, elles balaient la salle, elles collectent les bouteilles vides, elles lavent les plats de chèlou, elles aident les musiciens à charroyer leur matériel jusqu'à leur camionnette et, au devant-jour, quand leurs yeux, leurs pieds, leurs bras, leurs reins ne sont plus qu'une formidable enflure, elles se font coquer avec sauvagerie (oui, coquer à la façon du coq sur le dos de la poule) entre deux portes par le gardien, vieux nègre à pian, par quelques tafiateurs qui s'étaient endormis dans un coin, par n'importe qui, dans n'importe quelle posture. Elles n'ont pas la force de placer une seule injure ni de grager la face des animaux qui se succèdent sur leurs ventres nubiles que c'est déjà fini. On n'en parle plus. Hop! La bamboche a bouclé sa course, le bal a rangé ses violons dans leurs sacs. On est lundi de beau matin, au travail! Et les voilà aux champs à amarrer les cannes ou au marché à débiter du thon en tranches pour le compte d'une marraine. Les voilà, amères sans le montrer, déjà vieillies. Non! Durcies plutôt, aussi dures que la racine du cassier. Ce sont les mêmes auxquelles le monde autorise le port du pantalon en jeans et avec lesquelles les mâles n'ont pas honte de rouler les dés. Rose-Aimée Tanin, qui refuse de baisser la hauteur de son regard lorsqu'un homme la dévisage, est l'exemple même de ces négresses-majorines-là. Alors, tu vois, tu viens seulement d'apprendre l'envers et l'endroit de leur vie, sois donc un peu modeste, toi qui n'as point subi de semblables épreuves et ne leur cède pas le passage, n'hésite pas à les bousculer, à t'adresser à elles en créole rugueux, à leur arracher le billet de mille francs des mains : elles te seront reconnaissantes et à nouveau, tu te seras assuré une supplémentaire et omniprésente protection : la leur...

12

LA DÉRIVE DE RENÉ-COULI

Chaque vendredi que Dieu faisait, les deux fiers-à-bras du bourg de Grand-Anse, Major Bérard et Thimoléon, le menuisier, perdaient tout pouvoir au profit d'un seul individu auquel le monde baillait la plus vaste méprisation le reste du temps, un bougre haillonneux, l'esprit le plus souvent sous la gouverne du tafia, le sieur René-Couli. Ce jour-là, il se parait de ses hardes tachées de sang de bœuf et de longs couteaux effilés qu'il aiguisait les uns contre les autres en déambulant à la Rue-Devant, jetant de temps à autre un regard chargé de mauvaiseté à ses plus acharnés détracteurs, notamment Man Léonce qui répétait à l'envi : « Les coulis ne sont à l'aise que dans la malpropreté. Le jour où vous entrez dans une de leurs cases, vous avez intérêt à vous boucher les trous du nez. »

A l'époque, les Indiens n'avaient pas encore eu l'audace de s'installer au bourg. Ils s'occupaient d'élevage pour le compte des Blancs créoles sur les plantations d'Assier et de Moulin-l'Étang et ne se hasardaient dans nos rues que les dimanches de fête patronale où ils se montraient redoutables au jeu de dés. Seul le père de René-Couli avait rompu avec la canne à sucre et s'était installé avec sa famille sur un lèche de terre plus ou moins ensablée situé entre le terrain de football, l'embouchure de la rivière et la plage. Un endroit où poussaient, superbes, des amandiers-pays et des raisiniers-bord-de-mer très âgés. Là, à l'aide de bois de caisse de morue salée, de lattes de bambou, de fûts d'huile et de tôle ondulée, l'ancien commandeur d'habitation s'était construit un logis à l'architecture si ubuesque que nul mot en usage parmi nous ne parvenait à le désigner. Elle tenait à la fois de la case à nègre, de l'ajoupa, de la maison de béké et du temple hindou puisque l'homme y organisait des cérémonies de « Bondieu-couli », à la grande horreur des catholiques et même des gens de bien qui ne croyaient pas en Dieu. Par bonheur, l'endroit, nommé Long-Bois, se trouvait à la périphérie du bourg et le vacarme de la mer couvrait plus souvent que rarement le son grêle des tambours-matalon et les invocations aux dieux de l'Inde. D'ailleurs, en dépit de la dénonciation par nos prêtres de ces pratiques comme étant de la sorcellerie, certains désespérés (atteints du mal d'amour ou paralysés à vie par une congestion) avaient recours en secret aux pouvoirs du père de René-Couli. Son prestige trouva une solide assise lorsqu'il réussit à rendre à un gros mulâtre l'usage d'un de ses bras. Celui-ci lui fit une telle renommée que l'on vint consulter le « poussari », comme ils disent dans leur langage couli, des quatre coins de la Martinique et, ô extraordinaire, des îles circumvoisines et même de l'Amérique. La mémoire de Grand-Anse se souvient de lui comme d'un homme que rien ne parvint jamais à dérider. Ni sourire ni rire ni ricanement ni émotion sur sa figure fermée que n'éclairaient que ses yeux couleur de braise. Quand on construisit l'abattoir municipal, au bordage de la mer, on pensa naturellement à lui pour le job d'égorgeur de bœufs vu qu'il sautait la tête des moutons avec une dextérité inouïe dans ses sacrifices de Bondieu-couli. Ayant une tiaulée de marmaille à nourrir, il accepta et son activité étant reconnue par tous d'utilité publique, il fut peu à peu accepté par les nègres du bourg.

Quand il n'organisait pas ses diableries et n'officiait pas à l'abattoir, le père de René-Couli tombait fou. Ou du moins le supposait-on car comment expliquer qu'il arpentât sans discontinuer la plage, insensible aux vagues énormes qui l'éclaboussaient, pour faire des gestes ininterprétables à l'endroit de l'horizon et crier des choses en tamoul qui nous faisaient frémir sans qu'on sût pourquoi. Parfois, il s'accompagnait du petit René auquel il désignait des êtres ou des formes que lui seul discernait sur l'écale de la mer. La vérité ne fut connue qu'une charge d'années après sa mort, un soir qu'à la case-à-rhum de Ti Fène Auguste, des tafiateurs avaient entrepris de gouailler René-Couli sur la folie de son père.

« Apa avait toute sa raison, messieurs-dames. C'est le gouvernement qui déraisonnait et dérespectait sa parole. Il avait promis d'envoyer le bateau de rapatriement chercher Apa, et Apa l'a espéré combien et combien d'années en pure perte. Tenez, que ceux qui savent lire s'approchent, moi, je n'ai pas eu la chance de poser mon derrière sur un banc d'école mais ce papier que je vous montre là, je sais qu'il s'agit du contrat du père de mon père. Il porte la date d'arrivée ici-là et celle du retour en Inde. Tenez, elle est marquée là, vous savez au moins lire les chiffres, foutre! Le 16 février 1898. Grand-père a attendu, Apa a attendu, moi, je n'attends plus. Je vais mourir et être enterré ici-là comme eux. Et si Apa hurlait dans le vent, ne croyez pas non plus qu'il avait perdu la tête. Simplement, il criait les mille noms de notre déesse Kali afin qu'elle nous vienne en aide et nous ôte au plus vite de ce pays où nous ne sommes que du caca de chien, la crasse de la terre en somme. Je ne connais plus que six cent trente-deux noms, messieurs-dames, et c'est peut-être pour ça que la déveine s'acharne autant sur moi. »

René-Couli hérita de la charge de son père sans qu'il fût besoin d'une délibération spéciale du conseil municipal. Le Mussolinicule avait réglé l'affaire en deux mots et quatre paroles :

« Tout kouli sé kouli! » (Tous les Indiens sont des Indiens!)

Le vendredi donc, l'égorgeur de bœufs paradait au bourg, se faisait délivrer des verres de rhum gratis ou bailler des paquets de cigarettes Mélia qu'il fumait par deux à la fois, exhalant par provocation un épais nuage de fumée. Ce jour-là, pas une marmaille qui s'aventurât à lancer :

« René-Couli! Cou-li-li-li! Cou-li-li-li! Couli, mangeur de chiens! »

Pas un petit nègre qui s'avisât de lui lancer une volée de roches ou de graines de mangots. Le bruit des couteaux qui s'entrechoquaient leur faisait claquer des dents sous les lits de leurs parents où ils avaient trouvé refuge. Quand le bougre estimait avoir fait la démonstration qu'il était bien le maître des lieux, il prenait le chemin de l'abattoir d'un pas lent, la tête haute, très pénétré de l'acte qu'il s'apprêtait à accomplir. On prétendait qu'ainsi il domptait l'esprit des bœufs sauvages, importés de Portorique et de Bénézuèle, pour qu'ils ne fassent pas de gros sauts au moment où la lame brillante pénétrait dans le mitan de leur gorge. De fait, les deux ou trois fois où, malade, René-Couli n'avait pu travailler, il avait fallu pas moins de cinq nègres gros-gras-vaillants pour les maîtriser. Or, l'Indien n'était pas plus gros que l'ombrage d'une ficelle ! Le reste de la semaine, il n'était qu'un pauvre hère, tout-à-faitement terne et dénué d'intérêt, ayant hérité aussi de la charge de poussari de son père, que l'on ne prenait même pas la peine de saluer. Il était si insignifiant qu'il en paraissait transparent, jusqu'au jour où quelqu'un le chargeait d'organiser une cérémonie à Kali, Nagourmira ou Maldévilin et là, il en devenait comme transfiguré. Comme si un peu de l'aura de ces dieux qu'il fréquentait se déversait sur lui.

Quelques mois après les frasques de l'incube Julien Thémistocle et la miraculeuse solution des culottes noires de ce sacré malin de Syrien, Man Léonce décida d'arracher les graines de folie qui avaient poussé dans le crâne de son fils Bogino. Elle se résolut à faire appel à René-Couli.

« Je suis une négresse chrétienne, tentait-elle de se justifier auprès de ses commères qui lui marquaient leur réprobation unanime. Je récite le Notre Père et le Je Vous salue Marie matin, midi et soir. Je fais des actions de grâces. Je me confesse et communie. Je fais chaque année le pèlerinage à la Vierge de la Délivrande du Morne-Rouge. Je paie des messes pour le repos de l'âme des indigents de Grand-Anse. Je verse mon denier du culte. Et qu'est-ce que le Bon Dieu fait pour mon fils, hein ? Est-ce que vous ne voyez pas que jour après jour, il devient plus tôc-tôc ? Vous savez bien que je ne suis pas éternelle. Qui s'occupera de lui après que je serai partie ? Laquelle d'entre vous acceptera de lui céder un plat de manger et du linge propre ? »

On se doutait bien que le dérangement de Bogino devait entretenir quelque rapport avec la mort brutale et inexpliquée de maître Léonce mais personne n'osait demander à la boulangère pourquoi on avait retrouvé son mari à moitié enfoncé dans son four et cuit à point. Si la maréchaussée avait clos l'enquête, autant ne pas réveiller les morts mais sûr et certain que Bogino payait pour l'acte inconsidéré de sa mère et de son amant, le nègre-marron Julien Thémistocle. On se répétait à l'envi, la bouche sous le bras, les cochonneries auxquelles ils s'adonnaient pendant que le boulanger s'esquintait la santé à alimenter son four au feu de bois dans les heures précédant le devant-jour. Il faut dire qu'ils ne se gênaient pas, le mari porteur de cornes étant un peu sourd. Parfois, les glapissements de Man Léonce ameutaient le voisinage et des fenêtres s'ouvraient avec colère libérant des chariotées d'injures qui elles-mêmes déclenchaient les jappements en chaîne de tous les chiens du bourg. Ce vacarme n'avait pour tout effet que de couvrir encore plus les ébats de la boulangère et de Julien Thémistocle. René-Couli accepta donc l'offre de la boulangère et comment le devinat-on ? Parce qu'avant toute cérémonie de Bondieu-couli notre homme entrait dans un jeûne de vingt-sept jours. Il ne traînaillait plus aux abords des maisons de mulâtres, juste après les repas, pour qu'on lui baille les restes (« C'est pour ton cochon » lui disait-on), ni au marché où quelque coulirou ou aile de thon avait été oublié. Il ne fréquentait plus ni le bar de Ti Fène Auguste ni ceux, plus sordides, de la Rue-Derrière où le monde lui payait des punchs exprès pour le voir tituber sur la chaussée. Dans ce dernier cas, chargé de plusieurs chopines de rhum, René-Couli commençait sur les quatre heures de l'après-midi le dur parcours qui le ramènerait à Long-Bois. Ne serait-ce que pour sortir de la case-à-rhum, il bousculait deux ou trois tables à la grande joie des clients qui criaient, hilares :

« Wop! Wo-o-o-op! » (Ho! Ho-o-o-op là!)

Il vissait son chapeau-bacoua sur sa tête et jetait un regard plongeant à la Rue-Derrière comme pour s'assurer que ses appuis habituels n'avaient pas changé de place. Il descendait du trottoir et, secoué de hoquets, allongeait un pied devant l'autre avec précaution avant de glisser sur le limon du caniveau et de s'affaler par terre.

« Wop! Wo-o-o-op so! » s'écriait le monde.

La corne d'une voiture le réveillait et le bougre s'accroupissait avec peine avant de se redresser pour continuer sa titubante dérive. Sa seconde halte était le rebord de la fenêtre de Passionise, la mulâtresse et femme-de-tout-le-monde, qui, épouvantée et furieuse, fermait ses persiennes raide-et-dur, quitte à étouffer de chaleur si le pauser de l'Indien se prolongeait. A ces moments-là, il y avait toujours un nègre facétieux pour lancer :

« Hé ma bougresse, l'abbé-couli voudrait un petit morceau de caresse, eh ben Bondieu! »

En général, René-Couli, ayant recouvré quelques forces, parvenait à atteindre sans encombre le poteau électrique qui faisait face à la salle paroissiale. Une grappe de fainéantiseurs, protégée par son ombre, y jouait aux cartes ou aux dominos. Si, par malheur, Major Bérard se trouvait parmi eux, la méchanceté du bougre se déchaînait sur René-Couli. Il lui balançait des coups de pied de lutteur de damier dans les côtes en hurlant :

« Couli mendiant! Couli puant le pissat, disparais devant les grains de mes yeux, foutre! J'ai assez vu de coulis pour aujourd'hui. »

René-Couli s'effondrait à nouveau sur l'asphalte encore brûlante de l'après-midi sans lâcher un seul cri de douleur. Un des joueurs s'approchait de lui, lui relevait la nuque et lui enfonçant le goulot d'une bouteille de tafia dans la gorge, le forçait à ingurgiter de quoi assommer quatre personnes. L'Indien trouvait on ne sait où la force de se redresser sur ses jambes maigres-jusqu'à-l'os et d'atteindre le parvis de l'église où des commères espéraient la prière de six heures. Elles gueulaient (la porte de l'église étant encore fermée) :

« Couli, tu n'as pas honte? Si tu fréquentais Jésus-Christ au lieu de t'accointer avec le Diable, tu ne serais pas dans cet état-là. »

Il s'asseyait sur les plus basses marches du parvis, le temps de reprendre son souffle et, au sonnis des cloches, se remettait en chemin. Cachés derrière le monument aux morts pour la France, une bande de garnements lui tendait une embuscade en le bombardant de tout ce qu'ils trouvaient de rond : roches, graines de quénettes lancées avec une arbalète, billes en fer, ballons crevés. Stoïque, René-Couli montait le petit morne menant à l'hôpital devant lequel il tombait à nouveau. Le gardien des lieux prononçait sa phrase habituelle en l'aspergeant d'une boquitte d'eau :

« Tout kouli ni an kout dalo pou fè nan lavi yo. » (Tous les Indiens tombent un jour ou l'autre dans un caniveau.)

Après, le faire-noir régnait sans partage et de toute façon, il avait dépassé les frontières du bourg. Nul ne s'occupait plus de lui et personne ne sut jamais ni comment ni à quelle heure il atteignait Long-Bois. Ainsi donc, lorsque nous le voyions habillé de propre (chemise kaki et pantalon escampé), rasé de près et coiffé, arborant des sandales, lui qui marchait pieds nus, et surtout sans un ième de tafia sur l'estomac, nous savions qu'il préparait son corps à recevoir les dieux de l'Inde. Une sorte de respect mêlé de terreur s'insinuait sous la peau des lanceurs de quolibets et leurs poils se hérissaient sur son passage. René-Couli acceptait d'officier pour toutes les races dès l'instant où celui ou celle qui désirait formuler un vœu déposait devant lui la somme nécessaire à l'achat des animaux du sacrifice et des sacs de riz qui permettrait d'accommoder le repas collectif qui s'ensuivrait. Grande âme, il pardonnait même à ceux qui méprisaient les Indiens comme Man Léonce car, affirmait-il, « si la personne est mauvaise, la divinité va se retourner contre elle ». Quand elle aborda le cas de son fils Bogino, le poussari trancha aussitôt :

« Pour la folie, seul Madouraïviren peut faire quelque chose. »

Et d'égrener la liste, impressionnante, des objets et des fruits indispensables :

« Tu m'amènes quinze bouts de camphre, un mètre de tissu vert, du tissu de coton rouge et du blanc, trois pattes de bananes, sept cocos secs, un faitout, des feuilles de vèpèlè, du safran pilé, une petite lampe à pétrole, un litre de rhum... »

On sut que la boulangère avait outrepassé les anathèmes de la Sainte Église catholique apostolique et romaine à cause de sa quête effrénée des plantes connues des seuls Indiens. A chacun de ses clients, soudainement moins arrogante, elle demandait d'une petite voix enfantine :

« J'ai besoin de feuilles de vèpèlè. C'est pour les maux de tête qui ne cessent d'empoisonner ma vie. Si vous pouviez m'en ramener la prochaine fois, très cher... »

Mais aucun nègre ne pouvait rien pour elle car les plantes auxquelles les coulis accordaient des vertus mirifiques étaient considérées comme de la mauvaise herbe et n'avaient même pas de nom en créole ou en français. Conscient de sa supériorité provisoire, l'égorgeur de bœufs passait tous les matins voir la boulangère et lui lançait avec une cruauté étudiée :

« Tu as fixé toi-même la date de la cérémonie. Madouraïviren attend. Ne le fais pas péter une colère contre toi. As-tu déjà coupé les feuilles de vèpèlè ?

– Je... j'en aurai...

– Pas de je... je... je... Madouraïviren n'entre pas dans ces histoires-là, non. »

A mesure que la date approchait, un 10 juin de l'an 1954, à en croire Thimoléon, une peur-cacarelle s'emparait de la boulangère. Elle interrogea en vain Émilien Bérard, qui venait de passer le brevet d'instituteur, Syrien qui avait battu la campagne avec une brouette au temps de l'antan et avait donc fréquenté les hameaux indiens, maître Féquesnoy, le notaire dont la science était reconnue jusqu'En Ville, Ti Fène Auguste qui avait eu recours à la déesse Mariémen pour agrandir sa taille sans succès apparent et, final de compte, tout ce que Grand-Anse comptait de gens de bien. De désespoir, elle s'abaissa à adresser la parole aux marchandes de charbon et aux mendianneurs. Aux deux femmes-de-tout-le monde, la négresse Myrtha et la mulâtresse Passionise. A Rose-Aimée, l'ex-épouse de Syrien qui vivait à présent dans un parc à cochons du quartier En Chéneaux. Chance pour elle, le carnaval était passé car nul doute que les mots de « Man Léonce » et « Vèpèlè » seraient entrés dans la composition d'une biguine endiablée qui aurait dévasté sa hautaineté pour le restant de ses jours. La saison des cyclones approchant et l'esprit des gens étant ailleurs, on se contenta de la surnommer « Vèpèlè » derrière son dos. Deux jours avant la date prévue, Man Léonce vit s'approcher de son comptoir ce bougre de Dachine qui agitait d'une main son carnet de crédit et cachait l'autre derrière son dos d'un air entendu. La boulangère, hébétée par des nuits d'insomnie et de plus en plus terrorisée par le compte à rebours que lui avait imposé René-Couli, mit un siècle de temps à comprendre que l'éboueur municipal lui proposait un brocantage : l'effacement de ses dettes des mois d'avril et mai contre une bottée de feuilles de vèpèlè. Elle en pleura de joie tout en envoyant voltiger le carnet de crédit dans son four à pain. A aucun moment elle n'avait songé à recourir à celui dont on disait à Grand-Anse qu'à force de vider les boîtes à ordures des gens, il avait fini par leur sonder le cœur et connaître leurs vices et vertus.

Un peu surpris, René-Couli vint ramasser l'après-midi du même jour l'ensemble des ingrédients qu'il avait exigés. Il déclara à Man Léonce :

« Demain, enferme ton fils toute la journée. Il ne doit parler à personne ni caresser une femme du regard ni tremper ses lèvres dans un verre de rhum ni prononcer des injures. »

Dès l'instant où ses affaires semblèrent rouler à l'aise comme Blaise sur la falaise, Man Léonce retrouva son arrogance coutumière, chose qui décida Major Thimoléon, notre menuisier, à passer à l'action. La raison de sa rancune (et de sa vengeance) contre la boulangère est inconnue à ce jour. Il écarta d'emblée la solution consistant à barrer René-Couli dans un chemin isolé et à lui foutre une raclée dont il mettrait au bas mot un mois à se remettre. Bien que l'âge montât sur sa tête, Thimoléon demeurait un fier-à-bras redouté pour son agilité au combat du damier et personne n'ignorait qu'il disposait d'un coup secret qui avait jeté bas plus d'un fort-en-gueule de Grand-Anse, de l'Ajoupa-Bouillon et de Basse-Pointe. Agir de la sorte reviendrait tout bonnement à retarder la cérémonie de Bondieu-Couli. Il lui fallait atteindre l'Indien dans son pouvoir même d'intercesseur entre les hommes et les dieux, le détruire en tant que poussari. Après moult calculations, il admit que seules Myrtha et Passionise, leur deux putaines, pouvaient l'aider à accomplir son forfait car il avait trouvé une idée diabolique : contraindre René-Couli à rompre son jeûne et l'abstinence sexuelle qui en découlait. Comme tout major qui se respecte, Thimoléon coquait plusieurs femmes à la fois et possédait quasiment un droit de vie ou de mort sur elles. Il n'avait qu'à ouvrir la bouche et Justina de Morne l'Étoile ou Francelise de Fond Gens-Libres iraient s'offrir au prêtre indien mais il était conscient que ce serait leur infliger une humiliation qu'elles n'avaient pas méritée et surtout, une fois la chose réalisée, les condamner à la déchéance sociale. Car qui voudrait encore d'une bougresse qui s'est laissé monter sur le ventre par un couli ? Lui-même, Thimoléon, devrait cesser de la fréquenter, or il tenait trop à chacune d'elles pour se permettre d'en sacrifier une seule.

« Moi ? s'indigna la plantureuse Myrtha lorsque Thimoléon s'ouvrit à elle, moi, me frotter à cette race-là ? Jamais! Tu peux me bailler les sept merveilles du monde que je n'accepterais pas, mon nègre. »

Passionise, la mulâtresse, eut un rictus mauvais avant de lâcher :

« J'accepte les nègres-Congo aussi noirs qu'eux, donc ce n'est pas une question de couleur. Mais qu'est-ce qu'ils savent faire ces coulis-là, hein ? A ce qu'il paraît, ils ont le kiki en tire-bouchon et en plus, ils puent une odeur de poisson frais. Très peu pour moi! »

Le menuisier n'hésita pas une seule seconde. Il prit la femme-de-tout-le-monde par le bras et l'emmena à son atelier de menuiserie dont il ferma aussitôt portes et fenêtres. Sans bailler aucune explication, il entreprit d'ôter une à une les planches qui couvraient le sol, puis s'armant d'une fourche-trident, il fouilla avec l'énergie de quelqu'un qui avait le feu aux trousses. Passionise le crut en proie au haut-mal ou à une soudaine déraison et cria :

« Tu veux m'enterrer vivante ?

– Pas du tout, ma cocotte! Je ne suis pas de la même

nation que ces nègres-Guinée de Julien Thémistocle et Major Bérard. J'ai toujours fait le bien autour de moi et je suis présentement en train de le faire. Sois patiente ! »

Il fouilla des heures durant un trou si profond qu'il en vint à le contenir tout entier. Passionise luttait contre les vagues de terreur qui l'assaillaient. Sa robe était trempée de sueur et ses yeux la brûlaient. A un moment, elle entendit un bruit mat au fond du trou et vit le menuisier remonter, l'air satisfait.

« Elle est à toi, ma doudou, si tu acceptes de faire l'amour avec René-Couli.

– De quoi tu parles ?

– Penche-toi et regarde ! Allez, approche-toi du bord. Tiens, je t'allume une bougie pour mieux voir. »

La mulâtresse distingua une jarre débordant de pièces d'or qui brillaient malgré la couche de terre qui les avait ensevelies.

« La jarre d'or du béké de Cassagnac ? fit-elle, incrédule. Mais comment peut-elle se trouver ici ? Ne dit-on pas qu'elle est enterrée quelque part sous l'habitation Séguineau ?

– Ha ! ha ! ha ! Pauvre ignorante ! Il est vrai que tu es si jeune. Les jarres d'or voyagent sous la terre, ma fille, surtout celles à côté desquelles les békés enterraient les esclaves qui venaient de les enfouir. Pour qu'elle fasse tant de chemin jusqu'à chez moi, il faut croire que le grand-père de De Cassagnac a dû sacrifier au moins trois ou quatre nègres pour accomplir sa sale besogne. Elle est à toi maintenant, Passionise. Va rejoindre René-Couli et reviens ici. Je te l'emballe dans un carton, les nègres d'aujourd'hui sont tellement envieux... »

Abasourdie, la femme-de-tout-le-monde tritura ses cheveux sans parvenir à articuler deux mots et quatre paroles. Le menuisier entrebâilla une fenêtre et d'un geste tranquille se mit à raboter la porte d'une commode qu'il avait en préparation. Il lui donna l'impression d'avoir tout son temps devant lui.

« Ou... ou genyen » (Tu... tu as gagné), lâcha-t-elle en sortant au-dehors avec précipitation.

A ce stade du conte, Radio-bois-patate, contrairement à son habitude, n'offre qu'une seule et unique version : Passionise se dirigea vers l'abattoir municipal où elle se déshabilla derechef devant un René-Couli encore taché de sang. L'Indien qui n'avait jamais goûté à une mulâtresse se jeta sur elle et n'en fit qu'une bouchée parmi les abats gluants et les carcasses d'animaux qui encombraient les lieux. La putaine connut le plaisir pour la première fois de sa vie et remercia la Vierge Marie d'avoir obtenu en une seule journée plus de bonheur qu'en vingt-six ans d'existence. La tristesse qu'elle lut dans le regard de René-Couli après leurs ébats gâcha sa rêverie et lui mit une sourde crainte dans le cœur. Elle se précipita à nouveau chez le menuisier afin de récupérer sa récompense. Thimoléon ne prit pas sa hauteur. Il s'activait à vernir sa commode, la langue dehors. Il lui désigna le trou du menton, l'air très agacé. Passionise accourut au bord du trou et ne distingua pas le fond. Elle ralluma la bougie et la promena sur tout son pourtour sans plus de succès.

« Où est ma jarre ? MA JARRE ? trépigna-t-elle.

– Tant pis pour toi qui ne l'as pas prise tout à l'heure, ma cocotte. Je t'avais bien avertie : les jarres ne cessent de voyager. Je n'y suis pour rien. »

Le lendemain matin, elle s'embarqua à bord du « Golem » et prit un billet pour la France. Quant à René-Couli, qui avait enfreint la règle de chasteté indispensable au sacrifice indien qu'il devait préparer pour Man Léonce, il sut que désormais il ne serait plus rien. Plus rien aux yeux des hommes de sa race. Plus rien aux yeux des autres hommes qui avaient recours à ses services. Mais surtout plus rien aux yeux des dieux de l'Inde. Son temple serait déserté. Ses statues, amenées à bord des premiers bateaux venus du Tamil-Nadu et du Karnattakam, seraient livrées à la vindicte des catholiques fanatiques et des adventistes, encore plus intolérants que les premiers. Il songea lui aussi à s'enfuir de Grand-Anse mais pour aller où puisqu'il venait d'investir toutes ses économies dans l'achat d'une boucherie à la Rue-Devant. En outre, il ne pouvait plus reculer ni différer la date de la cérémonie car elle lui avait été dictée par Madouraïviren lui-même. Il erra sur la plage plusieurs jours durant, à la manière de son père et réalisa qu'il avait oublié la plupart des prières tamoules que ce dernier lui avait enseignées. Il trébuchait sur les tout premiers mots puis un grand vide s'instaurait dans son crâne qui commençait à lui faire mal. Épouvanté, il tenta, la veille de la cérémonie, une manœuvre désespérée : il se rendit à l'église et demanda au Christ de lui venir en aide. La solennité des lieux lui apporta un peu de calme et de courage. Il se sentit reprendre confiance en lui et prépara Bogino à recevoir les bienfaits de Madouraïviren. Il lui lava le corps avec du lait de vache frais et le parfuma au safran. Man Léonce était aux anges : avant même l'intervention du Bondieu-couli, son fils montrait des signes d'amélioration quant à sa comportation avec autrui. Il n'injuriait plus en répondant au bonjour des clients de la boulangerie et aidait même le livreur à embarquer les sacs de pains dans sa camionnette bâchée. Syrien en vint à la complimenter sur cette métamorphose car Bogino, plus souvent que rarement, avait pour habitude de cuver son rhum sur le trottoir du Palais d'Orient, ce qui dissuadait maints acheteurs d'y entrer. Le bougre fou s'accrochait à eux, leur postillonnait à la figure, accusait leurs mères de toutes les salopetés de la terre pour finir par exiger d'eux une pièce de menue monnaie.

Au jour dit, le temple de Long-Bois accueillit Man Léonce, son fils, plus une poignée d'officiants indiens. La boulangère avait tenu la date secrète pour éviter que les curieux ne viennent fouiner dans ses affaires et les nègres à grand falle ripailler sur son compte. René-Couli, comme par miracle, officiait à merveille, psalmodiait ses invocations sans hésitation et la fumée de l'encens mêlée à la complainte des tambours-matalon, la profusion du rouge des fleurs et du jaune des statues, l'emphase de la mer toute proche, tout cela créait une atmosphère grandiose qui ne rendait que plus criant le dénuement des êtres rassemblés là, dans l'attente que Madouraïviren veuille bien répondre à leurs supplications. Bogino se laissa faire comme une petite marmaille. Il pénétra à l'intérieur du temple, baisa humblement l'épée du Dieu, s'agenouilla et bredouilla les mots étranges que le poussari lui ordonnait de répéter, se laissa enduire de toutes espèces d'huiles et de parfums indiens qui sentaient étrangement bon. Vêtu de blanc, rasé de près par Honorat Congo, il semblait sur le point de recouvrer toute sa raison. Le drame éclata au moment où René-Couli dut couper la tête des deux moutons du sacrifice. Un silence inquiet s'empara des officiants qui se tinrent bien à l'écart de lui, le laissant seul en quelque sorte face à son destin. René-Couli, qui avait opéré dans une sorte d'euphorie jusque-là, fut troublé par l'image du corps enivrant de Passionise et son bras flancha à l'ultime seconde, déviant la lame du coutelas de la fine ligne du cou du mouton où son père lui avait appris à frapper et qu'il n'avait jamais ratée depuis qu'il avait remplacé ce dernier. La bête se cabra dans un jaillissement de sang chaud, la tête pendant entre ses pattes. Les officiants poussèrent un cri de détresse et reculèrent à nouveau. René-Couli demeurait figé dans la lumière raide du soleil, son coutelas sanglant à la main, ne sachant plus quoi dire ni quoi faire. Soudain, Madouraïviren descendit dans la tête de Bogino qui se mit à tout dévaster autour de lui. Il mit à sac le temple, voltigea les statues dans l'embouchure de la rivière, se saisit du mouton à moitié décapité pour frapper Man Léonce et les officiants, lesquels s'enfuirent dans une bananeraie toute proche. René-Couli regagna le bourg par la plage, désireux de mourir, d'être emporté loin sous les eaux de cette mer marâtre qui avait, elle aussi, dû prendre part à sa défaite. Il se laissa rouler dans les flots sans résister aux vagues mais celles-ci, têtues, le ramenaient au rivage, cela même à l'endroit du gouffre, en bas de l'hôpital, où d'ordinaire il n'y a point de réchappe pour les imprudents.

Quelques semaines plus tard, Grand-Anse avait retrouvé son immuable léthargie. Bogino était devenu encore plus fou qu'avant et sa mère avait demandé pardon aux dieux de la Bible de les avoir trahis. René-Couli, pour sa part, bien que sa boucherie commençât à lui être d'un bon rapport, vivait dans l'angoisse, certain qu'il était que tôt ou tard Madouraïviren lui demanderait des comptes. Et il savait que la vengeance du dieu millénaire serait terrible...

13

Eau de Café lit demain dans nos rêves.

Elle m'ordonne : « Fermez-moi cette fenêtre, c'est pour que le sel marin n'abîme pas mon argenterie », toute frissonnante d'avoir perçu les échos insistants de La Crabière.

Là-bas, au fond de la Grande-Anse, La Crabière est un promontoire vide qui déploie une hardiesse inouïe au flanc de l'Atlantique. On nous l'interdisait à midi, heure prétendument démoniaque, à nous, la marmaille du bourg, qu'attiraient ses raisiniers.

Parfois, elle hélait son compère le menuisier qui se vantait d'avoir fait la guerre de 14-18 et ils réglaient son compte à une bonne roquille de tafia. Ils tentaient probablement d'oublier cette mer rouleuse de corps innocents (celui d'Antilia l'était plus que tout autre) et d'amours mercantiles qui n'avait cesse de tisonner nos vies. Ils nourrissaient leur peur, nous l'enseignant comme une très vénérable légende, et nous nous riions à nous péter le ventre de ces menteries de vieillards.

Devant moi, enfin retrouvée, la Grand-Anse, immense d'immaculée noirceur. J'ai envie de lui crier – quoique nul n'entendrait le bruit de mes mots, trop absorbé qu'est chacun à donner corps à son errance quotidienne :

« Je te hais d'avoir engrangé tant et tellement de nos délires et de ne nous les avoir pas restitués. D'ailleurs, le bourg vous a viré son dos, oui. Les langues se sont détournées... on ne vénère pas ton nom ! On ne dit pas : Mer de septembre, ô mer en charroi d'exhalaisons frileuses, de rêves échassiers... ni quoi que ce soit qui entrerait dans l'affection des poètes. Merde pour toi ! »

Eau de Café ne se résigne pas à mon désintérêt. Elle me déclare : « Si tu es venu, c'est pour entendre, alors entends, foutre ! » Elle tient à me ressasser à toute force les hauts faits de Julien Thémistocle, « vieux nègre ayant saucé dans une somme de vies et de morts toutes dignes d'être racontées ». Paroles en l'air ! Qu'est-ce que j'en ai à faire puisque j'ai grandi et que Marraine est désormais une ancêtre. La preuve : elle fume une pipe en terre.

Elle ne désarme pas. Son Thémistocle à elle aurait trouvé la mort aux portes de la dissidence. Ah, la dissidence ! Dans mon imaginaire, il s'agit d'une province ténébreuse par-delà La Crabière, entre terre, mer et enfer. Seule une bande de coulis plus ou moins hors-la-loi tentait d'y survivre et j'ignore si l'antique pont de ferraille qui permettait d'y accéder existe encore. Dans le temps, une locomotive chargée de cannes odorantes déboulait entre ses halliers, se dirigeant vers la distillerie de Fond Brûlé.

Soudain, le menuisier crie : « Je veux une coucoune ! Ouaille, je veux une coucoune ! » On aurait juré un verrat en train de se faire égorger le jour de Noël. Eau de Café secoue la tête avec résignation. Elle entreprend de bourrer sa pipe de pétun qu'on lui fabrique sans doute en toute clandestinité au Morne Capot. « Coucoune ! » continue le possédé, désignant par là, dans la langue aujourd'hui presque défunte de notre peuple, le sexe de la femme. Car la langue avait volé en éclats brillants qui s'étaient dispersés dans les têtes, dans les corps, dans la chaleur des mains, véritables cerfs-volants en rupture de cordage.

Il me saisit le bras (dehors la mer redouble de colère) : « De toute manière, dit-il, quand tu vois le dé s'arrêter comme interloqué dans le mitan de sa course et se figer dans sa blancheur, c'est qu'une main a voulu le faire taire. Je l'affirme ! Dans leur pays de Blancs, là-bas, tu n'as pas joué, toi ?

– J'ai joué, j'ai perdu », fais-je avec un sourire embarrassé.

Marraine n'aime pas la tournure que prennent les événements. Peut-être avait-elle espéré que je traverserais la Rue-Devant à son bras pour que le monde (et surtout la gueusaille) comprenne enfin qu'elle n'est pas un vieux sac d'os abandonné et qu'il y aura un monsieur qui sait parler français à son enterrement. Aussitôt entré dans la maison, elle m'a emmené à l'étage, a ouvert avec précaution un panier caraïbe usagé pour en sortir une splendide robe de popeline bleue.

« C'est avec elle que je veux partir. Touche-la! »

Sa figure a resplendi d'une légitime fierté, celle d'une négresse qui avait occupé sa vie entière à se ceindre les reins dans la canne du Blanc, puis sur son propre lopin et qui s'était sauvée au bourg avant de se retrouver définitivement clouée à la terre, autrement dit ensauvagée. J'en suis un peu ému et lui demande d'un air sot :

« Tu songes à ta mort, Marraine ?

– Ha! ha! ha!... En tout cas, si moi je ne fais pas cas d'elle, sûrement qu'elle doit se préparer pour moi, non ? Regarde Man Léonce! Cette bougresse-là n'avait pensé qu'à jouir de la vie et le moment venu, il a fallu qu'on se cotise pour lui payer un cercueil, hon! »

Ainsi donc, rien n'a brocanté d'aspect ici, veut-elle me faire comprendre. Toujours le même carré de maisons hautes-et-basses avachies dans leur ennuyance distinguée et cernées par une mer haineuse. Mer de Grand-Anse dont j'ai longtemps cherché en moi-même le secret de ses entrailles bréhaignes, peu convaincu par les dires d'ici-là. Comme chaque habitant de ces lieux, périodiquement mû par une imprévisible tourmente que l'on nomme mal-caduc. J'ai cherché dans cent et mille allusions, dans les envolées lancinantes du batteur de tambour lancées à la voltige, dans les clignotements des poils d'yeux ou les déhanchements de femmes lui portant l'offrande de leur pot de chambre en émail versatile à la brune du soir. Dans l'exode des dernières pluies d'hivernage pourchassées par la hargne de janvier. Même dans les « A moi! » d'âmes en détresse, happées par la froidure du Morne l'Étoile. Je suis donc revenu pour trouver.

« Quand le dé s'élance sur la table de jeu, reprend le tafiateur, durement frotté et refrotté dans le plat d'une main et qu'il s'arrête sec!, c'est qu'on a eu vent de sa préférence et qu'on veut l'interroger à nouveau afin qu'il s'acquitte du hasard. Tu comprends?... De toute façon, quand tu vois ça, clôture ta bouche, garde ton désir de protester dans tes boyaux même si ça fait mal et puis ne bouge pas, ne t'écarte pas des autres nègres (ils te ramèneraient d'une seule goguenarderie à ta juste place) : il se passe un événement, un choc entre deux volontés de fer. Ce n'est pas à toi, crotte de maringouin, d'intervenir ou alors déclare-toi à l'avance, saperlipopette! Annonce la couleur depuis le matin à onze heures quand, la grande messe dite, les marchandes ont débarrassé le marché aux poissons avec un empressement burlesque et disposé les tables de jeu sur des trépieds branlants.

– Toi, va rejoindre tes rabots! »

Ordre de Marraine qui, lui disputant sans cesse la parole, tient à tout prix à parler de Julien Thémistocle. Elle a retenu de toute une existence de sueur et de lassitude que la parole n'est pas faite pour être gaspillée. La parole n'est pas l'eau qui déboulinе du ciel pour se perdre dans la profondité de la terre. Quand elle eut décidé de cheviller ses jours à ceux de ce nègre rouge, elle pressentait qu'elle avait désobéi et s'attendait à tout instant qu'on vienne lui apprendre une nouvelle à s'évanouir de douleur. Aussi, dès qu'un pas pressé approchait de la devanture de sa case et que Thémistocle n'était pas rentré, elle écoutait la chamade de son cœur dans sa frêle poitrine avant de tirer le loquet.

« Tu as enfoui ma mort dans ta cabèche, ricanait-il.

– Moi-même! répliquait-elle, piquée au vif, que ferais-je de la mort d'un journalier de ton espèce qui a gratté le ventre de la terre toute sa vie et pour récolter quoi, s'il vous plaît? De la déveine! »

Par la fenêtre qui baille sur la Rue-Devant, la seule à demeurer ouverte en permanence, on reçoit l'enflure des mornes étonnamment proches. Dans la rue, les gens badaudent sans désarroi apparent. Des femmes dans leurs plus rutilants atours créent une animation irréelle au beau mitan de la chaleur du carême. Le bitume luit comme si on l'avait brossé. J'aperçois un être minuscule qui ramasse des ordures aux abords de la mairie. C'est Dachine, l'unique éboueur municipal.

Marraine a préparé un chocolat de Macédoine qu'elle me sert dans de la fausse porcelaine. Au mur, se trouvent encore – c'est à cet instant que je m'en rends compte – ce tableau aux affreuses teintes fauves représentant une chasse aux daims derrière lequel gîtait un lézard-margouillat et, sur le buffet, une tête de Christ crucifié affreusement blond.

Le menuisier me prend par le bras. Je sursaute car je l'ai oublié dans son halo de rhum. Les veines proéminentes de sa main transportent un sang au rythme saccadé qui éveille en moi un malaise indéfinissable. Je cherche les yeux vert-cocotte-d'eau de Marraine mais elle m'a déjà abandonné. Elle se balance imperceptiblement dans sa berceuse élimée, une main sur le front, l'autre agrippant l'accoudoir. Dans quelle insondable calculation doit-elle être plongée ? Je réalise alors que c'est cette image-là que je voudrais conserver d'elle.

Le menuisier cherche ses mots. Dehors, j'entends à nouveau – comme si elle a jamais fait silence ! – les soubresauts de la mer, en contrebas de la maison. De l'Anse Charpentier à Grand-Rivière, elle n'a cure de nous infliger des meurtrissures, de nous grégir le cœur. C'est d'elle que, là-bas, perdu dans la grisaille européenne, j'écrivais, m'improvisant poète : « Mer de septembre pourrisseuse d'amours miraculeusement protégés du qu'en-dira-t-on car la douceur des halliers n'est pas un mythe ni la senteur de l'arbre à moubins. J'accours pieds nus enfantins sur le sable noir ô polisseuse de roches rares et sonores qu'utilisait le Maître de Séances pour ses divinations ! » Mais je m'arroutais en de telles chimères...

« Si tu veux t'imposer aux dés, tu débarques, la chemise déjabotée, les poils de l'estomac agressifs, recommence Thimoléon, tu lances bien haut “ Ce soir, moi, monsieur Untel, je repars avec cinq cent mille francs ” et tu drivailles de table en table, goguenard, pour qu'on fixe bien ta figure et retienne la couleur de tes paroles. Ta figure, voilà l'important ! Car on ne s'appesantit pas sur ton linge, tes souliers, tout ça, mais sur ta figure est inscrite ta mère et sa génération et quand on injurie, on veut savoir de qui il s'agit. Ah ! Ce n'est pas qu'on en veuille à la mère en général mais à la tienne et à elle seule et c'est pour qu'à travers le mot, tu ressentes la même brûlure moite qu'après un coup de rigoise. Si bien que te voilà désigné à la risée de l'assemblée, te voilà livré à la vergogne. Tu n'as pas encore mignonné les dés, ni ne les as réchauffés, ni maniés. Il ne le faut surtout pas de peur qu'on ne te confonde avec l'un de ces blancs-becs qui travaillent à la ville et se croient tout permis parce qu'ils savent coller deux petits mots de français les uns aux autres. Et quand, dès l'ouverture, ils assaillent les tables de jeu, hurlant " Onze ! Onze ! " de façon inconsidérée, persuadés de tout rafler, à midi moins le quart, tu peux être sûr qu'ils sont déjà saouls comme de vieux macaques, avachis sur les hautes marches du marché et qu'ils reprennent leur créole pour te quémander de quoi miser, t'affublant du titre de " Patron ". »

Eau de Café sourit, énigmatique. D'autorité, elle reprend la parole sans égards pour son compère.

La joute entre Julien Thémistocle et elle avait pris racine dans le ventre de Franciane, si l'on peut dire. En effet, quand cette dernière fut enceinte d'Eau de Café, Thémistocle, qui souffrait mille morts de l'échec de son mariage avec Passionise, la mata dans les halliers, l'enfourchant avec sauvagerie. La femme rendit l'âme le lendemain même. En conséquence, on condamna à l'unanimité le nègre Thémistocle à prendre la petite pour épouse lorsqu'elle serait en âge de procréer et à l'élever comme un père nourricier jusque-là. Ainsi leur vie commune avait débuté au quartier Macédoine, en pleine campagne, relié au bourg de Grand-Anse par un méchant sentier de pierres pourvoyeur d'échauffures que monsieur l'abbé lui-même affrontait le moins possible.

« Son père s'appelait Jean Thémistocle et il avait une plaie inguérissable à la jambe gauche. Le père de Jean avait pour nom Marceau Thémistocle et quand ce dernier évoquait son père à lui, il disait tout bonnement " Thémistocle " puisqu'en cette époque d'esclavitude, un seul nom suffisait. »

Pourquoi avait-elle attendu si longtemps pour me raconter cela ? Préméditait-elle qu'à mon retour j'aurais soif de connaître le fin fond des questions auxquelles elle avait, dans le passé, toujours refusé de répondre ? Elle se méprenait : je n'avais en moi nul désir d'entendre l'histoire, si singulière fût-elle, de la lignée des Thémistocle. Après dix-huit années d'absence, il y avait des préoccupations plus urgentes qui me mouvaient. Il ne fallait surtout pas que je me réinstalle dans l'affreuse torpeur de Grand-Anse dont je n'avais conservé, pour toute mémoire, que d'insignifiants débris : dames-jeannes ébréchées au bât des mulets de l'habitation Vivé, insouciants d'errance coloniale ; ma tête de calebasse verte roulant sous le feu du soleil ; le rire de l'oiseau-sucrier butinant la tourmente des lianes parmi les cadavres-corps des nègres haillonneux de Macédoine et de Bon Repos ; l'énonciation nouée au tafia du géreur de Fond Gens-Libres. Au fait que proclamait-elle ? Ah oui ! Voilà : « Tout commence par une petite graine que le vent ou quelque mouvement des choses a un jour déposée dans ton carreau de terre, une graine si petite qu'elle semble se perdre dans le creux de ta main, et soudain naît un arbuste que tu ne distingues pas au mitan des pieds de pois-doux et de l'arbre à ricin. Mais, si les canniques de tes yeux pouvaient lire sous la terre, ils en seraient tout bonnement effrayés : d'énormes racines aussi longues que des filaos couchés, solidement amarrées entre elles... »

Propos qu'aujourd'hui j'interprète ainsi : la race des anciens maîtres vit toujours du piétinement quotidien et sournois de la nôtre. Pourtant je sens bien qu'il manque toujours un poids de sens. Je suis venu revoir la mer de Grand-Anse et me réconcilier avec elle. Je n'admets plus les interdits absurdes, les justifications interminables, les excommunications répétées d'apprentis ecclésiastiques ni même la mise en garde que m'a faite Ti Fène Auguste, dès que je l'ai salué ce matin :

« Surtout, ne va pas te baigner, hein ! Tu te connais. »

Marraine, quant à elle, a frôlé l'évanouissement quand, sans crier gare, j'ai pris le battant du volet donnant sur la mer à bras-le-corps et que je l'ai décoincé avec peine d'une décennie d'immobilité. Le vent rugueux m'a comme raboté les yeux mais je voyais d'une seule volée les immenses rouleaux blancs, inlassables, sans cesse différents, qui avaient jadis secoué mes nuits.

« Tu veux me tuer, mon garçon ? avait imploré la vieille femme presque en pleurs.

– Je voulais être sûr qu'elle est toujours là » avais-je osé plaisanter, mais déjà elle avait obturé avec soin l'ouverture maléfique, m'entraînant au rez-de-chaussée.

Mer de Grand-Anse, ai-je pensé, nul n'a plus d'yeux ni d'oreilles pour ton ressassement infini. TU N'EXISTES PLUS. Et malgré cela, c'est dans tes filets d'écume que l'on recueille au devant-jour l'épave d'un être en désarroi et maudits soient-ils, les nègres du bourg, les voilà encore à t'accuser ! Chienne de traînée de mer ! Putaine de mer qui n'a cesse de faire des crocs-en-jambe à la vie de nos enfants ! Et des noms et des noms, ô mer de Grand-Anse ô très haïe !

Cette malplaisance se déroule selon le même rituel : la stridence de la sirène municipale chiquetaille par trois fois la fausse sérénité de l'air et l'on accourt de partout. D'En Chéneaux, de La Cité, de Crochemort, de Redoute, de Bord du Terrain. On clame sa douleur, on s'arrache les poils d'yeux, on se mange les lèvres. Chaque mère crie dans la langue naturelle surgie d'on ne sait où :

« Oti yich mwen an ? » (Où se trouve mon enfant ?)

La face moirée de l'Anse est piétinée d'une cavalcade de jambes affolées qui interpellent le mutisme insolent des flots. Les plus avertis (ou les plus courageux) se précipitent sous l'hôpital où les éboulis de rochers accompagnent les sempiternelles avalasses d'hivernage. Là, droit dans le giron de la mer, existe une fosse insondable qu'un courant emplit continuellement de tout ce qui passe à sa portée. D'autres se hasardent plus au nord, presque à l'orée de la hautaine Crabière. En cet endroit, l'eau est d'un calme feinteur et des nuées de crabes-zagaya s'égaillent au moindre piaillement du gibier de mer. A moins que, insoucieux des rochers effilés comme des coutelas de commandeurs, de jeunes hommes avides de prouver leur braveté n'entreprennent, tout au sud de l'Anse cette fois-ci, de s'aventurer sous la cascade qui jaillit de l'épaule même de la falaise et dont l'eau est réputée dispenser une grattelle féroce du fait qu'elle enjambe des jardins d'ignames portugaises. Mais personne ne trouve et l'on commence à errer sous le délire du soleil, à se heurter, à brocanter des mots durs sinon orduriers, à s'agripper parfois. Des vieilles chiffonnent leurs mouchoirs-de-tête et s'en vont recueillir de l'eau salée qu'elles avalent d'une traite. Car si la mer sait prendre, l'homme aussi sait le faire, tonnerre du sort !, et personne ne sera quitte tant que le corps ne sera pas rendu.

Puis, Bogino, le fou dans le mitan de la tête, s'éveille de sa saoulaison au Débit de la Régie de la Rue-Derrière et d'un pas tranquille traverse la minuscule place de l'église. Déjà trois heures de temps que le monde interroge les entrailles du monstre et l'on s'inquiète alors de savoir qui a bien pu faire offrande de sa vie. Qui ? Bogino arpente le sable avec une majesté inhabituelle et se dirige sur mademoiselle Adelise, la bonne du presbytère. Il lui annonce :

« Votre frère gît à l'embouchure de la Capote. Vous ne le trouverez pas ici. D'ailleurs, il y a longtemps qu'il est monté en Galilée. »

Il faut voir tout un chacun se précipiter qui à pied qui à dos de mulet qui en autobus bringuebalant à l'endroit désigné : une petite crique bien au sud de la nôtre, pratiquement inhabitée, où l'on venait déguster des crabes à Pâques. Et l'on retrouve le frère d'Adelise gorgé d'écume verdâtre au revers de la bouche, le ventre aussi enflé que celui d'une femme doublement enceinte...

14

CHEZ NOUS SOYEZ REINE

Et la Madone vint.

Nous qui n'avions accordé qu'une attention distraite aux propos prophétiques d'Antilia (d'autant que l'euphorie provoquée par le finissement de la guerre contre ce mâle-cochon d'Hitler embuait nos nuits de rêves d'heureuseté) en demeurâmes le bec coi. La rumeur fut d'abord propagée par deux cherche-pain de la Rue-Derrière et nous crûmes qu'ils avaient trouvé là moyen de gagner quelque menue clinquaille, nos oreilles étant toujours friandes d'histoires merveilleuses. Man Léonce, qui était à l'affût du moindre recours divin pour tenter de soigner la simplesse de son fils Bogino, leur bailla force bouteilles de rhum pour tenter d'en savoir davantage. Entre deux dégueulades, nos bougres lui apprirent qu'En Ville était en proie à une liesse sans bornes, que les cloches des églises sonnaillaient sans discontinuer et que les nègres les plus ensouchés dans la marouflerie avaient retrouvé le signe de la croix. Eux-mêmes se signaient d'abondance et leur regard nourrissait une fièvre qui ne devait rien à l'alcool.

Bientôt des personnes de plus haut crédit confirmèrent la nouvelle. Les marchandes de légumes semblaient les plus exaltées et, au lieu d'expliquer au monde de quoi il en retournait, s'affairaient déjà à préparer la venue de la Madone. En ce temps-là, Grand-Anse avait été doté d'un abbé bougonneur, d'origine flamande, qui était plus sceptique que notre philosophe Émilien Bérard. Quand on venait le trouver pour qu'il exorcise une case que des zombis visitaient nuitamment, il nous chassait :

« Va-t'en chez vous! Allez, va-t'en chez vous! »

Si bien qu'on le surnomma « Va-t'en chez vous » en priant dans notre for intérieur pour que Monseigneur l'Évêque le renvoie lui aussi chez lui. Évidemment, il ne prit pas au sérieux les dires de ses paroissiennes et n'en souffla mot en chaire le dimanche d'après, chose qui décida ces dames à passer outre à son autorisation de fleurir l'alentour de l'église et de construire une estrade pour accueillir celle que tout un chacun en vint à nommer avec la plus extrême respectation : la Vierge du Grand Retour.

Le premier miracle, parmi la foultitude de miracles qui devaient embellir notre existence pendant un bon mois de l'an de grâce 1948, fut la conversion du sieur Ali Tanin, le demi-Syrien qui libertinait comme il respirait au grand dam des mères de jeunes filles en fleur. Il s'était rendu à Fort-de-France, comme il le faisait chaque semaine, afin d'approvisionner le Palais d'Orient et au lieu de se répandre en baguenauderies sur ses aventures urbaines, se mit à prophétiser, bible en main, à la devanture de son magasin.

« Elle a enjambé l'océan tout exprès pour nous sauver du maudissement, messieurs et dames, clamait-il. Elle est plus blanche que la farine de manioc, plus pure qu'une larme d'enfant, plus généreuse qu'aucune mère ne l'a jamais été depuis que le monde est monde. Préparez-vous à la recevoir! Que ceux qui vivent dans la déshonnêteté s'apprêtent à faire repentance! »

A l'entendre, la statue immaculée avait glissé sur les eaux calmes de la baie d'En Ville, auréolée d'une lumière à nulle autre pareille qui avait le don de vous apporter d'un seul coup la paix du cœur. La place de La Savane avait été décorée de rameaux bénis, de guirlandes multicolores et de fanions bleu ciel. Monsieur le Gouverneur en personne ainsi que Monseigneur Varin de la Brunelière étaient à quai pour accueillir la Sainte Vierge. La populace était si nombreuse que la maréchaussée dut faire usage de bâtons pour frayer un passage au cortège jusqu'à la cathédrale. Chacun voulait toucher les pieds de la Madone que l'on n'avait pas ôtée de son canot et qui fut transportée à bras d'hommes dans un cafouillis de chants à sa gloire, de prières frénétiques, de jurons et de fumées d'encensoir.

« Quand elle est arrivée à ma hauteur, nous affirma le demi-Syrien, j'ai senti que j'avais vécu jusque-là dans la coquinerie, abusant sans vergogne de tout ce qui portait culotte et hausse-seins. Une sorte de froidure a parcouru mon dos, je me suis agenouillé, de la sueur a trempé le dos de ma chemise et j'ai senti mes lèvres battre pour dire une prière de contrition. Oui, messieurs, moi, Ali Tanin qui ne me suis jamais confessé de ma vie! »

Le mahométan se défit de sa bague à pierre jaune, de sa montre et d'une liasse de billets qu'il portait en permanence dans sa ceinture pour le cas où quelque bonne affaire se présenterait et jeta tout cela dans le canot de la Madone. A la cathédrale, seuls les Grands Blancs, le Gouverneur et Monseigneur furent admis à assister à son installation. Un bedeau avait clos les portes et se tenait raide sur le parvis, l'air menaçant avec sa canne à pommeau argenté. Quand, à la fin des fins, la foule fut admise à l'intérieur – elle se mit à défiler sagement sur deux rangs, ô surprise! –, un cri d'admiration, amplifié par les voûtes de la cathédrale, s'échappa des poitrines des nègres : la Madone et son canot trônaient au beau mitan de l'autel entouré d'une nuée d'acolytes qui brandissaient très haut d'énormes bougies de la Toussaint. Il fallait voir défiler l'aristocratie créole, messieurs et dames, les Dupin de Médeuil, les Laguarrande de Cherville, les Crassin de Médouze et consorts, la figure pénétrée d'une si profonde piété qu'on en oublia que la plupart d'entre eux paillardaient avec leurs servantes noires, quand ils ne concubinaient pas avec elles. Les prier-dieu qu'ils vocalisaient étaient si fervents qu'on aurait juré que ce n'étaient point les mêmes qui payaient leurs coupeurs de canne en pièces de monnaie jaune. D'ailleurs, ils jetaient des billets flambant neufs aux pieds de la Madone tant et si bien que le canot, haut perché dans la nef, se mit à déborder. Lorsque la mulâtraille fit son apparition, les prêtres durent recourir à la bonne volonté de deux djobeurs au torse nu qui enfournèrent le butin dans de grands sacs en guano qu'ils transportaient derrière l'autel. Les mulâtres de Fort-de-France ne voulaient pas être en reste : ils se défirent de leurs bourses, bijoux et objets d'art sous le regard radieux de la Madone dont la tête avait été ceinte d'ampoules lumineuses. Dehors, la négraille attendait son tour en chantant :

Chez nous soyez reine!
Vierge du Grand Retour!

Alors la cathédrale fut emplie des drôlesses qui vendaient leurs charmes aux marins étrangers à la Cour Fruit-à-Pain, des bat-de-la-gueule dont le seul travail consistait à raconter des exploits imaginaires au rond du kiosque de La Savane, des boissonniers du Bord de Canal, des coquecidrouilles, des foutiniers et des farandoleurs de l'Ermitage et de Trénelle, des assassineurs des Terres-Sainvilles, bref de toute la truandaille et la chiennaille d'En Ville. Même le redoutable Bec-en-Or qui était recherché depuis avant-guerre à cause d'un nombre impressionnant de forfaits d'une scélératesse inouïe fit son apparition à la barbe et au nez des autorités.

« Moi, Ali Tanin, je l'ai vu de mes yeux vu, implorer pardon à la Très Sainte Madone. Les mains croisées sur sa poitrine, il héla : “ Mère du Christ, ô toi qui es venue de France pour nous sauver, nous autres les nègres, de la briganderie, je me fais tout petit garçon devant toi! Jusqu'à ce jour, j'avoue avoir vécu en mésintelligence avec mes semblables mais quel autre sort me fut réservé? Au Morne Pichevin, notre race vit dans la déshonorance la plus totale. Lorsqu'il vente, la tôle de nos cases s'envole à la manière des cerfs-volants et quand le soleil pète, elles deviennent de véritables fours à charbon. Nos enfants n'ont pas de souliers et de cahiers pour aller à l'école et leurs bouches sont forcées d'écorcher le français. Nos femmes n'ont d'autre ressource que la ribauderie, et nous-mêmes, si nous ne pouvions voler sur le port, nous serions morts de faim depuis un siècle de temps. Pardonne-nous, ô Vierge du Grand Retour mais allège, je t'en prie, notre fardeau! Le nègre a trop bourriqué pendant l'esclavage pour supporter encore de souffrir... ”

« Sachez que personne n'a bougé, pas un gendarme-petitbâton qui ait essayé de lui passer les menottes et cela, non pas parce qu'on avait peur de sa fameuse jambette, Durandal, mais parce que le bougre respirait la foi. La foi, messieurs et dames! Grâce à elle, Bec-en-Or avait cessé de feintiser et tout le monde comprit que ses péchés étaient absous sur l'heure. Il n'avait pas été blanchi par le tribunal des hommes mais par celui de Dieu. Et comme il vivait débanqué, sans un sou, il s'arracha l'une de ses précieuses dents en or et la déposa en offrande dans le canot de la Madone. Ne riez pas! Il l'a fait devant moi et devant etcetera de paires d'yeux qui en furent tout ébaubis, foutre! Désormais, Ali Tanin sera au service de la Vierge du Grand Retour. Il ne prononcera plus de paroles mal élevées, ne s'adonnera plus à des actes inconsidérés avec les femmes. Il est devenu une autre qualité d'homme. »

Deux personnes prêtèrent une oreille attentive aux plaidoiries du demi-Syrien : maître Féquesnoy et Eau de Café. Le premier, franc-maçon depuis l'âge de vingt-cinq ans et membre éminent du Parti radical-socialiste, éprouva d'abord une sainte horreur pour ce qu'Ali décrivait. Il redoutait déjà que les réactionnaires et les Blancs créoles ne s'emparassent de l'événement pour renforcer leurs positions et, qui sait?, conquérir la municipalité de Grand-Anse. Mais jugeant que les prochaines élections étaient suffisamment éloignées, il repensa à ce qui était son tourment majeur depuis des années, avec bien sûr le célibat de ses trois filles, à savoir son absence de bandaison. La chose s'était produite de façon tout à fait inopinée un soir qu'il avait rejoint Passionise dans sa demeure de la Rue-Derrière. Elle eut beau le sucer, le chatouiller, le mignonner sur toute la surface du corps, lui raconter des histoires salaces dans le creux de l'oreille, sa verge refusa de marquer une autre heure que six heures et demie. Il avait eu recours en secret aux pouvoirs de René-Couli qui lui avait fait boire une décoction à base de mandia et de barbadine et avait invoqué sur lui les bienfaits de la déesse Mariémen sans que le moindre résultat soit obtenu.

« Tu n'as pas respecté avec assez de sérieusité ce que je t'ai prescrit » avait conclu l'Indien qui refusa tout paiement.

Julien Thémistocle, le nègre-marron, lui avait préparé de

l'infusion d'écorce de bois-bandé, du sirop-pied-bœuf et de la pine de tortue-carette sans dérider la virilité du notaire et, de guerre lasse, l'avait envoyé à un vieux quimboiseur qui flétrissait sur ses cent douze ans dans une savane perdue du Morne Jacob. Les esprits nègres n'eurent pas davantage de succès que leurs confrères hindous et maître Féquesnoy en fut réduit à se séparer de ses femmes-du-dehors, hormis d'une qu'il entretenait bien avant la mort de sa femme, leur passion s'étant muée en tendresse sans attouchements ni déshabillage. Inutile de dire que son prestige en diminua d'autant et qu'on mit cet événement sur le compte de sa proverbiale pingrerie. Sans doute a-t-il déniché quelque Blanc-France pour son aînée, murmura-t-on, et qu'il est en train de lui acheter son trousseau ? Ou alors il avait contracté une sacrée dette au jeu vu qu'il était amateur de baccara. Bien que son secret fût gardé avec soin par Passionise, le notaire se refusait à admettre qu'un quinquagénaire portant encore beau tel que lui pût déclarer forfait au moment de détrousser une donzelle. Il se persuada peu à peu, en désaccord avec les convictions qu'il affichait à la loge, qu'on lui avait jeté un sort, et pas n'importe lequel s'il vous plaît puisqu'il avait eu beau essayer de le détruire, rien n'y faisait. Aussi frétilla-t-il de joie en entendant le récit du demi-Syrien et fut le premier à admettre, parmi les gens de bien de Grand-Anse, que le bougre ne billevesait point. Maître Féquesnoy se promit de réfléchir à la meilleure manière d'enguillebauder la Madone du Grand Retour. S'il demeurait à l'attendre sur place, il n'aurait aucune chance de l'approcher, tout premier adjoint au maire qu'il était pour la bonne raison qu'il figurait au rang des ennemis de la religion. Cela au même titre que René-Couli et ses divinités indiennes. Que Julien Thémistocle et sa sorcellerie africaine. Au même titre qu'Ali Tanin et son père qui vénéraient Mahomet sans même se cacher.

« Franc-maçon c'est diable, foutre ! » tel était le jugement péremptoire des bigotes.

Il lui fallait faire acte de repentance de la manière la plus spectaculaire possible, dût-il en souffrir dans sa chair. Quelle ne fut donc pas la surprise des nègres de le voir embarquer, un matin à belle heure, avec sa cadette et sa benjamine, à bord du « Bourreau du Nord ». Sa Studebaker, bien que patinée par les âges, roulait encore à merveille et faisait moins de pétarades désagréables que la Traction-avant du Blanc-pays de Cassagnac. Il est vrai que le notaire ne l'utilisait qu'une fois par mois pour se rendre à Fort-de-France ou alors chez quelque riche mulâtre, quand une réception à vocation matrimoniale était organisée quelque part dans l'île. Il était tout de blanc vêtu et tenait, l'air humble, un panama à la main. Aucun passager ne lui retourna son bonjour, non parce que le monde lui tenait rigueur de morguer le bas peuple mais parce qu'il se perdait en conjectures sur la signification de son présent geste. Un mulâtre qui acceptait de s'asseoir aux côtés de ces grosses négresses marchandes de légumes qui parlaient le créole le plus gros-sirop qu'on pût imaginer, il fallait être un vrai saint Thomas pour le croire. Maître Salvie, le chauffeur, en fut flatté car cela confirmerait l'idée que son taxi-pays ne transportait que des gens respectables et non des voyous comme le « Golem ». Lorsque ce dernier, rempli bien avant lui comme d'habitude (que voulez-vous, les nègres vagabonds n'ont pas d'occupations si tôt le matin!), stoppa à sa hauteur et que Major Bérard lui lança le même défi vieux de quinze ans : « Si tu arrives sur le pont du Galion avant moi, je suis un petit macommère! », Maître Salvie n'en fut pas humilié.

« Gadé kilès moun man ni abô mwen! (Regarde qui j'ai à bord!) fit-il, triomphant, à son adversaire de toujours. Le jour où tu cesseras de n'embarquer que la racaille, on pourra avoir un petit causer tous les deux, mon bougre. »

Le nègre créole sentencie comme quoi « une parole peut tuer » sans vraiment y croire. Or, cette simple petite parole de Maître Salvie envoya au cimetière une bonne dizaine de gens dans la descente qui se trouvait à la sortie du bourg de Fond d'Or, selon la version la plus pessimiste de cette histoire. Major Bérard, Dieu soit loué, ne fit pas partie de l'hécatombe et s'en tira avec quelques côtes fêlées. Il avait voulu battre son record qui consistait à ne freiner que huit fois sur le trajet Grand-Anse-Fort-de-France et bailler ainsi une énième leçon de conduite à ce hâbleur de Salvie. Le chauffeur du « Bourreau du Nord » ne fit aucun excès ce matin-là, désireux de plaire au notaire et à ses filles qu'il dévisageait dans le rétroviseur. D'ailleurs, les habitués du voyage se tenaient silencieux, comme si la présence du bourgeois leur paralysait la langue. Aucun d'eux ne voulait se risquer à cahoter le français pour devenir après la risée d'autrui. Les Féquesnoy se laissèrent bousculer de bonne grâce par Bogino, l'accoreur du taxi-pays. Dès que le bougre était « en travail » comme il disait, il mettait son grain de folie dans sa poche et s'occupait à la perfection de ranger les passagers sur les bancs de bois, de grimper sur le toit afin d'y déposer leurs bagages et, à chaque arrêt risqué, de mettre un accorage, morceau de bois raboté par Major Thimoléon, sous la roue arrière droite du « Bourreau du Nord ». Quand les trois mulâtres descendirent dans la commune du Gros-Morne, on réalisa non sans stupeur qu'ils s'apprêtaient eux aussi à suivre la Vierge du Grand Retour.

« Eh ben! Eh ben! Le monde a changé, oui! » réussit à articuler l'une des marchandes de légumes.

Maître Féquesnoy et ses filles se vêtirent d'une sorte de chasuble fabriquée dans des sacs de guano et se débarrassant de leurs chaussures, anneaux, montres et autres signes de richesse, se joignirent à la troupe de pénitents qui espérait, devant le parvis de l'église du Gros-Morne, la sortie de la Madone. Le Blanc-pays Dupin de Médeuil, accoutré comme son partenaire de baccara, le détailla, incrédule, de la tête aux pieds et fit semblant de ne point le connaître. Lui aussi avait emmené sa petite famille, qui semblait n'avoir aucune gêne à se mêler aux dévotions démonstratives de la négraille. Un bougre balafré, qui semblait avoir son compte d'alcool sur l'estomac, pérorait devant la foule :

« La Vierge est arrivée à temps en Martinique. Sans elle comment nous aurions pu raviver notre foi après toutes les turpitudes que l'amiral Robert nous a fait subir. Moi qui suis devant vous autres à parler là, je m'étais promis, si jamais la mort m'avait barré, de lancer au Bondieu deux bons coups de “ Le cul de ta mère! ”, lorsque je me serais retrouvé devant lui. Eh oui, pourquoi c'est le nègre, toujours le nègre, encore le nègre qui doit charroyer la peine du monde sur ses épaules tandis que monsieur le Blanc, lui, il s'arrange pour passer par les mailles du filet ? Aujourd'hui, je marche derrière la Madone et j'ai réappris toutes les prières chrétiennes, mes amis. »

Les mains jointes, agenouillés face contre terre ou figés dans des postures extatiques, les pénitents marmonnaient sans discontinuer le *Chez nous, soyez reine!*, l'hymne à la Vierge du Grand Retour. A cinq heures de l'après-midi, l'abbé de la commune et ses acolytes, vêtus de blanc et de bleu, pénétrèrent en grande pompe dans l'église où, après une brève action de grâces, le canot supportant la statue de la Vierge fut soulevé à bras d'hommes. On se disputait l'honneur de porter le dais, certains refusant d'être relayés en dépit de son poids assez considérable. Les Féquesnoy s'intégrèrent au cortège qui prit la route de Trinité sous l'implacable soleil de l'après-midi finissant. Le notaire observait du coin de l'œil son compère, le planteur de banane, qui portait dans ses bras son plus jeune enfant âgé de cinq ou six ans. Il l'envia d'être encore vert alors que lui, Féquesnoy, en était réduit, quoique de la même génération que Dupin de Médeuil, à regarder le corps des femmes sans pouvoir les toucher. C'est quand il vit la tête du garçonnet retomber lourdement sur le côté qu'il comprit que le Blanc-pays avait été victime de son union consanguine. Pour préserver l'intégrité des plantations, il était d'usage en effet, au sein de la caste, de se marier avec sa plus proche parentèle. Sur la route, les habitants déposaient des offrandes dans le canot de la Vierge tout en lui demandant un coup de main, une faveur, une grâce ou la guérison d'une maladie. Ils se gourmaient pour pouvoir tapoter les pieds de la Vierge, manquant de renverser le dais à chaque assaut. Tout à l'arrière du cortège, un camion à dix roues avançait au pas, chargé de sacs contenant les sommes d'argent et les bijoux que le monde avait offerts à la Vierge. Trois nègres costauds, buste nu, se chargeaient à intervalles réguliers de vider l'embarcation pour qu'elle ne déborde pas.

« Madone, disait le notaire au fond de lui, je ne te demande pas monts et merveilles. Il y a des plus miséreux que moi et jamais je n'ai connu un seul jour sans manger. Si j'ai rejoint la loge, ce n'était pas par défiance envers toi et ton fils mais parce que je vouais un culte à la raison. J'étais persuadé que la vie pouvait être résolue comme un banal problème de géométrie. Maintenant, je sais que tout cela n'est que pure forfanterie. Mon épouse m'a abandonné pour un jeune viveur d'En Ville, mon aînée n'en fait qu'à sa tête et j'ai peur pour l'avenir des deux autres. O Madone, trouve-leur deux Blancs-France ! Deux honnêtes Blancs-France qui les emmèneront là-bas connaître autre chose que cet univers médiocre et étroit de Grand-Anse. »

Il aurait bien voulu aborder son autre gravissime ennui mais il ne trouvait pas les mots pour le faire. D'ailleurs, il n'avait jamais parlé de cette chose-là en vrai français et ne l'évoquait que dans notre parlure. « Mon coco ne monte pas » s'était-il plaint à René-Couli et à Julien Thémistocle lorsqu'il avait sollicité l'intervention de leurs dieux respectifs. La Vierge du Grand Retour ne risquait-elle pas de s'offusquer de termes si peu choisis ? Pendant qu'il cherchait une traduction latine à l'expression de son mal, un aveugle, qui le précédait, brisa sa canne blanche et se mit à gigoter tout en hurlant :

« Je vois ! Je vois ! Merci la Vierge, merci ! »

Féquesnoy vit un paralytique se lever de son fauteuil, un vieux-corps poitrinaire cesser de cracher du sang, une femme avec un éléphantiasis aux deux pieds retrouver son galbe d'antan, un amoureux trahi surmonter son désespoir, ainsi que tout un lot de miracles plus stupéfiants les uns que les autres. Le cortège s'était enflé au fur et à mesure de son avancée et les prier-dieu qui en montaient atteignaient une telle démesure que la Vierge elle-même sembla en être émue. Son regard doux se posait sur chaque tête crépue comme si elle dispensait à tour de rôle le poids de bénédiction que le pénitent méritait, sauf sur les cheveux bouclés des Féquesnoy et des Dupin de Médeuil. Le Blanc-pays avait pourtant le plat des pieds en sang d'avoir marché si longtemps pieds nus. Sa famille affrontait l'épreuve avec un courage remarquable pour des gens habitués au luxe depuis la naissance. Féquesnoy finit par se douter que ces nègres auxquels la Madone accordait avec tant de libéralités ses grâces miraculeuses, devaient lui faire un serment quelconque. Il était peu probable qu'ils se contentassent de renier leurs anciennes croyances. Ne plus boire du tafia. Ne plus bailler des cornes à leurs concubins. Ne plus tricher au jeu de dés ou alors ne plus y participer du tout. Ne plus égrafigner l'honneur des voisins à force d'en malparler. Ne plus ceci, ne plus cela. Tel devait être leur leitmotiv et ils mettaient tant de sincérité à l'exprimer que la Vierge était contrainte de céder à leurs desiderata. Maître Féquesnoy fouilla dans sa vie pour voir s'il avait un vice qu'il pourrait lui offrir en brocantage de sa bandaison. Il ne touchait aux cartes que pour s'attirer de nouveaux clients parmi les riches planteurs, pas par plaisir. Il n'était pas amateur de beuveries et n'avait, honnête moyenne, que trois maîtresses, toutes femmes de maintien, qui n'auraient jamais injurié en pleine rue ou éclaté de rire d'une façon canaille. Il avait beau torturer son esprit, il ne trouvait rien de très gratifiant à mettre sous la dent de la Madone.

La jonction se fit entre le cortège du Gros-Morne et celui de Trinité au mitan du pont du Galion, à l'endroit exact où se jouait chaque jour la joute féroce entre le « Bourreau du Nord » et le « Golem ». Les pénitents de la commune voisine, encore plus nombreux, étaient venus réceptionner la Madone à grand renfort d'oriflammes décorées de croix et de sentences religieuses. La statue vogua, presque irréelle, entre deux haies de dévots portant des flambeaux en bambou. Parfois, elle tanguait si dangereusement que son corps se penchait à moitié hors du canot mais à l'ultime instant une main, deux mains, dix mains enfiévrées la sauvaient du naufrage. Une semaine durant, Féquesnoy et ses deux filles s'astreignirent à ce pèlerinage et à sa formidable frénésie. Tout comme les Dupin de Médeuil. La divinité refusait de manière ostensible de baisser les yeux sur le mulâtre et le Blanc-pays ainsi que leur progéniture. Couchant chez l'habitant contre forte rémunération, presque en guenilles, une barbe sauvage leur embroussaillant les joues, les deux hommes gardèrent espoir jusqu'à leur arrivée à Grand-Anse où leur seule vue provoqua un tonnerre-de-dieu semblable à celui qui, au cours de la deuxième guerre, avait rassemblé la population en prévision d'une éventuelle attaque de sous-marins allemands.

« Grand-Anse est une commune maudite, pestait Major Bérard dans tous ses états. Même la Madone ne peut rien pour nous. Elle a pourtant soulagé, guéri, accordé bonheur et prospérité partout où elle est passée mais qui peut se vanter ici d'avoir bénéficié d'un seul de ses bienfaits ? Qui ?

– Tu es saoul, mon bougre, lui cria une bigote. Au lieu de te repentir, tu ne trouves rien de mieux à faire qu'à critiquer la mère de Dieu. Continue et tu iras droit en enfer !

– M'en fous ben ! Je lui ai récité cinquante-trois psaumes, vingt-sept prières mariales, six cent douze actes de contrition sans compter les chants que ma gorge s'est esquintée à lui chanter tout au long de son périple et regardez Major Bérard, voyez-vous le moindre changement sur sa personne, foutre ? »

On promena la statue de la Rue-Devant à la Rue-Derrière et inversement, le temps pour les Grand-Ansois de lui égrener leurs vœux. On lui fit les honneurs de la rue de la poste et de celle du cimetière.

« O Madone, fabrique-nous un corps d'homme ! » s'écrièrent Dachine et Ti Fène Auguste dont les mères avaient utilisé, au cours de leur grossesse, un médicament retiré de la circulation depuis lors par le gouvernement.

« Très Sainte Vierge du Grand Retour, éclaircit l'esprit de mon fils Bogino ! » supplia Man Léonce, la boulangère.

« Mère de Notre Seigneur Jésus-Christ, ô très pure, garde prospérité éternelle au Palais d'Orient ! » s'exclama Ali Tanin.

Et puis Rose-Aimée demanda la guérison de son gros-pied ; Maître Salvie de la chance pour son taxi-pays ; Thimoléon l'extermination de cette « race luciférienne que sont les Blancs-pays » ; le Mussolinicule que Pierre de Coubertin accorde son agrément à sa demande d'inscription des courses en sac et à la cuiller comme épreuves olympiques ; René-Couli qu'une femme d'une autre race que la sienne accepte de l'épouser pour qu'il ait enfin des enfants qui échappent à l'ignominie qui pèse sur la tête des coulis ; Julien Thémistocle qu'il retrouve l'acoma-franc au pied duquel son arrière-grand-père s'était enterré pour y graver ses initiales sur son écorce ainsi que le signe sacré du serpent trigonocéphale ; de Cassagnac que sa fillette Marie-Eugénie retrouve équilibre et gaieté ; Eau de Café qu'Antilia cesse de comploter avec les Mamans d'Eau au promontoire de La Crabière. Mais bourdigaliers et campagnards de Grand-Anse, pour une fois mélangés sans distinction, eurent beau s'égosiller sur la passage du cortège, la Vierge du Grand Retour fut de plâtre. On finit par la déposer dans la nef de l'église et chacun retourna à ses occupations habituelles, le cœur serré. Major Bérard hurla toute la nuit sur le parvis :

« Madone, fais-moi blanc, je t'en prie ! Baille-moi cette couleur blanche qui impose à tous la respectation et l'admiration ! »

Maître Féquesnoy et Dupin de Médeuil furent logés à la même enseigne que les plus gueusards de leurs concitoyens. Le premier n'obtint pas de remède pour sa verge flasque et le second pour son garçonnet malformé. Personne à Grand-Anse n'obtint quoi que ce soit. Aussi expédia-t-on la statue sans regret à la commune voisine de Basse-Pointe, non sans avoir noté que seule Antilia, la jeune vagabonde de la plage, recueillie par la boutiquière Eau de Café, n'avait formulé aucun désir.

« Parce que c'est à cause d'elle, et de cette mer qui l'a chérie pendant longtemps, que la maudition encercle Grand-Anse... » interpréta Bogino, à l'acquiescement général de la population.

15

Plusieurs de mes cahiers de notes ont disparu. Je crois tomber en déraison. Je soulève le matelas de mon lit, renverse tout le linge que j'ai rangé avec soin dans la penderie, tempête tant et tellement que le patron de l'Océanic-Hôtel – retraité de la Marine, ne cesse-t-il de se vanter – s'affole et monte à la rescousse bien qu'il ait le souffle court. Il a fini par s'habituer à moi et vit comme une revanche supplémentaire le fait que le filleul d'Eau de Café, sa concurrente, réside sous son toit. Il se contorsionne d'amabilités dès que j'exprime le moindre désir. Il ne m'a opposé qu'un refus, c'est quand j'ai émis le vœu qu'il décloue l'auvent de ma chambre qui fait face à la mer.

« Laissez la maudite dans sa maudition ! Ne vous occupez pas d'elle, mieux ça vaudra pour vous. Moi, cela fait quinze ou vingt ans que je ne lui ai pas accordé un coup d'yeux. Tiens ! C'était d'ailleurs le jour où elle a renvoyé le cadavre de cette... enfin, vous voyez ce que je veux dire, vous étiez peut-être trop jeune pour que cela marque vos souvenirs... cette petite sauvageonne qu'Eau de Café avait cru bon d'employer dans sa boutique. »

Avant que je n'ouvre la bouche, il déclare que c'est tout ce qu'il sait d'elle et que d'ailleurs, il ne tient pas du tout à ressasser ce genre de diableries. Dès que je prononce le nom d'Antilia devant lui, il détourne la tête ou me baille le dos. Impossible de l'arracher à son mutisme, même ce fameux soir où nous avons vidé à deux une bouteille de rhum Clément, et où il m'a raconté avec force détails les exploits sexuels des deux femmes-de-tout-le-monde du bourg de Grand-Anse.

« Mes cahiers ? suis-je en train de hurler quand il ouvre la porte.

– Cherchez bien, personne n'entre ici, à part vous et la bonne mais elle ne sait pas lire. Vous ne les auriez pas oublié dehors ?

– Je n'écris que dans ma chambre. »

Il paraît sincèrement embêté. Il m'aide à mettre la pièce sens dessus dessous mais nous n'en trouvons pas trace. Le retraité de la Marine convoque la bonne en cinq sec.

« Sa misyé-a fè'w non ? (Que t'a fait le monsieur ?) demande le propriétaire, les yeux écarquillés.

– Peu importe ! fais-je, qu'elle me rende mon bien et ça ira.

– Non-non... j'insiste... il faut qu'elle nous dise pourquoi elle a fait ça. Je ne soutire pas les voleuses, moi. Vous y aviez caché quelque argent ?

– Nullement... Je... »

Alors la bougresse soulève sa robe sans la moindre pudeur et ôte de son large slip mes cahiers dont les coins ont été chiffonnés. Elle semble sur le point de s'effondrer en larmes et puis elle explose :

« Monsieur est un chabin. Tous les chabins sont mauvais. Tous les chabins sont méchants. D'ailleurs pourquoi jamais un chabin n'épouse-t-il une chabine ? Quand je vois un chabin devant moi, je passe une journée pleine de déveine. Je sais de quoi je parle : j'ai eu trois hommes qui m'ont fait des marmailles et les trois sont des chabins. Le dernier a été le chauffeur du " Bourreau du Nord ". Pourquoi le Bondieu a-t-il mis les chabins sur la terre ? Le nègre n'a pas déjà assez de défortune comme ça ? »

Nous sommes, le propriétaire et moi, si interloqués que nous la laissons s'en aller sans insister. Penaud, le retraité de la Marine esquisse un geste d'excuse mais se ravisant, il me lance d'un ton de reproche :

« Votre présence à Grand-Anse dérange tout le monde, cher monsieur. Votre marraine nous a causé tellement de...

comment dirais-je... oui, c'est ça, de désagréments dans le passé qu'on craint que vous ne réveilliez tout ça avec les questions étranges que vous posez autour de vous. Thimoléon et Eau de Café sont des gens d'un autre âge qui se complaisent dans leurs... comment dirais-je... dans leurs fariboles. Méfiez-vous, un poil de bambou ou une goutte de jus de racine de barbadine est vite glissé dans votre verre...

– Je ne souhaite plus que la bonne nettoie ma chambre, si ça ne vous embête pas. Je peux m'en charger... »

Thimoléon est fidèle au poste dans notre case-à-rhum de la Rue-Derrière et il se moque de ma mésaventure et y trouve aussitôt matière à philosopher...

– Il y en a qui sont prédestinés à une certaine respectation, m'informe-t-il, une respectation teintée de terreur, et toi, tu en fais partie sans le savoir puisque tu es chabin. Il te faudra jouer cet atout en toute dernière limite c'est-à-dire si par malheur ta vie en arrive à ne plus tenir qu'à un fil ou à un cri. Observe-les, tes frères de race, tes frères en « chabinité », attarde tes yeux sur leur peau blanche tachée de son, sur leurs cheveux rouges comme la pulpe de l'abricot-pays arrivé à maturité, sur leur iris souvent d'un gris félin, sur leurs larges narines d'arrière-petits-fils du Congo, et maintenant observe les autres et mesure la distance qui s'instaure presque naturellement entre vous et eux. Oui, toi, toi-même. Car, ça tu le sais même si tu as couru l'oublier là-bas : le chabin est un être à part, une race mauvaise, méchante, violente, nerveuse, épileptique. Le chabin inspire la peur car il a usurpé la pâleur des anciens Maîtres et il ne sait pas s'en servir (ce n'est pas tout de voler un « protègement », il faut en maîtriser le mécanisme, foutre !). Donc, il est là le chabin, il impose la présence de la blancheur autour de lui sans répit pour le regard épuisé de haïssance des nègres mais il ne sait pas bailler des ordres, il est incapable de prendre la voix qui fait tressaillir et chamader le cœur à l'imitation du tambour bel-air. Ça, on ne le comprend pas. De ses yeux dont il a encore chapardé la couleur aux Grands Blancs, on prétend qu'ils voient la nuit et sont en mesure de percer les affaires les plus intimes. C'est pourquoi, craignant quelque révélation sur la place publique, certains évitent comme la vérette de les contrarier tout en les mauditionnant en secret. Mais ces mêmes yeux ne savent pas utiliser leur claireté pour intimer aux femmes, comme c'est l'usage des géreurs d'habitation, de se relever la robe par-dessus la tête en moins de temps que la culbute d'une puce et d'offrir la béance de leur matrice à un sexe d'une dureté de morceau de fer. Tu vois, ils ne savent rien faire les chabins. Des bons à rien, sauf ceux qui résident à la ville et qui, à ce qu'affirme Radio-bois-patate, deviennent avocats, professeurs, docteurs et toutes sortes de professions élevées. Si bien qu'ici, à la campagne, les nègres leur lancent souvent en guise de rigoladerie : « C'était pas la peine que ta mère te fasse chabin si c'est pour tenir une fourche dans ta main comme nous-mêmes sous le gros soleil de onze heures. Ha! ha! ha! »

Mais on les craint de toutes parts car ils compensent cette faiblesse paradoxale dont ils sont pétris par de violents et brusques accès de rage. On les voit devenir rouges, les poings tremblants, et pan!, les voilà à taper tels des sourds sur tout ce qui leur tombe sous la main et on a beau se défendre, les frapper à leur tour, les zébrer de coups de coutelas, rien n'y fait. Ils avancent toujours et quand ils t'empoignent, tonnerre du sort!, tu es fini pour de bon. En capilotade. Foutu! Un chabin mol, ça ne se peut pas. C'est donc, en a-t-on déduit, qu'il existe quand même une protection quelque part puisqu'ils agissent comme des êtres invulnérables. Laquelle? On ne sait pas au juste mais elle existe! Des centaines de gens peuvent en témoigner sur la tête de leur marraine. D'ailleurs, si Major Bérard prend toutes les descentes en roue libre, même celle, vertigineuse, qui conduit à l'Anse Charpentier et que son taxi-pays a été baptisé « désherbant », c'est que monsieur est un chabin. Un m'en-fous-ben de la mort! En conséquence, veille à repenser ta tactique. Il n'est plus question pour toi d'abolir une différence que les années auraient instaurée entre ta personne et les nègres de Grand-Anse. Ou du moins tu peux t'engager sur cette voie mais seulement jusqu'au point où un chabin peut se le permettre. En somme, la moitié du chemin était déjà parcourue à l'avance sans que tu le saches et, chance encore plus inouïe, beaucoup d'entre les majors assemblés autour des tables de jeu sont de ta race et, de mémoire de nègre, on n'a jamais vu deux chabins batailler entre eux. Pas en public en tout cas! S'ils ont quelque différend à régler, ils attendent en toute patience de se trouver face à face dans la danse-combat du damier et le plus fort, c'est-à-dire selon notre expression courante « le plus mauvais chabin », tue l'autre.

Et qu'ils gagnent ou qu'ils perdent, c'est toujours de façon très impassible, très discrète qu'ils manient les dés et ne crois pas qu'ils ne t'ont pas, dès la première minute, remarqué et donc admis dans leurs rangs. Quand tu te renfrognais sur une salope de dix (deux fois cinq, le pire) et que ta carcasse entière était en plein travail, eux, ils te guettaient tout en jouant à leurs propres tables, se disant peut-être « Cette dégaine de chabin-là, je la connais... d'où a-t-elle sa souche ? De Dominante ou bien de chez nous-mêmes, Macédoine ? » et, te désignant entre eux du menton, ils brocantaient brièvement leurs conclusions à ton sujet pour finir par admettre que soit tu étais un étranger bien étranger – auquel cas ils se devaient de te défendre si quelque trafalgar venait à péter – soit tu étais un revenu, un parti-revenu, et que c'était à toi tout seul de porter le poids de tes deux graines. Quand le tintamarre de la fanfare municipale qui jouait *la Marseillaise* a, un long moment, couvert l'animation du marché, ils ont adopté une position définitive à ton égard étant donné ta comportation avec les nègres-marrons, les nègres d'habitation et ceux du bourg, les coulis et bien sûr les bougresses. On les a vus converger en soudaineté à une même table, chose qui se produit rarissimement qu'une table de chabins!, et parlementer entre eux avec force gestes, et si tu avais su interpréter les mouvements secrets et profonds qui animent ton peuple, tu aurais su qu'ils t'accordaient – par faveur très exceptionnelle – leur aval. Car, dis-toi bien que la main qui t'a poussé de côté avec brutalité juste à l'instant où un joueur de ta table a brandi son coutelas et a saccagé cette dernière, dis-toi bien que cette main t'a sauvé d'une folie meurtrière parce que même si la mort ne t'était pas adressée mais à un gandin qui coquinait près de toi, tu aurais pu te retrouver comme lui, les quatre fers en l'air, saigné à la façon d'un cochon de Noël et les femmes auraient accouru et nettoyé le sol à grandes boquittes d'eau bruyantes, replaçant au même endroit une table de jeu de rechange et, de vous deux, on n'aurait retenu que la corne syncopée de l'ambulance qui vous charroierait au loin, cette main-là, c'était une main de chabin couverte de taches de rousseur où l'on distingue le bleu des veines qui sourd en dessous de la peau tiquetée.

Sais-tu d'où vient ce mot de « chabin » ? Il désigne une variété de mouton au poil jaune qu'on trouve en Normandie. De même que « mulâtre » provient de mulet ! Vos pères, les Blancs, ont donc rejeté dans la pure animalité les fils qu'ils eurent des négresses esclaves. Ça, mon vieux, garde-toi jamais de l'oublier sans pour autant nourrir la moindre espèce de rancune. Ce qui est fait est bien fait.

Final de compte, faut-il te rappeler que grâce à la fort savante alchimie du viol colonial, il y a plusieurs sortes de chabins suivant la blancheur plus ou moins prononcée de leur teint ou la rousseur ou non de leurs cheveux ou la claireté ou non de leur regard : chabin soleil, chabin doré, chabin blanc, chabin brun, chabin griffe, chabin mulâtre, etc... et chacun de ces types possède son idiosyncrasie que tout le monde connaît par cœur. C'est, vois-tu, comme si par quelque curieux atavisme, les nègres de cette île avaient éprouvé l'obscur besoin de recréer les tribus dont ils étaient issus, mais allez le leur expliquer ! Ils n'y comprendraient goutte. On vit, on mange, on parle et déparle, on calcule ses affaires et puis c'est tout. Et de peur que des merdaillons de ton genre qui ont goûté au fruit vénéneux du voyage ne s'en reviennent avec tout un lot de pensées dérangeantes, ils ont inventé un proverbe créole, proverbe-bouclier, proclamant que « Les chabins sont des nègres, foutre ! » Songe que dans les veillées où l'on feint l'amicalité avec la Mort, les conteurs le serinent à nos mémoires fourbues : Tu as vécu dans le roussi de tes cheveux l'haleine infernale de la foudre... au nom du dieu Legba, au nom de mon cœur qui me remonte la vie tout entière sans un hoquet, je te baptise et sacre nègre... »

Comme cela l'ordre des choses est sauf. Alors, chabin, à toi de jouer...

Le 12 janvier 1957

Très cher,

Ils nous ont calottés. Chacune de nos faces est un mensonge splendide et j'entends par là le chiffonnement douloureux de nos joues et de nos lèvres pour déglutir leur idiome, pour nous façonner des sourires bien imités et, à force de contorsions, nous formons de très acceptables masques échassiers. Nous en sortons grandis, croyons-nous...

A Trénelle, depuis que les djobeurs municipaux se sont acheté la télévision en couleurs, il n'y a plus d'attroupement devant leurs baraques à la nuit tombée. Baraques où l'on peut distinguer du point de vue géologique quatre strates successives : l'âge du carton, l'âge de la tôle ondulée, l'âge du fibrociment et l'âge du béton. L'Homo Sapiens se mesure au pourcentage de béton et au simili-français que l'on brode aux enfants pour qu'ils aillent loin à l'école. « Ne m'insultez pas, monsieur, s'il vous plaît, avec votre créole! Je sais parler français, moi », y entend-on comme à Petit-Paradis. Quant à la boniche de Barbès revenue pour un mois : « Hou la-la! Ce que j'm'sens mal, chaque année y m'faut mon hiver! »

Mais parfois, des irréductibles pissent ouvertement dans les ruelles sordides et le doum-bé-doum lancinant d'un tambour tente de se glisser avec des précautions félines dans le giron de la nuit, près de la Grosse Roche légendaire.

Écrire non pas pour témoigner, non pas pour tresser des couronnes de balisier au présent, non pas pour bouleverser le monde, non pas. Non pas. J'écris l'histoire des miens de colère rentrée...

ANTILIA

Quatrième cercle

Pour chacun d'entre nous, la vie s'est étagée de la campagne au bourg, du bourg à la ville et de la ville à la France. Nos parents, eux, n'avaient connu qu'une courte migration mais nous, nos désirs se sont accélérés, nos pas ont précédé nos vies et quand nous nous avisons de rebrousser chemin, nous réalisons l'ampleur de notre désarroi.

Nous devons réapprendre à parler car la Mémoire, elle, n'a pas démérité et elle n'est pas prête à se plier à nos fantaisies cosmopolites. Alors, nous nous fixons, frénétiques, sur un seul pan de passé et nous tentons de grimper l'échelle des jours sans qu'aucune aide de quelque nature nous soit offerte.

Mais que faire de miettes de délires, de vestiges d'épopées avortées ?

16

Or donc, Eau de Café ne concevait pas le déroulé de sa vie telle que le décrit la rumeur. Elle jure avoir été élevée par la femme-sage, Man Doris, à qui sa mère l'avait confiée avant de partir travailler à Panama où l'on construisait un canal tout en démesure. « Quand ma mère reviendra, serinait-elle à son tuteur et amant Julien Thémistocle, je ne prendrai plus la hauteur d'un nègre de ton espèce. Tu seras plus bas qu'un zéro placé devant un chiffre pour moi, un caca de chien, voilà ! » Mais sa mère fut engloutie par ce pays espagnol et la deuxième grande guerre surprit Grand-Anse et les campagnes environnantes dans les premières chaleurs du carême, au moment où les pièces de canne arborent des têtes de négresses-tête-sec soigneusement peignées.

Man Doris qui refusait de bailler son bonjour à l'homme Julien depuis une éternité de temps bien que sa case fût à deux pas de la sienne, traçait des lignes de mort sur le sol avec la cendre du foyer et récitait « sur la tête de cette race sept fois maudite d'Allemands qui n'est point fille du Seigneur ». Elle jacotait entre deux aspirations de pipe :

« Baillez-moi une carte de l'entour de leur pays ! Tant que je n'aurai pas fermé ses portes au levant et au couchant, cela ne servira à rien. »

Les vivres commençaient à se raréfier. Les nègres de la ville, avec leur étrange façon de se vêtir et de parler, accouraient à la campagne, fous pour brocanter colliers et anneaux en or pur contre un sac d'ignames ou une paire de coqs d'Inde. Le nègre d'habitation, malgré les chiques et les échauffures qui décoraient ses orteils, n'était plus lorgné de haut, hon! Et puis quand viandaille et légumes disparurent des mornes et que la cour de nos cases se mua en désert, on eût juré que l'esclavage était revenu. A Macédoine, on disait obstinément « l'estravail » comme pour se rappeler qu'il s'agissait d'une époque de sueur interminable.

Nul n'osait plus étaler de la farine de manioc à sécher au soleil. Les Grands Blancs semblaient devenus enragés. Il ne fallait pas leur adresser la parole ni même leur jeter une miette de regard. Ils te hélaient et il fallait se précipiter sinon leur cravache se déchaînait sur ta peau. Dès lors, Radio-bois-patate proclama partout :

« Mes amis, il n'y a plus de lois pour le nègre dans ce pays-ci. »

Le grand-père de Julien Thémistocle était le seul à ne pas exciter la fureur des maîtres. On allait lui porter des offrandes au fin fond des bois, du côté du Morne Jacob où, affirmait-on, il apprivoisait les fers-de-lance. A chacun d'entre nous, il enseignait en souriant vaguement dans ce bout de chair informe qui lui tenait lieu de bouche :

« L'homme blanc est un figuier maudit. Connais-tu l'histoire de cet arbre ? C'est d'abord une petite graine, si petite qu'elle se perd dans le plat de ta main. Un oiseau la transporte dans ton carreau de terre...

« Un jour, continuait-il, on le découvre, ce figuier du diable, on le déchiquette à coups de fourche. Peine perdue! Mille têtes repoussent et bientôt cela devient un très majestueux pied-de-bois à l'ombre duquel on meurt d'envie de se reposer. Attention! s'écriait soudain le vieillard, ne vous y endormez pas car vous risqueriez de perdre la mémoire à tout jamais! »

« Une après-midi, commente Eau de Café, je l'ai trouvé en grand causement avec cet arbre. Ce dernier lui disait, non pas avec des mots humains mais dans une sorte de dialecte musical : Père, il me faut deux fois et demie et des poussières le temps d'une vie humaine pour atteindre la maturité, et celui qui m'a soigné ne me verra pas défier le soleil. Le vieux-corps a répondu comme suit : mon peuple s'est vautré dans la fausse doucine de tes bras, comment tu veux qu'il se réveille, hein ? Comment tu veux qu'il secoue sur les poils de ses yeux cette charge d'oubliance ? L'arbre s'étonna : Père, depuis le temps où le Diable lui-même n'était qu'un bambin, j'ai toujours apaisé l'angoisse. Que me reproches-tu alors ? L'ancêtre répondit : Cessons là ces paroleries qui ne débouchent nulle part. A ma mort, la femme de mon petit-fils viendra et enfouira ma vieille carcasse de nègre de Guinée à tes pieds, ainsi nous nous rejoindrons... nous nous rejoindrons. »

Quelques jours plus tard, Eau de Café, qui s'offrait plus souvent que rarement pour lui porter sa pitance, faillit renverser la demi-calebasse de viande de cochon salé et de pois d'Angole qu'elle lui avait préparée. Elle le fixa droit dans le coco des yeux, n'osant souffler mot ni avancer d'un pas. Le vieux-corps énonça en toute simplicité :

« Tu es à moi. »

Il s'accoupla avec elle puis, une main sur la tête de la femme-enfant, l'autre dans la demi-calebasse, il engouffra sa nourriture sans la mâcher et s'endormit, assis dans l'étrange posture des statuettes en fougère que sculptaient les Congos de Morne Capot. Il fixait une tache située au faîte d'un gommier blanc récemment frappé par la foudre. Eau de Café attendit avec patience sans dénombrer les heures. Peut-être demeura-t-elle là des jours entiers, qui sait ? La pluie la surprit. La chaleur de midi la sécha. Elle vit des métamorphoses qui s'occupaient à étinceler de tous leurs feux dès que la noirceur de la nuit se mettait à descendre. Le vieux-corps sortit en final de compte de sa méditation et se prononça :

« Les temps ont tourné. Moi, je suis encore là, mais je ne vais pas continuer à te priver de chaque soleil qui se lève. Va ! »

Quand Eau de Café revint, il avait fait bon accueil à la mort et s'était enterré lui-même à l'endroit désiré. Sur sa sépulture, il avait placé une roche que l'on ne trouve pas dans nos contrées, une roche rouge comme le sang caillé et que son père à lui, qui donc Thémistocle-sans-prénom, l'esclave, avait hérité d'un pur Africain. Eau de Café se baissa pour la scruter. Le faire-noir entreprit brusquement de couvrir le feuillage des grands arbres. Elle effleura la roche : celle-ci était aussi brûlante que si elle sortait d'un feu. Elle arracha deux feuilles de balisier et, l'enveloppant d'un geste preste, la glissa dans sa besace.

La frêle femme-enfant raconta son histoire à Julien et reçut pour toute récompense une volée de coups de liane avec la ferme promesse de s'y trouver abonnée au cas où elle se surprendrait encore à de semblables menteries. Mais lorsqu'elle lui eut montré la roche, il en fut comme qui dirait bouleversé et, le lendemain au pipiri-du-jour, il lança au voisinage :

« Je dois partir. La dissidence n'est pas faite pour les chiens, non ! Notre mère la France est occupée par l'ennemi allemand et de Gaulle réclame notre aide, je dois aller la défendre. Qui pourra s'occuper d'Eau de Café ? Elle n'est encore qu'une enfant mais le sang ne tardera pas à lui couler entre les cuisses. Elle sait laver, repasser, cuire à manger. C'est une bonne fille, oui. »

On fit le dos rond. Il n'avait guère l'habituance de s'adresser à autrui, lui à qui le genre humain inspirait la plus haute indifférence. Seule madame Doris, la fianceuse du Diable, la femme de tout le monde, celle qui s'ouvrait sans vergogne au moindre « kal » (« verge » dans notre idiome), proposa :

« J'ai de la place dans ma case, mon nègre. Quand tu reviendras, si tu reviens, tu retrouveras une femme et je te promets qu'aucun des mâles-cochons de cette campagne ne soulèvera sa robe. »

Une craintitude était sur le point de m'assaillir : qu'Eau de Café ne devienne intarissable, qu'elle ne me déverse en un seul jour tout ce dont elle avait toujours fait rétention, car ses propos m'obligent à repenser tout autrement cette enfance que j'ai, avec tant de minutie, momifiée au plus profond de moi. Je suis revenu pour tisonner les braises de ma mémoire, et tenter d'éclaircir la haïssance des nègres de Grand-Anse pour leur mer, non pour tout chavirer. Va-t-elle me contraindre à changer ma quête ?

Je prends congé d'elle comme un voleur. Pas à pas, à reculons, pour éviter de faire craquer le plancher. La Rue-

Devant est un sillon de lumière aveuglante. Des employés municipaux repeignent en ocre les murs de l'école primaire et de la mairie tandis qu'un électricien s'emploie à installer, de balcon à balcon, des guirlandes d'ampoules multicolores. Un taxi-pays, le « Golem », déverse son flot de nègres-habitacot sans se soucier d'interrompre la circulation. Antilia est la dernière à descendre. Elle bavarde avec le chauffeur, un pied sur le bitume, l'autre sur la marche du véhicule. La hauteur de ses talons est impressionnante. Sa jupe volette, révélant l'arrondi pulpeux de ses jambes de câpresse. Je ne respire plus, je suis un morceau de bois, un éclat de roche. Le plat de mes mains se glace en dépit du jour qui n'est qu'une montagne de chaleur. J'entends le grondement de la mer océane. Deux camions à benne assourdissent l'air de leur klaxon et leurs chauffeurs injurient à qui mieux mieux. Antilia regrimpe sur la marche de l'autobus qui démarre en douceur. Je cours, je ne sens plus le poids de mon corps. Je vole, je suis plus léger qu'une bûchette de coco. L'un des peintres me crie :

« Hé, c'est demain la course à pied. Tu peux pas attendre le 14 Juillet, non ? »

Le « Golem » tourne à l'angle du magasin de toile du bâtard-Syrien Ali Tanin qui écoute, sa chaise posée sur le trottoir, une mélopée arabe à vous écharpiller le cœur. Pourtant, il a un léger sourire et m'aide à me relever lorsque je trébuche à cause d'une crevasse masquée par un vieux carton.

« Dix jours qu'ils doivent réparer ça, fait-il, c'est à croire qu'on ne leur paie pas d'impôts. Je vais démissionner du conseil municipal, vous allez voir ça, hon ! »

Je me retrouve entouré de voix, de mains, de chapeaux-bacoua, chargés de sollicitude. On palpe ma cheville, tâte mon genou. Un mouchoir m'essuie le front. Quelqu'un dit :

« Si i pa ka palé, sé ki i trapé falfwèt. » (S'il ne parle pas, c'est à cause de l'émotion.)

« Il faut l'emmener à l'hôpital », décrète une femme.

Personne ne veut me laisser continuer ma route. Je me sens idiot, grotesque. Chuter comme un gamin turbulent, donner en spectacle ma faiblesse de nègre de la ville. Trop, c'est trop. Thimoléon me sauve in extremis en m'entraînant dans notre case-à-rhum de la Rue-Derrière. Je le suis, hébété. Il chante *la Marseillaise* en avançant au pas cadencé...

– Une fois admis dans la ronde du jeu de dés, reprend-il avec brusquerie dans son délire, ce n'est pas à dire que la peau de tes fesses soit assurée, que tout danger soit écarté. Non! Ne te fourre pas ça dans ta cabèche ou alors tu livres ta vie au destin sans combattre. Tu es venu chercher ta mort. Leur silence ne signifie aucunement qu'ils passent sur tout. Les joueurs sont au contraire très veillatifs à cette différence, veillatifs à ce que toi, tu l'amenuises peu à peu et là, il n'y a pas de recette. Personne ne saura te renseigner sur la meilleure manière d'agir. Tu es libre. Tu vois maintenant d'où provient le danger : si à sept heures du soir tu demeures avec ton masque d'étranger emmené par le vent, tu es mort. Ou tu pars. Ce qui revient au même. Conçois par conséquent que tu as perdu la face, que plus personne ne soulèvera son chapeau sur ton passage et qu'il te faudra brocanter régulièrement de commune jusqu'à ce que la honte soit enterrée dans les mémoires. Le nègre peut avoir la mémoire longue quand il s'agit d'entretenir la rancune contre son frère. Donc, prends garde à ton corps, à ta chair, sculpte tes gestes, ta voix. La grande salle du marché municipal a été à toi dès l'instant où tu y es rentré, le fâle grand ouvert, et que les nègres d'habitation comme ceux du bourg se sont pilé les pieds avec discrétion. Tu ramasses les dés, les secoues dans tes deux paumes jointes et défies le regard de chacun autour de la table (« Baillez-moi ce que j'ai demandé, foutre! ») et tu les lances tout en puissance. Mais avant qu'ils ne s'immobilisent, devinant leur traîtrise, tu les rattrapes presque en fin de course grâce au cornet et tu les frottes à nouveau l'un contre l'autre pour que le chiffre s'échauffe :

« C'est onze que j'ai demandé! Onze! »

Cette fois le compte y est. On te demande avec politesse ton nom, ta famille, ta campagne, le travail que tu accomplis de tes dix doigts et tout ce qu'à la fin des fins on aime à savoir sur autrui... JE VEUX UNE COUCOUNE, OUAILLE! UNE COUCOUNE!

La boutique de Marraine est de plus en plus déserte et Thimoléon me révèle que plusieurs fournisseurs ont cessé tout net de l'approvisionner. Seul le pétrole qu'elle vend par litres pour les réchauds des malheureux lui permet de maintenir un semblant d'activité. Elle actionne la pompe du réservoir avec une énergie surprenante pour ses soixante-dix ans passés. Elle m'exprime sa tendresse par un chanter d'autrefois (une mélodie de Charles Trenet) qu'elle me fredonne en me caressant la nuque de ses doigts grégis.

Eau de Café veut (enfin) me dévoiler sa vie.

Ainsi, quand Julien eut pris le chemin de la dissidence – ce qui revient à dire enjamba en catimini le Canal de la Dominique pour rejoindre les Forces Françaises Libres –, madame Doris emmena Eau de Café au Morne l'Étoile. Elle était femme-sage et possédait un cœur aussi tendre que celui du palmiste. Dans le hameau, les mauvaises langues dérouillèrent aussitôt leurs chaînes : « Doris croit que le Bondieu va lui pardonner ses années de dévergondation, hon ! » ou « Pauvre Eau de Café ! En voilà une qui ne va pas pouvoir dormir la nuit. Ah, misère ! » Mais, aux yeux de Julien Thémistocle, elle était le seul être vivant de cette campagne et il le clama haut et fort dans la cour de la case-à-rhum. Il haïssait le monde entier. Son épouse Passionise qui avait abandonné la case conjugale sans lui bailler d'explications. Le Blanc-pays Dupin de Médeuil qui lui retira son grade de commandeur d'habitation peu après sous prétexte qu'à force de noyer son chagrin dans le rhum, il conduisait la plantation à la ruine. Les nègres qui lui reprochaient d'avoir hérité des dons maléfiques de son arrière-grand-père et de se livrer à des manèges sorciers.

Des années et des années plus tard, il revint de la guerre et trouva son père mort et enterré, sa mère malade, hébétée, allongée à longueur de journée sur une caisse de morue salée couverte de haillons (pendant le règne de Vichy, on n'avait pas reçu de draps d'Europe), sa bouche balbutiant quelque prière. Le monde avait dramatiquement changé dans l'intervalle. Au fond des bois, les bouteurs de l'armée avaient rasé la forêt où son grand-père s'était uni au fromager et désormais un arrêté municipal interdisait de s'abreuver à certaines sources. Julien se rua à son jardin de Bois-Cannelle, secoué par une rage démentielle, mais par miracle rien n'avait été touché. L'échancrure qu'il avait tracée avec tant et tellement d'amour sur le pourtour des grands bois était simplement envahie par des icaquiers et de l'herbe-à-Marie-honte. Sans plus attendre, il empoigna le coutelas de Saint-Domingue flambant neuf qu'il s'était acheté à la ville et se mit à sarcler-sarcler-sarcler. Il bourriqua des jours et des jours et l'on vint de partout s'ébahir devant le phénomène. Même les nègres de l'Ajoupa-Bouillon en avaient entendu parler et, ayant averti leur béké, celui-ci délégua un commandeur à Julien car « maintenant, depuis que sa progéniture va à l'école, la négraille ne veut plus rien foutre de ses dix doigts ». Julien ne lui permit pas d'ouvrir la bouche : il l'éventra sur l'une des berges de la rivière Fond Grand-Anse et cracha sur sa mort, déclenchant par là même une manière de guerre civile. Les nègres de l'Ajoupa vinrent réclamer réparation et on leur proposa (à contrecœur, il faut l'avouer) une joute au damier bien que le maire eût fait savoir que ce genre de sauvageries était désormais prohibé. Bah ! On l'organiserait le samedi-gloria et on couvrirait la voix des tambours à l'aide de vieux sacs de guano. Les fiers-à-bras des deux communes s'étaient souvent affrontés aux dés ou aux dominos mais, à présent, la mort d'un homme les divisait. Les gens de Macédoine et de Morne Capot faisaient reproche en secret à Julien de leur avoir procuré cet inutile désagrément et cela dès son retour. Certains allaient même jusqu'à souhaiter qu'on l'émasculât et ainsi on n'aurait plus à se faire du mauvais sang pour ce grand escogriffe qui semblait dominer l'univers de son seul regard.

Eau de Café, qui se trouvait fort aise chez madame Doris, avait entraperçu la mort de son futur mari. Il lui en est resté une blessure incurable :

« Je l'ai poussé au néant, me murmure-t-elle, j'avais enfermé son ballant dans mon esprit depuis trop de temps. C'est cela. »

Selon elle, lorsque la mère de Julien Thémistocle abandonna la vie, son fils fit convoyer des billets d'enterrement à ses sept frères et sœurs que des alliances diverses avaient entraînés qui à Moulin-l'Étang, qui à Hauteur Bourdon, voire plus loin, dans l'irréelle cité de Saint-Pierre où la démarche des femmes est une invite à la lubricité. Des gens, il faut bien l'admettre, qui ne sont pas comme ceux de Grand-Anse. Même leur façon de serrer la main n'était pas la même, pas vraiment. On organisa une veillée plus extraordinaire que ne le fut la vie entière d'Hermancia. Les maîtres de la parole rivalisèrent de talent pour chanter ses louanges. L'un d'eux stupéfia l'assistance par la belleté de son dire. Il proclama en effet ce qui suit :

« Mère Hermancia s'est couchée un matin de grand soleil et, ayant décidé qu'elle n'avait plus le goût de vivre, elle fit quérir la Mort. L'ayant fait asseoir sur un canapé, elle ôta sa robe d'enterrement de dessous sa couche et la repassa tranquillement en plaisantant avec son hôte. Sa voix était cristalline. Elle avait perdu sa fragilité coutumière, celle qui nous faisait sentencier qu' “ Hermancia est une petite câpresse chétive, une branche de filao ”. La Mort ne débâillonnait pas les dents. Elle espérait son heure. Puis, Mère Hermancia s'habilla, se mit son mouchoir de tête, se parfuma au vétiver et s'étendit, un chapelet-rosaire sur la poitrine, souriante et comme fière. Ah ! Messieurs et dames de la compagnie, écoutez l'histoire de celle qui n'a jamais médit, qui n'a jamais envié autrui, écoutez et élargissez vos oreilles. Mère Hermancia sourit une dernière fois et dit : “ Je suis fin prête. ” C'est alors que la Mort s'attendrit et murmura : “ Tu es si joyeuse dans la vie, pourquoi ne pas y rester, femme ? Je t'accorde trois hivernages en sursis. Qu'en dis-tu ? ” Mère Hermancia secoua négativement la tête en continuant de sourire, et s'allongeant sur son lit, ferma les yeux, attendit avec sérénité. Ah ! Mes amis, écoutez cette histoire-là... »

Julien boissonna moins qu'il n'en avait coutume en de semblables circonstances. Il ne toucha point aux dominos et sembla sourd aux rires et aux exclamations bambocheuses des veilleurs. Insensible même à la magie des contes qui semblaient tisser le drap de la nuit. Il arpenta la véranda, soucieux de ce que tout un chacun eût sa part de nourriture et de café fort. Son frère cadet d'un autre lit, un certain Clémentin qui était presque le sosie de la défunte, le prit par le bras, l'entraînant dehors :

« Mon frère, était-il bien utile de chercher la guerre avec les nègres de l'Ajoupa ?

– Mais que dis-tu ? C'est cet insignifiant lui-même qui a marché au-devant de sa destinée ! » s'exclama Julien.

Dans le faire-noir, il buta sur une roche et lâcha un juron. La rumeur de la veillée ne leur parvenait plus que comme une houle lointaine. Clémentin pleurait.

« Mère, elle était... » balbutia-t-il.

La nuit devint d'une claireté bleuâtre. Une vraie nuit de mars.

« Qu'a-t-elle dit avant de partir ? reprit-il.

– Comment ? Mais ne t'ai-je pas répété que je me trouvais à Bois-Cannelle en train de fouiller des fosses d'ignames quand c'est arrivé ? On est venu me chercher mais je me suis dit qu'elle était déjà morte et qu'autant boucler le travail. Tu n'aurais pas fait pareil, toi ?

– Certes..., admit Clémentin d'une voix lasse, notre mère était une bonne personne, une très bonne personne...

– Rentrons à présent. Les merles ne vont pas tarder à se lever. »

Et jusqu'au devant-jour, insoucieux du roulis de la veillée, Julien entreprit de fouiller les chiques de ses pieds à l'aide d'une grosse épingle à nourrice à moitié tordue. En final de compte, les veilleurs harassés posèrent le cercueil sur un drap harnaché de deux gaulettes de bambou et les porteurs se relayèrent à une allure marathonienne jusqu'au cimetière de Grand-Anse, mazurkant dans la pierraille du chemin...

Six carêmes interminables s'étaient donc écoulés depuis le retour de Julien de la guerre et il ne s'était pas le moins du monde préoccupé de monter à Morne l'Étoile. Les figures commençaient à se renfrogner autour de lui mais personne n'avait l'effronterie, après le mal sort qu'avait subi le nègre de l'Ajoupa, de le rappeler à son devoir. Il avait installé un portrait de Papa de Gaulle sur un chiffonnier hérité de sa mère et chacun, jeune comme vieux-corps, guettait son départ pour se faufiler derrière sa case afin de dévisager, par la fenêtre toujours entrouverte, l'homme qui nous avait sauvé de l'anéantissement. Quant à Doris, elle évitait Macédoine comme le Diable qui craint l'eau bénite, opérant un long détour par Fond Massacre chaque fois qu'elle devait se rendre au bourg de Grand-Anse. Il fallut bien un jour qu'elle descende accoucher quelqu'un et là, on la pressa de questions :

« Et la petite, comment va-t-elle ? Pourquoi ne l'as-tu jamais emmenée nous voir, hein ?

– Eau de Café ? s'étonnait-elle non sans malice, mais j'en ai fait une demoiselle à présent ! Elle apprend à faire des robes deux fois par semaine chez une couturière de Trinité et elle vous parle un de ces français, messieurs et dames !

– Maintenant, c'en est fini pour toi... » commentaient les commères avec une méchanceté de mouches-à-miel.

Elle s'en alla en haussant les épaules et dut revenir trois fois dans le mois. L'ultime fois, elle déclara à la cantonade :

« L'homme Thémistocle m'a demandé de lui dire de quoi sera fait son devenir. Tout à l'heure je serai dans sa case... »

Pour de bon, quand elle eut passé en revue les divers maux des habitants de l'endroit, elle emprunta la trace de Bois-Cannelle que l'on devinait à peine à travers les halliers. Arrivée dans la cour de terre battue de la case, elle héla :

« Nègre ! Hé, mon nègre ? »

Aucune réponse. Elle se hasarda à jeter un œil par la fenêtre mais il faisait bien trop sombre à l'intérieur. Elle distingua tout de même l'étrange tapisserie faite de photos d'actrices découpées dans des romans-photos qui masquaient les cloisons sans doute rongées par les poux de bois. « Peut-être est-il allé à la source de Fourniol, pensa-t-elle, je vais l'espérer un peu. » Sur un côté de la case, l'homme avait construit une sorte de cuisine rudimentaire en bambou au mitan de laquelle tisonnait un feu de brindilles protégé par trois roches. Elle remarqua que l'une d'entre elles était d'un rouge insolite et se demanda à quoi elle pouvait bien servir. Comme la barre du jour était sur le point de se briser et qu'il n'apparaissait toujours pas, elle reprit la route, pressée de sortir de ces lieux où, brusquement, tout lui semblait diabolique. Serait-il un « engagé », un nègre qui travaillait de la main gauche à l'instar de son grand-père, l'apprivoiseur de fers-de-lance ? Alors pourquoi m'a-t-il fait venir soi-disant pour lui dire les choses que le commun des hommes ne peut percer ? Elle courait presque, se grafignant les bras et les jambes aux branches qui faisaient mine de l'étouffer. Au débouché de la trace, Thémistocle, quatrième du nom, l'attendait, les bras croisés, lui fermant le passage. Elle prit peur :

« C'est bien aujourd'hui, hein ?... c'est bien aujourd'hui que tu m'avais indiqué, l'homme ?

– Ote tes hardes, négresse ! lui ordonna-t-il avec froideur.

– Comment ça ?

– Fais-le ou bien tu m'obligeras à te forcer. Allons, dépêche-toi ! »

Doris lorgna de tous côtés, cherchant en vain une échappade et là, précise Eau de Café, il court deux versions que je vais te bailler de bonne grâce. Dans l'une, il est dit qu'elle étendit ses bras à l'horizontale et prononça une parole en créole bossale. Son corps s'alluma d'une vive lueur intérieure qui la secoua comme la tête d'un arbre pendant un cyclone et elle partit à la venvole, laissant Thémistocle médusé. C'est à cela que moi je crois, commenta Eau de Café. Dans l'autre raconterie, la plus courante, tu t'en doutes bien, il est dit que la femme se dévêtit avec lenteur, les larmes aux yeux, et supplia son bourreau : « J'aurais pu avoir l'âge de ta mère. Quand elle entra en case avec ton père, je venais d'avoir dix-neuf ans. Respect et honneur pour mon corps ! »

En réalité, elle avait juste dépassé celui où le corps d'une femme ne saigne plus et possédait une fermeté de capistrelle. Sa croupière était d'une largeur incommensurable pour le désir de n'importe quel homme bien debout. Sa coucoune était un gouffre noir où perlait une sueur cristalline et enivrante. Doris se dénuda donc totalement et observa Thémistocle. La froideur du soir la calotta. Celui-ci se défit à son tour de ses vêtements et c'est alors qu'elle réalisa la nature de son secret, le pourquoi de sa défiance apparente des femmes. Il avait une verge d'une longueur impressionnante, peut-être deux mètres, voire plus, qu'il enroulait avec une infinie précaution autour de sa taille. La faiseuse d'anges cessa soudain de pleurnicher, fascinée qu'elle était par cette bête gigantesque. Et après, elle connut un vertige immonde où la bête lui pénétra la coucoune, le trou du bonda, les oreilles, la bouche et le nez, déversant à chaque fois en elle une bordée de jouissance couleur de flèche de canne, si bien qu'elle en fut complètement recouverte et s'endormit à même le sol jusqu'à midi du lendemain. Des charroyeurs de banane la découvrirent dans son étrange cocon. Elle courut se débarbouiller à la rivière, un rire chevalin aux lèvres, et scanda :

« THÉ-MIS-TO-CLE ! »

Dans la journée, elle remonta à Morne l'Étoile, amarra ses paquets et ne laissa même pas une aiguille dans sa case. Elle attrapa Eau de Café par une aile, dévala jusqu'à Bois-Cannelle où elle s'établit en concubinage avec l'homme Thémistocle. Le hameau fut secoué de commérages frénétiques, de rires gras, de cris d'horreur, d'appels à la maudition divine et de toutes sortes de choses de ce genre. Compère Geffrard, qui avait été facteur au bourg de Sainte-Marie et était l'un des rares à savoir lire, répétait à l'envi :

« J'ai ce qu'il faut pour elle dans l'Enchiridion du pape Léon. Vous allez voir que ces cochoncetés-là ne vont pas durer longtemps, hon ! »

Marraine guette l'instant où je prononcerai le nom d'Antilia. Elle garde les yeux mi-clos, triturant avec nervosité sa bague en chrysocale. Elle sait que je ne suis point venu pour écouter les démêlés-sans-comprendre de sa vie, pas plus que les obsessions du sieur Thimoléon. Elle ne soupçonne pas encore la longueur de ma patience et est dans l'attente inquiète d'une explosion. Elle n'ignore pas que je refuserai nettement-et-proprement d'entendre l'explication qu'elle m'avait rituellement servie dans ses lettres à l'époque où j'étais étudiant en France :

« Notre âme en peine est devenue une grande dame à

présent. Elle a réussi au Brevet Supérieur grâce aux leçons particulières du directeur d'école, l'année même où tu es descendu vivre à Fort-de-France avec tes parents, et on m'assure qu'elle est devenue la secrétaire d'un avocat très connu. Après quoi, elle est partie à Paris où elle travaille dans la mode. »

Au mur, bien encadrés et vêtus de leurs costumes noirs ou de leurs grand-robes en crinoline, la famille impose une garde austère au petit intérieur trop bien entretenu pour être confortable. Mais je n'ai que faire de leurs sourires figés : je veux tout comprendre. On m'avait répondu lors du drame : c'est la faute de la mer! Alors j'avais couru lui cracher au visage. Je l'avais bourrée de coups de pied comme un vulgaire mulet bâté et puis j'étais retourné à mes jeux. Ma douleur n'avait pas encore de mots pour s'exprimer. Elle se lovait dans quelque repli de ma chair, prête à jaillir le moment venu. J'en avais une peur panique et quand ce nom, Antilia, se mit à fracasser les parois de mon crâne d'étudiant créole perdu dans la froidure parisienne, je réalisai que j'étais perdu si je ne m'imposais pas, une fois rentré au pays, d'éclaircir ce mystère.

17

LE SECRET DE JULIEN THÉMISTOCLE, NÈGRE-MARRON

Pour nous autres, natifs-natals, le bourg de Grand-Anse était le mitan du monde. Certes, nous rêvions d'ailleurs, d'En Ville, d'en France, de la Syrie ou de l'Inde et certains qui avaient voyagé, de Panama ou de l'Amérique, mais la plupart d'entre nous doutaient que ces contrées merveilleuses (hormis l'horrible Afrique-Guinée que nous avions enfouie au plus obscur de notre moi) fussent vraiment réelles. Avaient-elles un soleil qui se levait-montait-descendait comme chez nous ? Leurs habitants nourrissaient-ils des passions, des haines tenaces, des regrets comme nous autres ? Nous n'en étions pas très sûrs. Aussi n'écoutions-nous les raconteries de ceux qui y avaient voyagé que d'une oreille passablement sceptique et nous cherchions dans le feu de leur regard le soudain éclat qui prouverait qu'ils se moquaient de nous. La plus incrédule de toutes était bien entendu Eau de Café, femme-matador à la langue si bien pendue qu'elle se permettait même de décontrôler en public les paroles des deux fiers-à-bras de Grand-Anse, en particulier Major Bérard. Tant qu'elle s'en tint à des sujets anodins, elle en était quitte pour une envolée de menaces ou une litanie de jurons dont sa mère, la belle Franciane, faisait les frais mais elle prit un risque sur sa vie le jour où elle eut l'impudence de taquiner sa supposée connaissance parfaite du pays-France. Il faut dire que le bougre avait commencé à bâtir sa réputation (et à se tailler un fief) grâce à l'aura qui se dégageait de tout nègre qui « avait fait la France », comme nous disions en ce temps-là. Quand cet événement extraordinaire s'était-il produit, personne n'était en mesure de le testifier avec exactitude vu qu'on avait toujours connu le sieur Bérard flânant à travers les campagnes pour revendre des objets usagés dont nul n'eut jamais l'audaceté de lui demander la provenance jusqu'à ce qu'il amasse de quoi s'acheter son taxi-pays. Toujours est-il que ses poches débordaient en permanence de billets et de clinquaille qu'il distribuait au gré de sa fantaisie pour faire étalage de sa puissance. Il s'était acheté de la sorte la neutralité de costauds qui auraient fort bien pu lui damer le pion mais qui, nés fainéants, avaient trop besoin de ses deux francs et quatre sous d'aumône pour tenir la brise.

Fréquentateur assidu de la salle paroissiale et presque aussi bon connaisseur de films en noir et blanc que son rival Thimoléon, il déclarait reconnaître les paysages montrés sur l'écran pour y avoir vécu de longues années. Peu importait que Monument Valley ne se trouvât pas dans le Massif central ni que l'Amazone ne coulât pas en Alsace-Lorraine, tout ça c'était la France et gare au téméraire qui oserait prétendre le contraire sous peine de recevoir un coup de rasoir sur la pomme des fesses ou une égorgette qui l'enverrait valdinguer sur les autres spectateurs, achevant à l'occasion de démolir les chaises vermoulues que l'abbé, malgré les tonnes d'argent que lui procuraient ces projections, refusait nettement-et-proprement de rafistoler. Deux rangées entières avaient d'ailleurs été dévastées au cours d'une bagarre sans manman ni papa causée par un garnement innocent qui, fier de savoir lire, avait repris le fier-à-bras qui s'enthousiasmait :

« Zôt wè lanmanyè Pari bidjoul, léfray! (Z'avez vu comment Paris est magnifique, les copains!)

– C'est pas Paris, monsieur. New York qui est marqué, oui... » fit une voix fluette.

L'endroit fut surnommé Diên-Biên-Phu. La maréchaussée dénombra cinq yeux pétés, trois estafilades au visage et un nombre conséquent de dents démontées ou brisées. La séance fut arrêtée et la salle s'évacua d'elle-même dans la confusion générale. Un cimetière de chaises, foutre! De ce jour, plus un spectateur n'osa ricaner lorsque notre homme prétendait avoir fait la cour à Judy Garland sur la Côte d'Azur ou battu Eddie Constantine au bras de fer dans un café de Belleville. Les années passèrent et Bérard s'imposa dans sa fonction de major incontesté de la Rue-Derrière, de Redoute, de Fond Massacre et d'autres lieux moins connus. Les nègres méchants ne voyagèrent plus qu'à bord de son « Golem ». Si bien qu'on frémit lorsqu'en toute inconscience Eau de Café, négresse fraîchement descendue de sa campagne et ignorante des mœurs du bourg, lui demanda dans le but évident de le coincer :

« Dis-moi, mon nègre, en quel mois de l'année tombe la neige ? »

La langue de Major Bérard, surpris par cette estocade vicieuse, trébucha dans sa bouche. Une tremblade s'empara de ses mains et d'aucuns affirment avoir vu le blanc de ses yeux virer au rouge. D'habitude, on ne lui posait que des questions évasives dans un murmure admiratif ou bien on se contentait de l'écouter pérorer des heures entières. Affecté d'une légère décoloration de la peau, il avait affirmé que le nègre pouvait devenir blanc à force de se rouler dans la neige, « ... de même que le Blanc qui reste trop longtemps sous le soleil devient presque noir » ajoutait-il afin de convaincre les incroyants.

« Si j'avais voulu trahir ma race, croyez-moi, je me serais vautré plus longtemps dans la neige! Je n'ai pas honte de ma noirceur comme vous autres. D'accord le noir n'est pas une belle couleur mais si le Bon Dieu nous a conçus comme ça, mes amis, pourquoi critiquer son œuvre ? Bon-bon-bon, parfois il m'arrive de penser qu'il aurait pu bailler à tout un chacun les mêmes cheveux, le même nez, le même teint et on n'aurait pas à se manger les uns les autres. Le Blanc n'aurait pas pu faire son intéressant sur le nègre. Le mulâtre ne regarderait pas de haut l'Indien. Le Syrien ne serait pas considéré par tous comme une race de sacrés malpropres. Non! Et encore ici, à Grand-Anse, nous avons la chance de ne pas avoir de Chinois mais si vous connaissiez En Ville, vous les verriez amasser sou après sou dans leurs boutiques sur le dos des couillons de nègres et demain ceux-ci sont les premiers à écarquiller les yeux parce que monsieur Chine trousse son nez sur leurs pieds nus. »

Si Eau de Café avait eu l'effronterie de mettre Major Bérard en difficulté, c'est qu'elle avait, par le plus pur des hasards, découvert le secret de ce nègre-qui-a-fait-la-France. Il lui arrivait, en effet, de partir à la recherche de sa servante, la fugueuse Antilia, à travers les ruelles du bourg, cela à l'heure de la sieste. Marraine avançait sur la pointe des pieds afin de ne point déranger le monde, chuchotant le nom de la jeune fille aux croisées, lorsqu'elle buta sur Major Bérard en train d'épier la maison des Féquesnoy depuis le balcon d'une maison abandonnée. La première fois elle passa son chemin mais, farfouillarde dans l'âme, elle voulut savoir ce qui intéressait si fort le nègre-Guinée. Des notes de piano, des notes légères qu'emportait le vent marin, s'élevaient de la cour intérieure pavée de rouge de maître Féquesnoy, notaire de renom et premier adjoint au maire. Il faisait un incessant aller-venir, lisant à haute voix un livre pour deux de ses filles allongées dans des transatlantiques. L'aînée, la plus rayonnante à cause de sa chevelure interminable et de ses yeux mourants, était penchée sur un piano, instrument qu'Eau de Café ni Major Bérard n'avaient jamais vu en vrai. Une sourde jubilation s'empara d'Eau de Café, quand elle eut pris l'habitude de se poster derrière le dos du major, à l'idée qu'elle espionnait doublement.

La négraille n'avait jamais eu l'honneur d'être reçue dans la famille Féquesnoy. Baptêmes et anniversaires se fêtaient dans le cercle fermé des quelques grandes familles mulâtres, chose qui déchaînait les imaginations, rongées, il est vrai, par la jalousie. Dachine, l'éboueur municipal, assurait que le notaire servait de mari à ses filles depuis l'enlèvement de son épouse, bien plus jeune que lui, par un enjôleur d'En Ville. Ne sortaient-elles pas toujours toutes les trois main dans la main, les yeux baissés et dûment chaperonnées par leur père pour assister à la messe ? Ali Tanin, lui, montrait une profonde dégoûtance pour ces chairs jeunes et pourtant déjà suries par le confinement et la chaleur, assurait-il. L'aînée possède un restant de belleté, ajoutait-il, mais pour combien de temps encore ? N'oubliez pas que la mulâtresse, à l'inverse de la négresse, naît angélique, vieillit vite et se transforme en harpie vers la quarantaine tandis que la négresse, plus elle entre en âge, plus elle séduit. Voilà un de nos mystères que personne n'avait jamais pu élucider ! D'ailleurs à Grand-Anse, on n'appelait pas les filles du notaire par leur nom. On disait simplement « les trois mamzelles Féquesnoy » comme si elles ne formaient qu'une seule et même entité. Tout le monde se souvenait de l'hilarité qui avait saisi le notaire lorsque Thimoléon, tout fier dans son uniforme de médaillé de la guerre de 14-18, était venu faire sa demande en mariage. Féquesnoy l'avait reçu sur le pas de sa porte et lui avait rétorqué d'une voix égale :

« Mais, mon cher, mes filles ne sont pas pour toi. Je les réserve pour des Blancs-France. En plus, tu as presque mon âge.

– Je suis prêt à épouser n'importe laquelle... même la dernière petite qui louche... »

Alors, devant tout le monde, le notaire ôta de sa poche un petit peigne et fit mine de se coiffer.

« Tu es un bon bougre, Thimoléon, reprit-il, mais je ne veux pas de petits-enfants avec du fil barbelé sur la tête. Le peigne doit pouvoir traverser sans accroc leurs cheveux et ce n'est pas avec un nègre comme toi que j'aurai satisfaction. »

Comme les Blancs-France étaient rares dans le nord du pays, les trois Féquesnoy glissèrent peu à peu sur la pente du célibat sans se révolter puisqu'on n'entendit jamais d'éclats de voix jaillir de leur maison. Bientôt, elles ne sortirent même plus et on finit par oublier leur existence. Les gens nouvellement arrivés au bourg tels qu'Eau de Café ne les avaient que rarement vues. Un seul être brûlait d'amour pour elles – pour les trois à la fois avec une préférence pour l'aînée au visage farouche – un nègre à gros orteils, sans instruction ni éducation, qui fut trafiqueur d'objets volés avant de s'installer dans la pseudo-respectabilité de chauffeur de taxi-pays : Major Bérard. Il faisait régner sa loi de fier-à-bras sur toute une partie du bourg, notamment celle où était située la demeure des Féquesnoy. Sa cour de flatteurs prétendait que les deux bougres les plus craints de la Martinique étaient le fameux Bec-en-Or de Fort-de-France, celui qui s'était fait remplacer toute sa dentition par de l'or, et le chauffeur du « Golem ». Quand on se hasardait à avancer le nom de Julien Thémistocle, Major Bérard haussait les épaules avant de déclarer :

« Moi, je n'utilise que des moyens naturels. »

Mais en matière de méchanceté, l'un valait l'autre. Major Bérard avait ses souffre-douleur et il passait une mauvaise journée s'il n'avait pas baillé un coup de poing à René-Couli ou poussé Bogino à commettre quelque acte inconsidéré qui le vouait aux gémonies de la population. Il était le meilleur parleur d'arabe de cuisine du bourg et se servait gratuitement chez Syrien sans que ce dernier osât protester. On aurait juré qu'il prélevait une dîme sur le propriétaire du Palais d'Orient. Dès qu'il avait besoin d'une chemise kaki, d'un pantalon de nègre diéseur et élégant, voire d'un morceau de toile pour l'une de ses nombreuses concubines, il débarquait dans le magasin à grand fracas :

« Hé, la Syrie ! Maktoub nilsam adjamlik ! Ta flanelle, où est la flanelle rose que j'ai aperçue ici hier après-midi ? Talham yeddoum bouzhaf iskanhoum !... Allez, des ciseaux, mon vieux, remue-toi le derrière. Voilà, allez, tu m'en tailles quatre mètres et n'essaie pas de me couillonner. Allahramnèk nilfaz nkoutayeb !... »

Syrien s'empressait de satisfaire sa requête sans même se renfrogner ni se plisser le front. Au contraire, il se pliait en mille courbettes obséquieuses qui, loin de plaire au fier-à-bras, semblaient l'exaspérer. On mit du temps à comprendre que le mahométan avait trouvé là la meilleure parade aux vagabondageries de Major Bérard. Eût-il émis la plus petite protestation que ce dernier aurait dévalisé le Palais d'Orient. D'ailleurs, à mesure qu'Ali Tanin grandissait, Bérard écourtait ses hold-up, non qu'il craignît le fils de Syrien qui n'avait rien d'un foudre de guerre mais parce qu'il avait peur qu'une de ses poulettes, surtout les plus jeunes, ne succombent au vert des yeux du bâtard-Syrien et à ses paroles sucrées.

Le mystère de l'ascendance caraïbe du fier-à-bras qui lui avait légué pommettes saillantes, yeux bridés et cheveux ondulés, avait intrigué plus d'un à commencer par sa propre mère, négresse faraude de bonne race, d'autant qu'elle ne se souvenait pas avoir fauté avec l'un des rarissimes spécimens de cette espèce d'humanité. A sa naissance, elle s'était esbaudie devant le faciès amérindien de son rejeton et s'en voulut d'avoir lavandé au bord de la rivière jusqu'à ce que le mal d'enfant s'empare de ses boyaux. Elle avait suivi les conseils de sa grand-mère en se posant une pierre plate sur la tête à la place de son ballot de linge qu'elle abandonna au bord du chemin. Cela lui permit de parvenir en toute tranquillité jusqu'à sa case, sa bouche chantant un chanter sirop-miel avec l'approbation des merles qui faisaient leur prière dans la gouttière. L'enfant vint au monde au moment où la lune apparut dans toute sa rondeur au-dessus du Morne l'Étoile et la femme sentit l'impératif besoin de lui murmurer une parole incompréhensible qu'elle avait entendue dans les gémissements de parturiente de sa mère et de ses sœurs aînées, parole qu'elle prolongeait d'une très longue nuit des temps et dont elle ne songeait même pas à mettre le sens en exposition. Cette parole, ce cri plutôt, cri bref, âpre, qui semblait fendre la voûte céleste et rebondir sur les étoiles, ressemblait à « Anakalinoté ». Très tôt, Anakali, comme on le surnomma, fut féroce. A deux ans, il tua un serpent à coups de dents; une année plus tard, il fixa son père droit dans le grain de l'œil pendant presque une minute; à dix ans, il possédait son propre coutelas, cherchait à s'employer de-ci de-là de son propre chef et ramenait plus que de quoi le nourrir à la maison. Tout le monde lui pardonnait car, murmurait-on, en détournant la tête :

« C'est un nègre-caraïbe ! »

Ni sa mère ni son père ni la maréchaussée ne l'obligèrent à se rendre à l'école. Il y conduisait pourtant ses frères et sœurs mais ne pénétra jamais dans la cour de celle-ci (encore que d'aucuns soutiennent le contraire). Tout le jour, il s'enfonçait dans les bois, là où personne n'aurait osé le suivre, mû par les instincts de sa race. Il fouillait des ignames sauvages, sculptait des figurines dans les roches cathédralesques que le volcan avait rejetées au début du présent siècle, se nourrissait de bêtes innommables ou terrifiantes. En septembre, il y vénérait le dieu Hurakan, générateur des cyclones qui mettaient l'univers en désolation. Devant les cases déracinées, les jardins éventrés, les arbres tordus, les bêtes domestiques noyées, le nègre-caraïbe riait d'une façon si sardonique qu'elle vous fendait l'âme. Puis, il reprit le chemin du commun des mortels au fil des années sans que l'on sache trop pourquoi. Il s'employa comme tout un chacun à couper la canne à sucre et dépensait sa paye le samedi soir dans les cases-à-rhum ou avec les mamzelles qu'attiraient sa chevelure ondulée et ses yeux en amande. Il connut un grand succès public lorsque trois archéologues blancs entreprirent de le mesurer de la tête aux pieds et le photographièrent sous tous les angles. Sa photo parut même dans un journal de Fort-de-France à cette occasion. A la trentaine, il descendit vivre au bourg de Grand-Anse où il se tailla un fief en tant que major redoutable. Il sut se faire respecter de Thimoléon, le menuisier, plus expérimenté que lui, et ils s'accordèrent pour délimiter leurs territoires respectifs. Ses concubines se cotisèrent pour lui permettre d'acheter un camion Dodge qu'il transforma en taxi-pays et baptisa le « Golem », en grand connaisseur de cinéma qu'il était.

« Dans les descentes, je ne connais pas de freins, messieurs et dames, avertissait-il ses clients au moment de l'embarquement. Que ceux qui ont peur de la mort débarquent là même, foutre ! »

Il avait toujours témoigné une certaine déférence envers Eau de Café bien qu'elle ne fît pas partie de sa clientèle (elle préférait le « Bourreau du Nord » réservé aux gens de bien). Aussi lorsqu'il découvrit qu'elle n'avait eu cesse de l'épier au cours des nombreux mois où il avait voué un amour secret à l'aînée des Féquesnoy, le nègre-caraïbe prit un air penaud. Il recula du rebord de la maison abandonnée à partir de laquelle il observait la cour intérieure des mulâtres, trébucha sur des pans de fenêtres et morceaux de maçonnerie qui jonchaient le sol et se planta devant Eau de Café sans mot dire, la tête baissée.

« J'aime écouter la musique qu'elle joue sur le piano, murmura Eau de Café.

– C'est... c'est vrai, ses mains sont comme qui dirait des plumes de... d'oiseau-mouche...

– Pourtant c'est musique de Blancs!

– Elle ne connaît pas la joie, sa figure est marquée tristesse... » reprit Major Bérard.

Ils marchèrent dans la pénombre des ruelles comme deux êtres qui se connaissaient de très longue date alors que leur amicalité ne datait que de l'instant. Chacun d'eux se sentait plus léger, plus disposé à accepter les injustices du monde, voire à en rire. Il lui révéla comment son premier et dernier maître d'école l'avait dégoûté à tout jamais de l'étude des livres : celui-ci l'avait surpris à parler en créole à ses camarades et l'avait condamné à apprendre *Andromaque* par cœur. Chaque matin, avant le début de la leçon, il devait réciter au maître d'école une scène de cette pièce de théâtre et donc s'enfuit à jamais avant la fin du deuxième acte (de là la légende selon laquelle il n'avait jamais été à l'école). Elle lui parla de sa relation passionnée et chaotique avec le nègre-marron Julien Thémistocle, coupable d'avoir violé à mort sa mère Franciane, cela en des temps si reculés qu'on les confondait avec ceux de l'esclavage bien qu'une bonne soixantaine d'années dût les séparer. Il avoua l'avoir parfois croisé au plus profond des grands bois sans qu'ils brocantassent plus qu'un simple geste de solidarité.

« Deux crabes mâles ne vivent pas dans le même trou, tu le sais bien », commenta-t-il. Il fit promettre à Eau de Café de ne rien révéler de son secret car il suffirait que Man Léonce ou une autre maquerelleuse du même acabit en eût le plus petit soupçon pour qu'il devînt aussitôt la risée de Grand-Anse.

« Tu veux que j'aille trouver la demoiselle Féquesnoy de ta part, mon bougre ?

– Non... non, je te remercie, lâcha le nègre-caraïbe d'une voix rauque. Elle aime quelqu'un d'autre... »

Et de s'éclipser sur la pointe des pieds pour ne pas troubler la sieste d'autrui...

18

Le Blanc-pays Honoré de Cassagnac, dans la jeunesse de son âge, peu après la première grande guerre, avait refusé d'épouser sa cousine germaine, ce qui provoqua une manière de hourvari à travers le pays. Les personnages les plus éminents de la Caste se déplacèrent jusqu'à Grand-Anse pour faire son siège mais le bougre ne céda point à leurs injonctions. Il avait toujours montré un tempérament rebelle et cultivait une solitude insolite, troublée seulement par ses escapades dans les fêtes de quartier où il roulait les dés au jeu de sèrbi avec les gens de couleur ou bien les veillées mortuaires qu'il semblait affectionner. Les conteurs nègres semblaient exercer une puissante fascination sur sa personne, aussi ne s'étonnait-on pas qu'il leur accordât un traitement de faveur sur sa plantation. On ne lui connaissait qu'un ennemi déclaré : le nègre-marron Julien Thémistocle.

« C'est parce qu'ils sont trop pareils ces deux-là ! » chuchotait-on à chaque fois qu'alerté par un bougre-maquereau il enfourchait son extraordinaire monture, Icare, son fusil à deux coups à la main, et galopait à travers bois à la poursuite de ce hors-la-loi dont les fréquentes incursions sur ses terres commençaient à l'indisposer.

De fait, qu'il se trouvât au mitan des Blancs comme lui ou de la négraille, de Cassagnac semblait toujours ailleurs, l'œil et la démarche mélancoliques, rongé par quelque secrète morsure d'âme. Son père ne pouvait rien lui reprocher puisqu'il avait pris sa relève d'une main de maître et que l'habitation Séguineau était l'une des plus prospères de la Martinique. Il craignait par-dessus tout que son fils ne s'éprît d'une de ces mulâtresses au sourire-matador qui avait le pouvoir de chavirer l'esprit de n'importe quel homme normalement constitué d'un simple cambrement de hanches. Qu'Honoré entretînt cinq ou six de ces capistrelles comme c'était l'usage séculaire, il l'admettait fort bien, d'autant que cette pratique aidait les chefs planteurs à asseoir leur autorité au sein du bon peuple, mais de là à cohabiter avec l'une d'elles comme ce Prévot de Cherville de la commune du Lamentin, quel désastre, foutre ! Avec la plus extrême discrétion, le vieux planteur avait fait déplacer la plupart des jeunesses susceptibles de tourner la tête de son fils, soit qu'il les prêta à d'autres Blancs-pays soit qu'il les poussa, moyennant une coquette somme d'argent, à se mettre en case avec le premier nègre qui leur fit la cour. Il n'avait eu que le tort de négliger une câpresse fiéraude dénommée Franciane qui marchait toujours dépenaillée et qui s'était construit une case à l'écart des maisonnées nègres. Depuis qu'il avait passé la main et n'embauchait plus personnellement ses travailleurs, nombre d'entre eux lui étaient étrangers. Tout juste le saluaient-ils lorsqu'ils le croisaient mais parfois le vieil homme ne connaissait même pas leur nom. S'il n'ignorait pas celui de Franciane c'est que la lueur fauve de son regard l'avait frappé, un soir qu'elle aiguisait son coutelas sur la meule de l'écurie.

« Pourquoi cette négresse-là semble en vouloir au monde entier ? » avait-il demandé aux nègres sans qu'aucun d'eux lui rendît réponse.

Puis il l'oublia puisqu'après tout elle accomplissait sans rechigner toutes les tâches que lui confiait le commandeur d'habitation. Il y avait déjà assez de fainéants à châtier et de chapardeurs à débusquer pour s'encombrer en plus l'esprit d'honnêtes travailleurs ! Quand il avait fallu bailler une explication plausible à l'échec de l'alliance matrimoniale que les familles de Cassagnac et Dupin de Médeuil avaient longuement mise au point au cours des années 1921 et 22, le père d'Honoré se trouva, contre son gré, obligé de prendre la défense de son fils en laissant exploser une feinte colère devant l'assemblée de ses pairs :

« Qui veut me jeter la pierre, hein ? Nous autres Blancs créoles, abandonnons nos nouveau-nés aux mains des négresses. Elles les lavent, les pomponnent, les habillent, les caressent sous prétexte que nos épouses sont trop frêles pour ce genre de besogne et nous nous étonnons après d'être attachés aux femmes de couleur. Je demande à chacun d'entre vous ici présent de me regarder droit dans les yeux et de me dire s'il n'aurait pas préféré dormir chaque soir à côté d'une négresse ou d'une mulâtresse à supposer que ce monde-là eût été différent. »

Les Grands Blancs avaient ronchonné, incapables de riposter à l'estocade du père de Cassagnac et, évacuant la question, avaient aussitôt entrepris de décider d'un autre parti pour la cousine d'Honoré dont le trousseau était déjà fin prêt et qu'il eût été dangereux de laisser, pour des raisons foncières évidentes, devenir une célibatrice. Entre-temps, si l'on en croit Radio-bois-patate, notre prétendant pressenti avait déserté l'habitation non pour fuir ce qu'il considérait comme d'oiseuses tractations mais parce qu'une sourde rage lui taraudait le ventre. Son plus fidèle muletier, Congo Laide, avait été insulté et désarçonné par Julien Thémistocle tandis qu'il ravitaillait les coupeurs de canne en dames-jeannes d'eau fraîche. Le nègre-marron avait outrecuidé :

« Je suis le Maître des Savanes, celui qui possède les trois dons : invisibilité, ubiquité et invincibilité. Je règne désormais sur toute l'étendue du Nord. Il faudra écrire cela : Julien Thémistocle, Seigneur après Dieu des ravines et des traces de canne, mettra la colonie, puis le monde lui-même, à genoux. »

Et, devant les travailleurs béats d'admiration, il avait révélé de quelle façon il avait acquis ses dons : « Le premier soir de la première nuit de mon installation au mitan des bois, au creux des souches de pieds de courbarils terrassés par la foudre, dans les nervures des ébéniers graves : l'Ennemi. Au décours de la lune, il lève son armée depuis les confins des halliers qui bordent la rivière La Capote et la conduit dans un gigantesque froissement jusqu'aux tétons de nos mornes sacrés que sont le Grand et le Petit Jacob. J'avais beau engranger de la distance sous mes pieds, c'était peine perdue. J'étais cerné. Cerné par les humains en bas, dans la savane. Cerné par les bêtes-longues sur les hauteurs. J'ai récité quelques prières apprises de mon grand-père, qui savait les apprivoiser, sans parvenir à ralentir l'extraordinaire reptation qui, à mesure-à-mesure, refermait leur ronde sur moi. Le sifflement qui tigeait de leurs corps d'écailles luisantes m'enfroidurait les mollets et je sentais venir le moment où je clamerais ma terreur à la figure de la nuit. Mon coutelas faisait tomber toute une pluie de lianes pour m'ouvrir le passage mais aussitôt tombées, celles-ci se métamorphosaient en fers-de-lance qui se dressaient sur leur queue, hiératiques, et semblaient m'observer. En réalité, elles m'indiquaient le chemin jusqu'à Bothrops, la Femelle Originelle (qu'on dit hermaphrodite) dont le gîte se trouve de toute éternité au lieu-dit Le Saut, sur les contreforts du Grand Jacob. L'endroit est une cascade entourée de roches gigantesques qui dessinent à ses pieds un petit bassin d'eau limpide où nagent des serpents chargés de la garde du temple. Dans une anfractuosité de la roche centrale, celle sur laquelle la cascade prend une glissade sublime, Bothrops veille sur les restes de Watanani, le dernier roi des Indiens Caraïbes et ancêtre de Major Bérard, et sur le crâne de N'Songo, le nègre-marron, qui prit sa liberté au débarqué de la barge négrière au quai de la Pointe des Nègres, cela au temps de l'antan.

« Quand vous autres coupeurs de canne me parliez avec révérence du Saut, à l'époque où, apprenti commandeur, je traquais sans pitié les fils du Bothrops, je me riais de ce que je pensais être le fruit d'imaginations infantiles ou enfiévrées par le mauvais tafia. Qui s'était jamais rendu au Saut ? Qui avait jamais vu la grande femelle serpent dont les contes tissent la légende ? Personne évidemment. Je devais batailler aussi contre le commandeur qui avait convaincu le père de Cassagnac que les fers-de-lance étaient la maréchaussée de la plantation. Et en vertu de quoi s'il vous plaît ? Du fait qu'ils y mangeaient les rats et décourageaient les négrillons dévoreurs de canne mûre, tous deux vastes fléaux de nos plus belles pièces, j'en conviens. Mais qui avait tenu dans ses bras la négresse Herminia de Fond Gens-Libres, bavant d'écume mortelle, lorsqu'une bête-longue lui eut lacéré le cou ? A qui avait-elle confié dans ses ultimes instants le djob de s'occuper de ses douze rejetons disetteux ? A moi, Julien Thémistocle, qui n'ai jamais connu ce qui s'appelle une famille. Et je ne parle même pas de ton propre frère à toi, Congo Laide, ce géant qui ne parlait que l'africain, un nègre travaillant qui avait traîné sa carcasse sans pleurnicher sur toutes les habitations de Grand-Anse. Il m'avait enseigné la façon de mettre en terre la canne-malavoi si fragile et si belle afin qu'elle résiste autant aux avalasses des mois d'hivernage qu'aux coups de vent qui entrecoupent le carême sans prévenir. Ce qui l'a perdu c'est qu'il se croyait définitivement insensible aux piqûres de bêtes-longues du jour où, par miracle, il avait réchappé à l'une d'entre elles. Il disait partout avec allégresse : " La Bête-longue et moi, ça fait deux personnes. Chacune connaît son territoire, oui... "

« Mais une après-midi fulgurante de juin, l'animal a franchi la frontière alors que le nègre-Congo avait le bras levé dans l'envol même de son coutelas et au moment où il le rabattit sur la tige de canne, le serpent n'eut qu'à l'effleurer car la mort avait commencé à saisir l'homme tout debout, dans une cavalcade de soleil et de sueur. On eut beau lui apposer un fer chaud sur la plaie et lui faire boire une tisane d'herbe-à-tous-maux, il expira là même, dans la pièce de canne, au pied du mulet bâté que la présence du serpent avait énervé. Donc la chagrination fut pour moi seul, pas pour le commandeur ni pour de Cassagnac qui ne se dérangèrent pas pour si peu et firent envoyer quelques bouteilles de rhum pour la veillée et quatre planches pour le cercueil. C'est pourquoi je contrevenais à leurs ordres en encerclant les fers-de-lance selon la méthode que le frère de Congo Laide m'avait enseignée. Pour ceux, trop jeunes, qui ne m'ont pas vu à l'œuvre, voici comment je procédais : je désignais une compagnie de coupeurs de canne réputés pour leur braveté que je plaçais tout en rond de la pièce de canne de Rivière-Feuilles, la plus drue et en conséquence la plus receleuse de bêtes-longues de toute l'habitation. Je demandais ensuite aux amarreuses de damer la terre de leur talon pour réveiller ces saletés et donnais le signal de l'attaque. Un seul froufroutement faisait frissonner la paille tandis que les premières cannes s'effondraient dans une démagogie de feuilles vertes qui semblaient enrouler la lumière.

« " En voilà un! " criait de temps en temps un coupeur.

« Avant que son coutelas ne s'affaisse, la bête-longue avait disparu dans le cœur de la pièce de canne, y entraînant sans doute ses congénères dans une bousculade effrénée. Je faisais arrêter le travail par moments pour bien m'assurer que la progression de la coupe s'opérait de tous côtés avec le même ballant. Sinon, il suffisait d'une avancée plus profonde en quelque endroit pour qu'une tralée de fers-de-lance se faufile dans l'ombre des cannes et gagne les bois tout proches. A mesure que la coupe avançait, la pièce de canne prenait l'aspect d'une touffe de cheveux. Les sifflements rageurs des serpents nous interdisaient toute rigoladerie. Je m'assurais d'abord qu'aucun amas de paille ne transporterait le feu dans le reste de la plantation puis j'ordonnais à quatre nègres, placés à égale distance de la touffe, d'y lancer des bois-flambeaux allumés. La canne s'embrasait d'un seul coup, levant des flammes mauves et bleues jusqu'à hauteur du ciel. Les bêtes-longues virevoltaient, s'entregouspillaient, tentaient de se frayer un passage tandis que nous les accablions d'injures, les femmes étant encore plus excessives que nous : " Lisifè! Yich Djab! Mô, bann isalôp! " (Lucifer! Enfants du Diable! Périssez, bandes de saloperies!)

« A Rivière-Feuilles, une fois le dernier brandon apaisé, nous relevions, plus souvent que rarement, une cinquantaine de cadavres de bêtes-longues que je m'empressais de faire enterrer sur un plateau rocailleux où l'on ne se rendait guère. Aussi, dès la première nuit du premier jour de mon errance, la race des bêtes-longues avait donc entrepris de me faire payer tout le poids de souffrances que je leur faisais subir depuis un siècle de temps. Tout devint serpent autour de moi : les branches des châtaigniers-malabar, les herbes-de-Guinée, les souches et les lianes. Mais on ne m'attaquait point, on m'obligeait à emprunter une seule et unique voie, celle qui conduisait au Saut. Ce n'était donc pas l'endroit imaginaire dont l'évocation me faisait jadis hausser les épaules. Le Saut existait bel et bien. Sa cascade chantait. Ses roches sonores et lisses encadraient pour de bon la grotte qui servait de demeure au Bothrops Originel. Le serpent noir, qui avait sept mètres de long environ, se plaça juste sous la chute d'eau et me fixa de son étrange iris orangé. Seules ses arcades sourcilières étonnamment prononcées étaient agitées d'un aller-venir mécanique. J'avais si peur que je mis du temps avant de prononcer la supplique suivante : " Dieu Serpent, que me veux-tu ? Je ne suis qu'un pauvre nègre fugitif qui n'a plus que les grands bois pour havre... "

« La tête aplatie du Bothrops recevait les paquets d'eau, colorés par la lune, sans broncher. Je réalisai qu'il n'entendait pas mes paroles pas plus que le vacarme de la chute d'eau. " La bête-longue entend avec son corps, avait coutume de dire le frère de Congo Laide, si tu hèles à côté d'elle, elle ne te touchera pas. Si tu pètes un coup de fusil, elle n'en saura rien non plus à moins qu'elle n'ait perçu l'éclair de la balle. Pour entamer un causer avec la bête-longue, il faut cogner la terre du pied jusqu'à la faire vibrer. " J'essayai avec timidité et vit le Bothrops se balancer sur lui-même, de facon presque imperceptible d'abord, puis de plus en plus vite et à ma grande surprise, je comprenais son langage. Je saisissais le sens de chaque vibration de ses anneaux ! Une joie indescriptible me souleva pour me voltiger droit dans le giron de la cascade dont l'eau était d'une tiédeur bienfaisante. La lune se voila et la cascade cessa soudain de tomber. Le Bothrops hermaphrodite se déraidit de toute sa longueur et plongea dans l'onde à ma rencontre où il m'enlaça de part en part. Il m'entraîna dans des abysses qui n'étaient point obscurs où je distinguai des créatures fantastiques dont jamais je n'aurais pu soupçonner l'existence dans ma vie antérieure. Son sexe bifide me pénétra parderrière, le mien se faufila à travers les écailles irisées de sa fente et nous fîmes l'amour quarante-sept jours et demi. A la brune du soir de l'ultime jour de notre copulation, Bothrops regagna son antre pendant que l'eau de la cascade reprenait son descendre. Mon esprit s'était engourdi. Pour la première fois, j'éprouvais la froidure de l'endroit et j'avais hâte que la nuit s'achève. Bothrops grimpa au faîte de la cascade, s'allongea sur une immense roche plate et laissa le sommeil le barrer. Cependant sa queue martelait légèrement le bord de la roche, me disant :

« “ Nègre Julien Thémistocle ! Je t'ai fait homme-serpent. Désormais, tu seras aussi invisible que nous. Tu glisseras dans les halliers sans éveiller la haine des chiens d'habitation car tu n'auras point d'odeur. Tu seras aussi partout à la fois. Tu frapperas, tout comme nous, partout au même moment et ta morsure sera définitive. Ils te porteront une respectation si débornée qu'ils n'oseront plus prononcer ton nom. De même qu'ils nous appellent bêtes-longues afin de conjurer, s'imaginent-ils, notre menace, ils t'affubleront de tous les titres : l'invisible sorcier, l'invincible nègre-marron, l'ubiquitaire et même monsieur l'immortel ! Alors que tu mourras le jour où tu céderas à leur idolâtrie c'est-à-dire quand toi-même, tu te persuaderas de toutes leurs balivernes. Respecte le serpent, il te fraiera le chemin. Va et tente de défaire ce monde infâme que les Blancs ont imposé à l'univers. ”

« Avais-je rêvé ? M'étais-je laissé emporter par la doucine traîtreuse des rayons de lune ? Je n'aurais su le dire. Toujours est-il que j'appris à connaître mes nouveaux frères et m'aperçus que les serpents formaient des peuples tout aussi différents que les nôtres. J'appris à connaître le fer-de-lance jaune-aurore qui guette le devant-jour sur les versants arides de Morne Bois et cherche à enfoncer ses crocs dans la tête du soleil. J'ai fréquenté avec plaisir le fer-de-lance jaune laqué maculé de marron qui semble sourire quand il sort sa langue au moment de bondir sur le manicou. J'ai acquis une tendresse particulière pour le fer-de-lance noir de Moulin-l'Étang dont le ventre moucheté de rose rivalise de belleté avec les orchidées sauvages. Quand il se rend à la source pour se désaltérer, il se dandine comiquement avant de plonger sa tête dans l'eau à deux reprises et de disparaître dans les hautes herbes. J'ai parfois retrouvé le fer-de-lance lie-de-vin mélangé de vert et de jaune paille se réchauffant à hauteur de ma poitrine les soirs où des vents glacials soufflaient sur le Grand Jacob. Mais la plus étonnante, c'est la femelle du gris velouté taché de noir. O merveille reptilienne ! Je la contemplais des heures entières faire la toilette de sa peau à la saison de la mue. Elle recherchait l'arbre-à-piquants contre lequel, avec délicatesse, elle se frottait jusqu'à ce qu'un piquant s'accroche à l'une de ses écailles puis elle se délovait avec tout autant de majesté, livrant son ancienne peau en pâture aux niches de fourmis-folles. Le khôl qui ceinture ses yeux était plus ensorcelant encore que la démarche de Franciane-la-fière. Ha! Cette négresse-là est pour moi. Allez le dire à votre patron! Je n'aurai cesse de vous harceler tant qu'elle ne cédera pas à mon désir. »

Honoré de Cassagnac était partagé entre la perplexité et le fou rire chaque fois qu'il se trouvait en face de ce genre de récit. Le nègre ou l'Indien qui le lui rapportait était si sérieux dans son maintien et si sincère dans son parler qu'il ne pouvait décemment lui flanquer une calotte pour qu'il cessât de se moquer de sa tête. Souventes fois le nom de cette Franciane y revenait et bien qu'il ne l'eût jamais vue, il se prenait déjà à l'adorer. Quel courage ne fallait-il pas avoir pour résister aux sortilèges de ce Julien Thémistocle qui commerçait avec les bêtes-longues! Il aima son nom qui était rare. Ses « grandes manières » qui hérissaient si fort la négraille. Mais trop occupé à faire la chasse à celui qu'il en vint à considérer comme son ennemi personnel, épuisant à mort pas moins de cinq montures en moins d'un mois, il ne chercha pas à la rencontrer. A maintes reprises, il fut sur le point d'interrompre définitivement le tourner-en-rond du nègre irrédentiste, surtout quand il comprit que Thémistocle marchait la nuit et dormait le jour. Pas étonnant qu'on repérât sa silhouette à Fond Massacre après qu'elle eut été aperçue la veille à Rivière Claire. Honoré de Cassagnac le mit en joue dans la splendeur de midi, alors qu'il était affalé entre les racines tortueuses d'un figuier-maudit. On lui avait fabriqué tout exprès deux balles en argent, seules capables de transpercer le charme protecteur que le nègre-marron se vantait de posséder. Le Blanc-pays s'approcha si près de lui qu'il pouvait l'abattre à bout portant. La souveraine fierté qui imprégnait les traits du rebelle l'impressionna. Il demeura un long moment à scruter ce corps noir et musclé, habité par une respiration ténue qui se muait parfois en longs saisissements des bras et des jambes. Approchant le canon de son arme près de la tempe de l'homme endormi, il ferma les yeux avant d'appuyer sur la gâchette. Soudain il sentit ses doigts s'engourdir, le métal du fusil se glacer entre ses mains et sa vue se troubler. Honoré de Cassagnac se dégagea à la hâte de l'ombre du figuier maudit et reçut le soleil noir de midi en plein dans les yeux, ce qui le rendit aveugle pour le restant de la journée. Il eut le temps de s'enfoncer dans les halliers pour espérer la venue du soir. Là, il put entendre le nègre-marron invoquer son grand-père dont Honoré découvrit qu'il avait trouvé sépulture au pied du figuier maudit. Les deux êtres, le vivant et le mort, instruisirent le procès des Blancs depuis qu'ils s'étaient emparés du pays dix générations d'hommes auparavant. Honoré sut tout ce que le nègre reprochait au Blanc, il entendait la litanie de ses doléances, découvrit tout un lot de blessures secrètes qui venaient s'ajouter aux cruautés quotidiennes, s'étonnant qu'il n'attendît de lui, le maître, qu'un peu de modestie. Il comprit que Julien Thémistocle ne prenait aucun plaisir à incendier les champs de canne, à extorquer de l'argent aux travailleurs d'habitation pas plus qu'à saillir leurs femmes ou à injurier leur parentèle. Ce bougre-là errait parce que l'errance était la seule façon pour lui d'exister. De crier au monde qu'il existait. Il répéta à nouveau :

« Franciane, la négresse-aux-grandes-manières, je la veux pour moi seul. »

Le lendemain, Honoré n'eut plus qu'à décharger son fusil en l'air : l'entour du figuier maudit était désert. Pas une trace de pas ou de foyer. Il n'eut plus qu'à redescendre à l'habitation, au petit trot, lui qu'on savait amoureux du galop. C'est peut-être cette allure inhabituelle qui lui permit de distinguer, parmi la nuée de femmes occupées à amarrer les cannes en piles, celle qui répondait au nom de Franciane et qu'on prétendait si extraordinaire. A première vue, elle était aussi grotesquement emmitouflée dans de vieilles hardes que ses compagnes de misère mais tout en elle était altier. Sa façon de se courber, de se saisir des tronçons de canne, de ligoter les piles et de les soupeser. C'était un vrai spectacle que de la regarder se mouvoir, étrangère à toute ostentation, naturellement divine. Honoré l'interpella d'un ton si peu péremptoire que tout un chacun comprit sur-le-champ qu'il venait de l'élire dans son cœur. Pour la première fois, Franciane ébaucha un sourire et se remit d'arrache-pied à l'ouvrage puisque jamais plus elle n'aurait à s'éreinter à semblable tâche. Lorsque Julien Thémistocle vint rôdailler près de sa case quelques jours plus tard, il ne put que pousser une longue plainte déchirante. La négresse-aux-grandes-manières vivait à présent dans la maison du maître, irréversiblement souillée à ses yeux. Il vint sous les fenêtres d'Honoré de Cassagnac hurler sa colère, l'accabler de tous les qualificatifs de la terre, sa défaite lui baillant en quelque sorte tous les droits. Le Blanc-pays, stoïque, supporta ce débordement de douleur pendant près d'un mois. Simplement tirait-il les rideaux avant de s'asseoir à son bureau encombré d'archives, d'encriers et de porte-plume. Depuis bientôt une décennie, il s'était attelé à la tâche d'établir la généalogie de sa famille depuis qu'elle eut quitté l'Anjou pour s'établir aux Isles Françoises de l'Amérique. Son père lui avait payé un précepteur mulâtre au cours de son adolescence afin qu'il ne devînt pas aussi ignare que les enfants des planteurs qui habitaient loin d'En Ville. Il avait renoncé à envoyer Honoré au Pensionnat Colonial après le décès prématuré de sa mère, la bellissime Marie-Anne Dupin de Médeuil. Un beau matin donc, bouffi d'agacement, Honoré sortit sur le perron et apostropha Julien Thémistocle :

« Sa ki papa'w ? Es ou konnèt papa'w ? Epi ès papa papa'w konnèt papa'y menm ? (Qui est ton père ? Connais-tu le père de ton père ? Et puis le père de ton père connaît-il son propre père ?)

– Le père de mon père domptait les serpents-fers-de-lance au Morne Jacob !

– Peut-être, mais son père à lui, d'où venait-il ? Avait-il seulement un nom ? Une famille ? s'enflamma le béké. Vous autres les nègres, vous n'êtes les fils de personne. »

Julien Thémistocle mit toutes ses dents à blanchir au soleil et, s'approchant avec lenteur de celui qui avait cherché pendant si longtemps à l'abattre, égrena figure contre figure, son souffle embuant le regard du Blanc :

« Toi-même qui poses tant de questions, sais-tu d'où tu sors, hein ? Sais-tu si ton arrière-grand-mère n'a pas permis à un nègre de lui écarter les cuisses ? »

Un attroupement s'était formé devant la maison du maître et déjà le commandeur d'habitation s'apprêtait à prendre sa défense lorsque le monde assista au spectacle inouï d'Honoré de Cassagnac prenant le nègre-marron sale et ébouriffé par le bras pour l'entraîner dans son salon. Les préparatifs de replantation de la canne s'arrêtèrent net et les travailleurs s'assirent en rond sous les arbres avoisinants, se passant des fioles de tafia et du tabac à mâcher. Le commandeur, abasourdi, était demeuré cloué en plein soleil, balbutiant sans relâche :

« Ce n'est pas ce que mes deux yeux ont vu ! Ce n'est pas possible ! Les hommes, dites-moi que ce n'est pas possible, tonnerre de Dieu ! »

A l'intérieur, le spectacle était plutôt hilarant. Julien Thémistocle avançait d'un air penaud, attentif à ne pas écorcher le tapis ou à renverser quelque objet précieux. Tant d'ordre et de luxe serein l'avait saisi à la gorge et démuni de ses moyens. Il avait perdu sa superbe et ne trouvait même plus ses mots pour répondre aux sollicitations d'Honoré. Ce dernier lui désigna en premier lieu un étrange entrelacement de dessins sur un minuscule coussinet de toile bleue accroché au mitan du salon.

« Ce sont nos armoiries, fit-il sans nulle gloriole dans la voix. Ma famille appartient à la plus antique noblesse de l'Anjou. Sous les armoiries, si tu savais lire, tu pourrais déchiffrer quoique les lettres en soient un peu effacées : " d'azue au chevron d'or accompagné de trois dards de flèches du mesme posés deux en chef et un en pointe ". C'est la description du dessin... Mon ancêtre, Izaïe de Cassagnac, a déposé ses titres de noblesse au Conseil Souverain de la Martinique le neuf mars de l'an 1763. Il était arrivé ici en 1667 après qu'il eut été, pour des raisons obscures, chassé de son poste de brasseur du Roy... De son mariage avec une femme dont je ne parviens pas encore à trouver le nom, il eut onze enfants dont l'aîné, Georges, est né en 1680. Tu sais, chez nous les Blancs nobles, seuls les fils aînés ont le droit de porter le nom de leur père. Les autres enfants accolent ce nom à celui de leur épouse... Assieds-toi, n'aie pas peur, souvent quand je rentre épuisé, je m'endors dans l'un de ces fauteuils avec mes bottes couvertes de boue et mes hardes dégoulinantes de sueur. Da Ferlise, qui a été une seconde mère pour moi, me déshabille dans mon sommeil! Da Ferlise O! Fer-li-i-se O!... »

La nounou noire d'Honoré trottina aussi vite qu'elle put au salon et manqua de tomber à la renverse quand elle vit le nègre-marron confortablement installé près de son maître. Les yeux exorbités, elle entendit à peine Honoré lui ordonner de préparer deux punchs et revint avec une bouteille de vin doux. Elle servit le Blanc, toisa le nègre en claquant ses lèvres sur ses dents de dégoût et tourna les talons.

« Donc Georges de Cassagnac épousa à son tour Angélique Baillardeau dont le père était capitaine commandant les milices de la Martinique et riche planteur pour l'époque. Après trois mort-nés et une fille, elle eut François, né en 1712, qui épousa sa cousine germaine Catherine Fermilly de Lavoisière. Ils eurent neuf enfants dont l'aîné Jean-Michel est né en 1741. Il prit pour femme en secondes noces, sa première épouse étant bréhaigne, Marie-Ursule Crassin de Médouze. Ceux-là mirent au monde un nombre indéterminé d'enfants mais le continuateur de la branche aînée – ça, j'en ai la preuve – est Octave de Cassagnac, né en 1771, qui épousa Claire-Eugénie Millaud de Sainte-Claire, originaire des Anses d'Arlets. Leur aîné, Richard a vu le jour en 1798... »

Pendant que le Blanc-pays débitait la liste de ses ancêtres sans plus s'occuper de lui, comme s'il se parlait à lui-même, Julien Thémistocle, qui pendant longtemps s'était gaussé des nègres qui ne pouvaient pas remonter à plus d'une génération derrière eux, sentit un lent engourdissement s'emparer de ses membres. Il se souvint que les seules armoiries qu'arborait son grand-père étaient la fleur de lys qu'on lui avait tampée sur l'épaule avec un fer chaud pour s'être livré au marronage quelques années avant l'Abolition. Il réentendit cette parole qui lancinait la bouche du vieux-corps lorsqu'il avait terminé une tâche quelconque :

« Nan Djinen lwen... nan Djinen lwen... » (L'Afrique est loin.)

« En 1808, continuait, implacable, le propriétaire de l'habitation Séguineau, Jules de Cassagnac épousa Reine Bany de Richemont. Il fut fait chevalier du Mérite agricole. Son fils, Pierre-Lambert, mon père, épousa en 1889 sa cousine à la mode de Bretagne, ma mère, Marie-Anne dont le père Augustin était conservateur des hypothèques. Ils n'eurent qu'un seul enfant : moi. Et s'il fallait, mon cher Julien Thémistocle, te décrire les branches cadettes de la famille de Cassagnac, les de Cassagnac de Savinières, les de Cassagnac de Beauvallon et consorts, une journée et une nuit entière n'y suffiraient pas. Notre race s'éteint doucement, c'est vrai, faute de se renouveler, c'est pourquoi j'ai fait venir mon épouse de l'Anjou. Elle ne sort pas beaucoup, ha! ha! ha!... mais elle finira bien par s'habituer au soleil. »

Depuis ce mois de février 1924, en effet, où le tilbury des de Cassagnac avait déposé d'immenses malles dans la cour de la Grand-Case, on attendait avec impatience la venue de la dame de France. Sans doute son arrivée se fit-elle de nuit car personne ne se souvint de l'avoir vue sur la route. Elle déploya sa grâce dans l'entretien des chambres et du salon, parfois des cuisines, mais ne sortait jamais au-dehors. Elle fut enceinte et accoucha de la petite Marie-Eugénie sans que cela occupât les langues des négresses jargouineuses. Bien qu'on n'élucidât pas la relation entre les deux événements, il semble bien qu'elle commença à figurer au grand jour peu après que son mari eut reçu le nègre-marron Julien Thémistocle dans sa demeure. Il est vrai que celui-ci avait cessé de bravader et qu'il vivait désormais à l'écart de toute habitation, humilié, disait-on, au plus profond de son âme par la leçon que lui avait infligée Honoré de Cassagnac. Quand le bougre était fin saoul dans les débits de boisson du bourg ou les cases-à-rhum des campagnes, il grognardait :

« Je mettrai fin un jour à la lignée des de Cassagnac, vous avez ma parole de nègre-moudongue! »

Savait-il qu'aucun habitant de céans n'en croyait un mot? Le savait-il, oui?...

19

Je ne peux croire que les jours défilent, anonymes et semblables, sur la route infinie du temps. Chaque jour possède sa couleur et sa longueur mais surtout ses présages que nous négligeons le plus souvent d'interpréter. Ce 14 Juillet-là demeurera à jamais gravé dans les replis de ma mémoire. Dans chaque parcelle de mon corps. Je pénètre enfin dans le marché de Grand-Anse où auront lieu les retrouvailles avec ceux que j'ai abandonnés depuis un temps si long qu'ils ne se souviennent peut-être plus d'avoir enchanté mon enfance. Pourtant, au-dedans de moi, leurs hautes figures n'ont eu cesse de charpenter ma vie. De même que l'unissonance des vagues de notre mer car nous l'affirmons nôtre comme si, un peu plus loin de notre bourg, il ne s'agissait pas de la même mystérieuse créature.

Chaque case arbore un drapeau bleu-blanc-rouge mais aucun d'eux n'a autant d'effet que celui de la mairie : trois mètres sur dix de toile qui se cabre avec fierté à chaque poussée de vent. Dès le devant-jour, un haut-parleur diffuse *la Marseillaise* depuis le balcon du premier étage, insufflant une manière d'exaltation au cœur de chacun. Je tente de résister à ce charme si insidieux qu'il fait battre vos lèvres ou tressaillir votre regard. Le retraité de la Marine a revêtu un magnifique uniforme blanc et sur sa casquette, on peut lire, quoiqu'un peu effacé, « Le Terrible ».

« Je ne m'en vante pas, me révèle-t-il, mais au moment où Hitler a mis la patte sur Paris, notre navire a réussi à partir pour les Antilles. En novembre 40, nous étions à Basse-Terre, en Guadeloupe... »

L'Océanic-Hôtel sent bon le crésyl que la bonne a répandu un peu partout. De ma fenêtre, je vois Thimoléon aider Eau de Café à décorer sa boutique de bouquets d'arums et de jacarandas. Tout le devant de sa veste est piqué de décorations acquises au service de la France éternelle au cours des deux guerres. A la Rue-Devant, les autobus déversent des groupes compacts de nègres de la campagne, hiératiques à cause de ces cravates qu'ils ne mettent qu'en cas de force majeure selon leur propre expression. Une irrésistible euphorie flotte dans l'air, contenue par une gravité qui se mesure à la sourdine des causements féminins aux abords de l'église et surtout à la sagesse de leur marmaille. Je me sens heureux quelque part en moi et me révolte contre ce sentiment inexplicable. Et d'abord aujourd'hui, je me déferai de l'omniprésence de Thimoléon à mes côtés, de ses conseils, de ses menaces voilées. Je n'irai pas prendre mon repas de midi chez Eau de Café pour ne pas l'entendre me demander :

« As-tu prié pour la France, mon garçon ? »

Le défilé des anciens combattants jusqu'au monument aux morts où la statue d'un fantassin noir se rengorge sous la protection d'un grand ange blanc armé d'un glaive, est l'occasion pour le Mussolinicule qui dirige la commune de faire étalage de son tempérament verbiageux. Le personnage est en lui-même tout un poème. On prétend que, dès l'école primaire, il a montré une affection immense pour Rome et Jules César. D'ailleurs, dès qu'il eut deux fils, il nomma le premier Romulus et le second Rémus. Sans doute ne distinguait-il pas bien entre la France et l'Italie, pays somme toute lointains et peuplés d'êtres couleur de farine de manioc puisque l'unique mappemonde de son école vola en éclats sous le shoot canonesque d'un avant-centre en herbe qui l'avait dérobée quelques jours après qu'on en eut fait l'acquisition en grande pompe. Dès que le Duce se mit à faire ses macaqueries, notre homme, qui avait déjà été élu maire, ne jurait que par lui et collait, dans son bureau et dans les couloirs de sa mairie, de grandes photos prises dans des journaux italiens dont personne ne connaissait la provenance. Nul étonnement qu'il fût l'un des très rares maires de couleur à être maintenue en poste par le régime pétainiste de l'amiral Robert. Aux dires de tous les témoins de l'époque, le Mussolinicule accentua sa ressemblance avec son modèle en affectant de rouler les « r », chose particulièrement difficile en début et en fin de mot pour un créole (au mitan, ça va!). Exploit inouï pour un homme qui n'avait guère traîné ses culottes sur un banc d'école. Pourtant, il ne manquait point d'humour quand on sait qu'il avait forgé un blason et une devise de son cru qu'il avait fait graver sur la porte d'entrée de la mairie et sur celle de sa propre maison. Ce chef-d'œuvre graphique représentait une pique romaine se croisant avec un coutelas martiniquais en dessous desquels était marqué en lettres rouges « VENI-VIDI-VICHY ».

Le discours du Mussolinicule au pied de l'autel de la patrie est une première fausse note dans l'harmonie de cette journée. Je ne peux m'empêcher de rire sous cape de son charabia que personne, ni ancien combattant ni spectateur, ne cherche à suivre. Son verbe monte, dégringole puis remonte après moult glissades dans la chaleur qui s'apprête à nimber le bourg. Soudain, devenu clair, il dénonce « ces étrangers qui viennent briser la douce tranquillité de nos vertes prairies et la molle tiédeur de notre plage édénique ». Les gens redressent la tête, se regardent, s'interrogent des yeux, murmurent à l'oreille de leurs voisins car notre homme est en train de déroger au discours qu'il avait prononcé l'an dernier à la même date et à celui de l'année qui précéda l'an dernier et ainsi de suite en remontant jusqu'au premier jour où il avait « gravi les marches du Panthéon de la gloire municipale ». C'était la stricte vérité que depuis vingt ans, le Mussolinicule baillait à son peuple réuni la même plaidoirie ampoulée dont chacun finissait par connaître les plus tortueux méandres. Parfois, le soir, lorsqu'un père s'ennuyait, il pouvait demander à l'un de ses fils de lui chercher dans le dictionnaire le sens de mots tels que « alcyon », « vol de gerfaux », « bolchevisme » ou « obtempérer » mais personne n'avait jamais réussi à comprendre le sens d'une phrase entière dudit discours. Or ne voilà-t-il pas que monsieur le premier édile venait d'y ajouter tout un morceau inédit qui était la limpidité même en plus!

Thimoléon décide de m'ignorer. Il ne veut pas d'ennuis. Il observe une trêve le 14 Juillet et oublie ses convictions communistes. Les cases-à-rhum de la Rue-Derrière accueillent avec allégresse les anciens combattants assoiffés. Des courses en sac s'organisent à la Rue-Devant tandis que le tir au canard est annoncé « au bord de la mer ». Je caresse au fond de ma poche la paire de dés que j'ai achetés la veille chez Ali Tanin. J'approche à pas comptés du marché, soucieux de n'éveiller aucune méfiance, attentif à n'irriter aucun fier-à-bras avec ma dégaine de bougre de la ville. Je n'ignore pas qu'à la moindre incartade de ma part, on en profitera pour prendre mon serrage. Comme de me marquer au visage à l'aide d'un rasoir. Chaque fier-à-bras possède sa marque propre : tantôt une simple estafilade sur le menton, tantôt un tracé compliqué sur le visage, tantôt un trou (parce qu'un bout de chair a été arraché). Rares sont les joueurs de dés qui ne portent pas quelque marque glanée à Grand-Anse même ou ailleurs au cours de parties de sèrbi dont ils racontent les moindres détails des années durant.

J'entre au marché. C'est le 14 Juillet. Les gestes sont graves. Les sourires sont gonflés de sous-entendus. Les ronchonnements ont valeur de phrases entières qui sont immédiatement comprises. Dès l'entrée, je repère les différents territoires qui se déferont peu à peu au long de la journée et surtout de la soirée. Je vois la table où les Indiens-coulis, drapés dans un silence encore plus vaste que celui qui leur est habituel, lancent les dés d'un geste feutré et ramassent leurs mises comme s'ils caressaient l'encolure d'un cheval. La noirceur de leurs cheveux brillants captive mon regard un bon moment. Une femme redresse une gerbe de petits drapeaux tricolores qui avait été mal arrimée au poteau-mitan du marché. Un joueur s'élance vers elle, baise l'un des drapeaux, revient à sa table de jeu et s'écrie : « Onze! » Ses adversaires ricanent d'un air mauvais. Il perd, cherche avec désespoir dans ses chaussettes un dernier billet et, en final de compte, se retire sur la pointe des pieds. La table qu'il vient de déserter, celle des nègres-Congo, est la plus terrifiante car les joueurs y tripotent avec une feinte nonchalance qui un rasoir qui un couteau à cran d'arrêt et, chose sûre et certaine, derrière leur dos, entre chemise et peau, une autre arme plus redoutable encore doit être cachée. A la table des mulâtres, on affiche un désintérêt volontiers ostentatoire pour que le monde n'aille pas s'imaginer que les gens de bien sont devenus des adeptes de ce jeu de vagabonds sans foi ni loi. Le mulâtre vient s'encanailler ici une fois l'an, pas davantage.

Je sais qu'il me faut commencer par fréquenter les tables ouvertes à tout un chacun, celles où les mises sont si dérisoires que votre vainqueur peut vous en faire cadeau sans que cela soit une preuve de magnanimité. Je me remémore les règles du sèrbi telles que me les a enseignées Thimoléon et, n'étant pas brillant en calcul mental, je frissonne à l'idée de me tromper. Les bêtiseurs n'ont pas droit de cité au marché, foutre! Je résiste à une joueuse qui tente de m'entraîner à la table des femmes en s'esclaffant : si tu fais ça, si tu brocantes ton premier coup de dés avec une femelle, eh ben tu n'es qu'un ma-commère à qui aucun joueur sérieux ne voudra prêter attention. Dachine, l'éboueur municipal, haut comme une botte de gendarme, me propose de le remplacer.

« Ne crains rien, mon vieux! Nous, on s'amuse.

– Combien ?

– Trente francs la mise, répond l'un des joueurs.

– D'accord!

– Roule les dés, allez, roule-les! » m'encourage le nain.

Mais à l'instant où mon bras tendu s'apprête à les libérer du cornet, une main douce et froide me saisit le poignet : celle d'Eau de Café. Jamais, en soixante-dix ans d'existence, elle n'avait fréquenté cet endroit en un tel jour. Les gens en sont tout bonnement estomaqués. Les parties s'arrêtent à toutes les tables sauf à celle où le béké de Cassagnac et Congo Laide, deuxième du nom, l'éleveur de coqs de combat, s'affrontent dans une joute qui a commencé il y a trois siècles. Il fait tellement silence dans l'enceinte du marché que l'on entend maintenant la voix éraillée du haut-parleur de la mairie et les applaudissements du public aux vainqueurs des courses à la cuiller, très prisées à Grand-Anse. On amarre les mains des candidats derrière leur nuque avec un bout de corde-mahault et on leur place une cuiller entre les dents contenant un œuf. Ils doivent courir sur cent mètres sans en renverser le contenu. Le Mussolinicule promet, à chaque campagne électorale, de faire inscrire ce sport aux Jeux olympiques « comme cela au moins, nous aurons une médaille d'or qui brillera de tous ses feux tel un astre solaire au firmament de notre valeureuse jeunesse grand-ansoise ».

« Viens avec ta marraine, rentrons... » me fait Eau de Café d'un ton qui ne souffre pas de réplique.

Je résiste. Lui prends la main et tente de parlementer à voix basse. Elle ne veut rien savoir. Rien comprendre. Elle est devenue sourde. Elle trépigne et menace de faire une congestion si je ne lui emboîte pas le pas. Je cherche Thimoléon des yeux. Il sera peut-être ma bouée de sauvetage. Il prendra ma défense. Ramènera sa vieille compagnonne à la raison. Le menuisier s'est approché de la table des anciens combattants et s'applique à rouler les dés, ce qui incite les autres tables à reprendre le jeu. Je suis désormais livré au bon vouloir de Marraine.

« Ce n'est pas dans ce manger-cochon que tu apprendras quoi que ce soit, déclare-t-elle pour me convaincre.

– Ah bon! Tu sais ce que je cherche alors!

– Ne fais pas ton intéressant, jeune homme! Allons-nous-en sinon demain matin, qu'est-ce qu'on ne va pas encore déblatérer sur mon pauvre compte. Eau de Café fréquente les joueurs de sèrbi! Eau de Café a perdu cent mille francs contre les nègres-Congo et patati et patata... »

L'après-midi ne fait que commencer. Les rues se sont un peu vidées dans l'attente que le soleil veuille bien baisser sa pression. La mer, elle-même, semble s'être affaissée. Eau de Café, soudain gaie, sautille sur la chaussée, me laissant le trottoir. Une sorte de sérénité joyeuse m'emplit peu à peu sans que je parvienne à en déceler l'origine. Peut-être parce que je n'ai jamais tenu les mains de Marraine aussi longtemps dans les miennes. Des gens nous sourient à leurs fenêtres.

« Je te dirai tout ce que tu désires savoir à propos d'Antilia. Sois patient, mon nègre, la patience est un don de Dieu, oui. »

J'attends huit heures du soir, moment où le sommeil l'emporte, pour regagner à la hâte le marché où les dés vont rouler-mater avec plus de hargne. Plus d'insoutenable hargne...

Le 12 janvier 1967

Très cher,

Ils nous ont ligotés. Le ventre de notre ville est une blessure frissonnante. Savane embastionnée dans ses tamariniers centenaires et l'on est toujours surpris de la froideur de ses bancs de marbre, du sourire sardonique de Joséphine, l'Impératrice des Français, et au fond, des plaidoiries qui s'y tiennent. Comme d'entendre ce vieux monsieur respectable en costume de pure laine et montre à gousset, vous prendre le bras et vous déclarer :

« Je suis mulâtre depuis quatre générations. Quatre générations, vous m'entendez !... mon arrière-grand-père habitait en face de la cathédrale et tous les soirs, à cinq heures, il venait ici lire son journal. Où verrez-vous à présent quelqu'un agir de la sorte, hein ? La négraille règne en maître de nos jours ! »

Au cœur de La Savane, il existe un kiosque que les enfants abandonnent volontiers aux messieurs quand l'envie prend ces derniers de commenter dans un français châtié les dernières nouvelles d'Haïti ou d'Allemagne. La Grande Guerre est encore un souvenir frais. Le vieux monsieur est un poète.

« Vous auriez dû le deviner à ma montre en or » vous reproche-t-il et voici ce qu'il vous déclame :

La mer bleue épelle des lettres d'amour
sur l'épaule fascinée des sirènes.

C'est un grand poète, membre de l'Académie Lutèce et plusieurs fois lauréat des jeux floraux. Et mulâtre de surcroît. Mulâtre, s'il vous plaît! Parole qui ne peut s'énoncer sans un geste d'une ultime douceur sur les cheveux et un imperceptible bombement du torse.

« J'ai fait l'ultime voyage en Métropole sur le paquebot Colombie, *vous savez, enfin, vous ne savez pas, vous êtes trop jeune... un fameux navire, je vous assure! Quand il était sur le départ, sa corne déchirait le cœur de tous les habitants de cette ville, chère demoiselle, un véritable glas... et il fallait voir les familles des partants massés au pied des passerelles. Il fallait mesurer la profondeur d'un regard, le frissonnement d'une poignée de main... ha-a! Aujourd'hui, vous prenez l'avion et vloup!, vous voilà dans la mère-patrie et demain soir, vous pouvez déjà être de retour. Plus de place pour le souvenir... »*

Le vieux monsieur mulâtre semble d'une fragilité de faïence. Il m'apprend que sa fille aînée, mulâtresse bien évidemment, joue du piano.

Cette ville (cette vie) est ignoble.

ANTILIA

Cinquième cercle

Il ne faut pas chercher la sémillance des choses dans le bel ordonnancement de leur logique scolaire. Notre vie a toujours été grosse de brisures soudaines vite recousues, d'éjaculations interminables faute de réel amour et le bourg de Grand-Anse, receleur d'un secret inavouable, ou plutôt mille fois ressassé sous mille habits différents, attend.

L'attente est peut-être la raison de notre infinie terreur...

20

LA MORT DE RENÉ-COULI

Maître Féquesnoy possédait donc trois filles qui ne sortaient jamais, déterminé qu'il était à préserver leur dignité de mulâtresses de tout contact avec le gros peuple. Chaque lundi de beau matin, l'aînée se rendait à la poste afin de réceptionner de mystérieux colis ou y envoyer un bon paquet de lettres à des gens de là-bas (c'est-à-dire de France dans notre parlure). Les maquerelleuses du bourg se rongeaient les sangs de ne pouvoir percer les dessous de cet aller-venir et qui Man Léonce qui Eau de Café qui la mère d'Ali Tanin avant sa répudiation avaient fait le siège de la postière pour l'inciter à décacheter l'une de ces nombreuses missives. Cette dernière, qui avait une très haute idée de sa fonction, s'en offusquait si fort qu'on prédit qu'un jour ou l'autre elle attraperait une congestion. Sa résistance dura trois et quelques mois au bout desquels on la retrouva paralysée derrière son guichet, les yeux hagards et la langue baveuse. Dans l'attente que le gouvernement nomme quelqu'un d'autre à sa place, le Mussolinicule invoqua le cas de force majeure pour y placer une de ses femmes-dehors, jeunotte insouciante qui n'hésita pas une miette de seconde à violer le secret de l'aînée des manzelles Féquesnoy.

La nouvelle fit le tour du bourg, s'envola à travers les campagnes et, à ce qu'on prétend, déborda même dans les communes limitrophes de Fond d'Or et Basse-Pointe. A vrai dire, nul ne savait s'il fallait en pisser de rire ou au contraire s'en apitoyer. En effet, chacune des lettres contenait une déclaration d'amour et une proposition de mariage à un Blanc-France dont la demoiselle Féquesnoy avait trouvé l'adresse dans les romans-photos dont elle faisait une consommation illimitée. Dès qu'ils arrivaient au Palais d'Orient, son père s'y précipitait pour y acheter la moitié au moins des exemplaires. On découvrit ainsi qu'elle avait une prédilection pour *Nous Deux* puisque la plupart des adresses qu'elle avait choisies provenaient dudit magazine.

« L'aînée de maître Féquesnoy veut acheter un mari », décréta-t-on un peu partout sur un ton d'incrédulité.

Certes, la plupart des jeunes négresses de Grand-Anse avaient, ne serait-ce qu'une fois dans leur vie, rêvassé devant ces promesses d'heureuseté pour la vie entière avec un bel homme blond aux yeux bleus, habitant l'Ardèche ou le Dauphiné, mais aucune n'y avait cru suffisamment pour s'asseoir à une table et marquer ce désir noir sur blanc sur une feuille. Ce qui étonna encore plus les maquerelleuses qui avaient ouvert le courrier de l'aînée des Féquesnoy, c'est que les conjoints pressentis approchaient tous la quarantaine, parfois la cinquantaine alors que la jeune fille était créditée d'à peine vingt-cinq ans. On ne mit pas du temps à comprendre que ses choix étaient dictés par son père et on en vint à la plaindre, elle et ses deux sœurs, d'être livrées à la seule volonté de ce notaire si impitoyable en affaires que même certains Blancs-pays le redoutaient. Ne l'avaient-ils pas, pour cette raison, accepté à leur table de baccara où le bougre ne se montrait pas manchot à en croire Dupin de Médeuil, le planteur de bananes de Moulin l'Étang ? Quant aux colis que la pauvre âme recevait, on y trouva des livres de maintien, des disques de musique classique (elle avait un faible pour Verdi), de la laine à tricoter et de la vaisselle en cristal. Et, ô bizarrerie : tout un lot de dictionnaires de langues inconnues par ici.

Jamais les Féquesnoy ne se doutèrent un instant que leur intimité était régulièrement étalée sur la place publique et commentée par les imaginations les plus vipérines de Grand-Anse. Lassée de la lecture des demandes en mariage et des réponses, toutes frustes, venues de là-bas auxquelles la jeune fille (ou son père) ne baillait pas suite, l'apprentie postière poussa la curiosité jusqu'à ouvrir les lettres en provenance ou en direction de gens vivant à la Martinique même. Elle fut déçue : ce n'était que condoléances à des familles d'En Ville, factures diverses et feuilles d'imposition. Bientôt, le monde se désintéressa des amours épistolaires de mademoiselle Féquesnoy et s'employa à défricher d'autres champs de ragots concernant d'autres personnes puisque dans ce genre d'affaire, à chacun son tour. La postière avait acquis une technique infaillible, améliorée au fil des mois, pour repérer l'écriture de la jeune fille, ranger son courrier avec prestesse à l'écart du reste dans une vieille boîte à chaussures, attendre l'heure de la sieste pour passer sa langue sur la fermeture des enveloppes afin de les humecter puis les mettre tout entières à tremper, le temps de compter jusqu'à cinq, dans une petite bassine d'eau citronnée, enfin les en ôter et les ouvrir délicatement à l'aide d'un taille-ongles. Pour le déchiffrement, elle s'aidait de la première maquerelleuse qui passait car elle ne devait sa place qu'au chaloupement troublant de son arrière-train et non à des dons particuliers en matière d'écritures. La refermeture des enveloppes était plus difficile. Elle requérait un doigté tel, une telle science du maniement de la colle que plus d'une redoutait le moment fatidique où En Ville nommerait un fonctionnaire en titre. Même si elle se montrait aussi compréhensive que la petite, assurait Man Léonce, qui nous garantit qu'elle saura recoller les lettres sans que les Féquesnoy s'en aperçoivent ? Le tout n'est pas de décoller, c'est un jeu de patience, c'est recoller qui est tout. Il suffit de mal disposer la colle et un renflement suspect peut se produire, mes commères. On en vint même à proposer à l'apprentie postière d'enseigner les rudiments de son savoir-faire à deux ou trois jeunesses de son âge qui avaient la peau des mains encore fine. Paresse ou manque de temps, cette mesure ne fut jamais mise à exécution et ces dames ne furent tirées du désennui que par l'œil acéré de l'apprentie postière. Elle avait remarqué qu'un négrillon de la Rue-Derrière lui portait, à intervalles réguliers, de belles enveloppes bleu clair à timbrer qui tranchaient sur la blancheur assommante de tout le restant du courrier. Au début, elle l'avait cru quand il lui avait lancé d'une voix haut perchée :

« Manman te dit de poster ça pour elle, s'il te plaît. »

Ce qui l'aiguilla peu à peu sur le chemin de sa découverte, c'est le fait que le gamin lui présentait toujours une pièce de cinquante francs et qu'il enfouissait la monnaie avec avidité au fin fond de ses poches. Elle en vint à l'interroger adroitement mais, très imbu de sa mission, il refusa tout net de lui expliquer pourquoi sa mère utilisait de si belles enveloppes pour envoyer de ses nouvelles à des gens d'En Ville. Pour la France j'aurais compris, ajouta-t-elle, mais pour ici c'est du gaspillage. Ensuite, les pleins et les déliés des adresses l'intriguèrent longtemps, jusqu'à ce qu'elle réalise que l'expéditrice de la lettre déguisait son écriture. Chaque lettre semblait avoir été tracée avec une lenteur étudiée, le tout dégageant un aspect peu naturel, voire artificiel. Trop occupée à soustraire les lettres de l'aînée des Féquesnoy de l'ensemble du courrier, elle oublia vite ce petit mystère jusqu'à ce que le négrillon fasse une nouvelle apparition devant son guichet. Un jour, elle lui demanda :

« Ta manman, elle travaille où ?

– Sa pa ka gadé'w ! (Cela ne te regarde pas !) rétorqua l'effronté.

– Un joli petit garçon comme toi, comment se fait-il que tu sois aussi mal élevé, hon-hon-hon !

– ....

– Bon, je t'offre le timbre pour aujourd'hui, tu peux garder ta pièce. »

Le négrillon coquilla ses yeux, prit la pièce avec prudence et tourna les talons. Le stratagème de l'apprentie postière ne porta ses fruits que la semaine suivante. D'entrée, il déclara :

« Manman repasse le linge pour la famille Féquesnoy, madame.

– Ah bon ! Mais qu'est-ce qu'elles font de leurs dix doigts toute la sainte journée, les trois mamzelles Féquesnoy ?

– Elles sont gentilles, tu sais... la plus grande, elle joue de la musique d'enterrement sur un piano, les autres lisent.

– Bravo ! Si je comprends bien, seule les petites négresses-tête-sec comme moi sont obligées de travailler pour gagner leur vie. »

Il lui démangeait de savoir ce qu'une simple repasseuse pouvait bien avoir à raconter à ceux d'En Ville. L'ouverture des enveloppes bleues se révéla une véritable catastrophe. Le passage à l'eau les décolorait et, au recollement, elles avaient la fâcheuse tendance de se froisser. Toutefois, leur contenu surprit tant et tellement la concubine du maire qu'elle surmonta en six-quatre-deux sa panique. Elle dut lire dix fois d'affilée la première missive, écrite aussi sur du papier bleu, avant d'en informer Man Léonce, la boulangère dont les commérages avaient déjà défait des ménages, brouillé à vie des frères jumeaux et poussé au désespoir maintes personnes au-dessus de tout soupçon. La stupéfaction la saisit à son tour et ses mains soubresautèrent sur le guichet de la poste tandis qu'elle fixait les lignes serrées dans lesquelles la fille aînée de l'illustrissime notaire de Grand-Anse décrivait, sans béjaunerie aucune, les tourments d'amour que lui infligeait René-Couli. Cette découverture était si importante, si grosse d'orages futurs que Man Léonce fit jurer à l'apprentie postière de n'en souffler mot à quiconque.

« Une Féquesnoy qui fait la vie avec un couli, vous vous rendez compte ! UNE FÉQUESNOY, OUI ! » murmura-t-elle.

Elle finit par s'entrouvrir à son amie-ma-cocotte Eau de Café qui fut tout aussi désemparée qu'elle. Les deux bougresses parvinrent à garder le secret deux bons mois, se délectant avec l'apprentie postière, des émouvations si crûment exprimées de celle que tout le bourg de Grand-Anse s'imaginait être à la fois vierge et vieille fille. En plus, mademoiselle était une formidable rusée : elle dissimulait son écriture, faisait poster ses lettres par un gamin, lettres qui étaient adressées à des amies d'En Ville, chargées à leur tour de les transmettre à René-Couli lorsqu'il descendait à la Pointe Simon récupérer des bœufs-Portorique. Y avait-il des réponses et comment parvenaient-elles à l'aînée des Féquesnoy ? Cela personne ne le savait, d'autant qu'il était douteux que ce couli-mangeur-de-chiens sût lire et écrire. Pour autant que l'on se souvînt, il n'avait été qu'à l'école des savanes et ne parlait que le créole (et le tamoul dans ses cérémonies diaboliques). Mais force était de reconnaître que son statut avait changé depuis le finissement de la deuxième guerre mondiale. Il avait ouvert un étal de boucherie au Grand Marché et s'était acheté une 403 Peugeot bâchée qu'il tenait rigoureusement propre bien qu'elle transportât plusieurs fois par semaine des carcasses sanguinolentes. S'il avait conservé son temple hindou au quartier Long-Bois, il s'était fait construire une maison en dur à deux pas de l'abattoir et bénéficiait de l'estime générale pour avoir mis sa nombreuse famille à l'abri des intempéries et du besoin. Comme cela, commentait-on, le gouvernement ne nous purgera pas pour leur fournir des cartes d'indigent et des bons d'aide médicale gratuite. Malheur pour lui, sa concubine ne se fit jamais à cette nouvelle vie et retourna avec ses enfants dans sa commune natale de Macouba. Les mauvaises langues trouvèrent évidemment matière à déblatérer sur le fait que « les coulis ne se sentent bien que dans la crasserie ». Comme l'Indien avait cessé de boissonner et ne fréquentait plus les bars de la Rue-Derrière, il s'enferma dans une solitude phénoménale qui réussit à apitoyer une bonne partie des gens du bourg. D'ailleurs, on ne disait plus « René-Couli » d'une voix riarde mais « Monsieur René ».

Le journal de l'aînée des Féquesnoy fit donc les délices de nos trois commères qui mirent en commun leur mince bagage scolaire pour pénétrer par effraction dans les rêves de la jeune femme :

6 juin 1952

« Père est un être torturé. Il suffit qu'il entende le tambour de Major Thimoléon pour qu'il soit pris de palpitations. Son front se couvre de sueur, ses poils se hérissent, il hoquette, cela jusqu'à ce que je lui apporte ses cachets et un verre d'eau. Il me presse alors de me mettre au piano et m'autorise à jouer ce qui me plaît, même Schubert qu'il tient en piètre estime. Tout le temps que le tambour bat, il se sent malade. Mes sœurs rient sous cape, cachées derrière leurs livres. Virginie est plongée dans “La porteuse de pain " pour la cinquième fois et je la soupçonne de se forger ainsi des larmes à bon marché. Émeline et elle ne sont que deux nigaudes qui ignorent tout du monde réel. Grâce à toi, grâce à tes mains si rudes, je commence à le comprendre. Merci de ta compassion. C'est peut-être le début de l'amour. »

9 juin 1952 :

« Je t'ai vu passer hier matin à belle heure. Où courais-tu ? En quels bras allais-tu te livrer ? J'ai peine à croire que cette bornée de Passionise accepte de te recevoir dans sa couche, même à la faveur du devant-jour. Elle connaît les quinze injures qui grafignent l'honneur des Indiens. Elle ne se prive jamais de les lâcher même quand il n'y a personne de ta race dans les parages. Pour le plaisir de blesser son prochain. Cette femme-de-tout-le-monde est la méchanceté pure. Tout le contraire de Myrtha. D'ailleurs, a-t-elle jamais eu cesse de faire tourner la tête aux abbés de Grand-Anse ?

« Je ne voudrais pas m'imaginer non plus que tu allais à la rencontre de cette Mariane-la-peau-figue prise d'enfollement qu'est Antilia. N'oublie pas qu'elle est sortie tout droit des entrailles de cette mer maudite qui ronge les murs de nos maisons. Quelle idée Père a-t-il eue d'y adosser la nôtre ! Parfois, quand le sommeil ne parvient pas à m'envelopper, j'observe l'échevellement de ses vagues qui trouent sans relâche le faire-noir et je me prends à penser qu'elle nous engloutira un jour sans crier gare.

« Tes mains ont laissé des empreintes de tendresse sur ma peau. Elles me lancinent encore les hanches. A en défaillir... »

12 juin 1952

« Je ne peux pas finir ma vie dans cette geôle. J'étouffe de chaleur, du bruit de la mer, des jacasseries de mes sœurs, des ricanements de mon père. Il n'y a que les brefs moments que tu m'accordes pour me permettre de ne point sombrer. Père ne se méfie plus guère. Il part, l'esprit tranquille, à ses réunions du conseil municipal ou à ses parties de baccara chez le Blanc-créole de Médeuil. Il envisage même de ne plus

nous traîner derrière lui lorsque ses obligations notariales le conduiront En Ville. Mes sœurs et moi sommes pareilles à trois bougies qui se consument dans l'ombre d'un reposoir de campagne. Rares sont les voyageurs qui s'arrêtent pour y prier. Rarissimes. Il y a eu Thimoléon au débouché de la guerre mais Père ne voulut pas de lui parce qu'il est un nègre et moi non plus parce qu'il n'est qu'un nègre-grosso-modo. J'ai peur car ma bougie a commencé à brûler la première. Peur qu'elle ne s'apprête à s'éteindre. Aide-moi. Je veux partir d'ici et vivre ta vie. Avoir des enfants qui auront ta démarche et la fureur contenue de ton regard. Je hais la mulâtraille, ses pompes et ses œuvres. Cette année, je n'irai pas au grand bal qu'elle donne En Ville à la Saint-Sylvestre. Je m'aliterai et Père aura beau s'encolérer comme vingt diables de me voir perdre l'occasion de rencontrer les plus beaux partis de la Martinique, je ne bougerai point.
« Virginie croit tout savoir de l'amour. Elle m'a dit que la première fois cela fait très mal. " Comme lorsqu'on se brûle avec un fer à repasser "... »

8 juillet 1952

« De tous les saints dont tu me parles, c'est à Nagouloumira que va ma préférence. J'admire la férocité de Maldévilin, la grâce de Kali, la prestance de Madouraïviren, la splendeur de Mariémen mais Nagouloumira est plus nôtre, plus créole que les autres. Pendant la traversée, il a protégé les tiens de tous les dangers. Ici, il est devenu Nagouloumira c'est-à-dire, en plus d'être musulman et hindou, Blanc et nègre. Nègre parce " agoulou " signifie " N'goulou " qui veut dire " cochon " en kikongo. Blanc parce qu'" agoulou " vient en même temps du français " goulu " qui a lui aussi le sens de " vorace ". Dans Nagouloumira, je vois " Ra " musulman, " goulou " français et nègre, " mira " hindou. Ne ris pas de mes élucubrations lexicographiques! Quand j'ai passé mon premier bachot, j'ai obtenu le prix d'excellence en grec et en latin. Hélas! Mon père m'a retirée du Pensionnat Colonial parce qu'il craignait que la ville ne finisse par dévergonder sa fille aînée. J'ai gardé la passion des mots et de leurs racines. Je préfère me plonger dans les dictionnaires au lieu de dévorer des romans à l'eau de rose comme Virginie. J'ai passé commande d'un dictionnaire de tamoul, ainsi je déchiffrerai le sens de tes incantations. « Que Nagouloumira te protège, mon bien-aimé! »

20 juillet 1952

« Père me dégoûte. Chaque soir, il fait Virginie et Émeline venir dormir à tour de rôle dans sa chambre. Il a toujours eu peur de moi et d'aussi loin que je m'en souvienne, il ne m'a jamais regardée dans le blanc des yeux. Émeline, la pauvre, est tout le portrait d'une rose alamanda flétrie. Tantôt elle rêvasse par la fenêtre en contemplant la mer, tantôt elle lit à haute voix des passages de l'Évangile en déambulant à travers toute la maison. Je t'en prie, viens à mon secours. Je me sens si seule que parfois, il me vient l'envie d'imiter le geste fatal d'Émilien Bérard. Ce n'est pas le courage qui me manque, c'est de penser à toi qui me retient. »

Au bout de quelques mois, Man Léonce, Eau de Café et quelques autres amies-ma-cocotte formèrent une délégation pour se rendre chez le notaire. Il fallait que quelqu'un l'informât de l'ignoble liaison entre sa fille et ce René-Couli. Certes, son échec concernant le cas de Bogino l'avait discrédité mais rien n'interdisait de penser qu'il gardait encore quelque accointance avec les esprits malins. Un couli, c'est encore plus sournois qu'un mulâtre, c'est dire! Maître Féquesnoy affecta de ne point s'étonner de la visite de ces femmes endimanchées en plein mitan de la semaine. Il fit montre de la plus extrême civilité, offrant du vermouth et des biscuits-champagne. Il écouta sans broncher, ne posa aucune question, ne mit aucunement en doute leurs révélations, émit quelques propos anodins sur la bonne marche des affaires municipales et les raccompagna sur le pas de sa porte comme un vrai gentleman. Man Léonce, qui l'épia de l'étage de sa boulangerie, affirma que pas une mouche ne vola dans la vaste maison bourgeoise des Féquesnoy. Un seul élément inhabituel révéla au Grand-Ansois que quelque chose de grave s'y préparait ou peut-être, s'y déroulait : le notaire avait fermé portes, fenêtres et persiennes baillant sur la Rue-Devant, chose qui, en toute logique, l'obligeait à ouvrir celles qui faisaient face à la mer. Celles que personne ici ne se hasardait jamais à déclouer tellement le vent échappé de Miquelon vous déraillait en une miette de temps votre linge, votre argenterie et la glace de vos miroirs. A la brune du soir, la repasseuse et son gamin sortirent, la figure marquée par la tristesse. Nul n'osa les questionner. On vit alors le négrillon se diriger vers l'étal de boucherie de Monsieur René et lui tendre une enveloppe, avant de rattraper à toutes jambes sa mère. Les boissonniers firent silence au bar de Ti Fène Auguste. Le monde entier retenait son souffle. L'Indien semblait cloué sur place, un large couteau maculé de sang d'une main, la missive de l'autre. Au bout d'un temps que Radio-bois-patate jugea infinissable, il s'avança sur le trottoir qui faisait face à la demeure des Féquesnoy et se mit à hurler :

« Cette mamzelle-là est folle ! Elle est folle, oui !... Je n'ai jamais parlé avec elle, je ne connais même pas la couleur de ses paroles ni la forme de son corps. Demandez-moi si elle est une femme membreuse ou si elle est maigre comme un tasseau, je ne suis pas foutu de vous le dire. Alors de quoi ce mulâtre-là m'accuse, hein ?... Monsieur me convoque en duel pour demain matin ! Où vais-je prendre un pistolet ?... Hé, Féquesnoy, sors un peu dehors, s'il te plaît ! Je veux que tu dises à haute voix ce que tu me reproches. ALLEZ, SORS, FOUTRE ! »

La maison Féquesnoy demeura obstinément close et l'ancien prêtre indien continua ses menaces et ses supplications jusqu'à une heure avancée de la nuit. Il jurait n'avoir jamais équivoqué avec l'aînée et prenait à témoin tous ceux qui passaient dans la rue. Personne, même pas Major Bérard, ne voulut partager son émoi, alors qu'il était de tout temps un fidèle passager du « Golem ». Le monde finit par aller se coucher et le bruit courut que Monsieur René s'affala dans un caniveau après avoir ingurgité trois litres de rhum. Au devant-jour, deux détonations rapprochées firent taire un instant le vacarme de la mer de Grand-Anse. Chacun prolongea son séjour dans son lit, certains tentant même un second sommeil pour ne pas avoir à se mêler de ce qui, à coup sûr, devait s'être transformé en tragédie. Les deux taxis-pays de Grand-Anse traversèrent le bourg sans corner et beaucoup d'enfants n'allèrent pas à l'école. La boucherie de l'Indien et la demeure du notaire demeurèrent fermées toute la journée, puis le jour suivant et le surlendemain. Au quatrième jour, maître Féquesnoy dégara sa vieille Studebaker, y embarqua ses filles et quelques mallettes avant de filer vers une destination inconnue sans saluer quiconque. Au bout de quinze jours, le Mussolinicule fit savoir que « monsieur le premier adjoint était parti en congé administratif en France » bien que Féquesnoy ne relevât d'aucune administration. La vie reprit son cours jusqu'au jour où Bogino, comme à son habitude, signala le cadavre d'un homme à l'en-bas de l'hôpital, là où la mer est si traîtreuse qu'on avait renoncé à compter le nombre de Blancs-France qui s'y étaient noyés.

« Pèsonn lakay mwen pa pèd! » (Personne de chez moi ne s'est perdu!) fut la réponse unanime qu'il recueillit.

S'armant de tout son courage, Eau de Café fit appel à la gendarmerie qui ramassa le cadavre et conclut, sans enquête, à la noyade. Elle fut la seule à veiller le corps au presbytère avec Adelise, la bonne nonagénaire et l'enterrement se fit à la sauvette une après-midi où un match de football avait attiré presque toute la population au stade de la commune voisine de Fond d'Or. Le fossoyeur refusa d'enterrer René-Couli dans la fosse commune car ceux qui y reposaient, bien qu'ils fussent des miséreux, avaient tout de même été des chrétiens au cours de leur existence terrestre. On ensevelit donc le corps de l'Indien dans un carré maudit du cimetière. Celui où reposaient les nègres excommuniés, les quimboiseurs, Tanin le mahométan, père d'Ali et maintenant ce zélateur de la déesse Kali. Ce fut encore Eau de Café qui lui paya un cercueil en bois de caisse et fleurit sa tombe avec un seul et unique hortensia cueilli à la hâte dans un petit jardin dépourvu de clôture.

« Isiya dwèt modi pou tout bon! » ronchonna le fossoyeur (Ici, on doit être maudits pour de bon!)

appui sûr, devait être transformé en [illegible] des pays de Grand'Anse [illegible] sans compter beaucoup d'habitants n'allèrent pas à l'école. La boulangerie de [illegible] [illegible] demeurèrent fermés toute la [illegible] [illegible] le lendemain. Au quatrième jour, maître Fequesnoy [illegible] fils Sandeb-[illegible] [illegible] que ses filles [illegible] avant de filer [illegible] [illegible] inconnue [illegible]. Au bout de quinze jours, le [illegible] fit savoir que [illegible] le premier [illegible] [illegible] administratif en France [illegible] [illegible] [illegible] [illegible]. La [illegible] [illegible] [illegible] Bogotá [illegible] [illegible] [illegible] homme [illegible] [illegible] de l'hôpital [illegible] [illegible] [illegible] [illegible] de [illegible] Blancs-France qui s'y étaient noyés.

[illegible] pas [illegible] de chez moi ne s'est [illegible] [illegible] qu'il [illegible].

[illegible] [illegible], [illegible] des Cadets [illegible] appel à la [illegible] [illegible] [illegible] [illegible] [illegible] la noyade [illegible] seul à veiller le corps au cresyl avec Adelise, la bonne [illegible] et l'enterrement [illegible] [illegible] [illegible] [illegible] [illegible] [illegible] toute la population au stade de la commune voisine de Fond d'Or. Le fossoyeur refusa d'enterrer René-Cold dans la fosse commune où ceux qui y reposaient, bien qu'ils [illegible] [illegible] tout de même [illegible] au cours de leur existence terrestre. On ensevelit donc le corps de [illegible] dans un [illegible] du cimetière [illegible] où reposaient les nègres [illegible], les [illegible] [illegible] le [illegible], père d'Ali et [illegible] et [illegible] de la [illegible] Kali. On fit encore [illegible] ce [illegible] un [illegible] de [illegible] et [illegible] sa tombe [illegible] [illegible] [illegible] à la hâte dans un [illegible] de [illegible] de [illegible].

[illegible] [illegible] le fossoyeur [illegible] [illegible] [illegible] de bon.)

21

Regarde cet homme qui trébuche entre les tables de jeu et qui ne semble voir personne, pas même toi, le dérangeur de tranquillité, me fait Thimoléon, me happant. Écoute ses paroles, écoute-les lorsqu'il se met à hurler : « Où sont-ils ? (ses mots plus lourds que le tambourinage de la pluie sur la toiture de tôle ondulée d'une case). Alors comme ça, ils ont foutu le camp d'ici, messieurs et dames, ils ont retiré leurs pieds un matin tels des malandrins et puis pas un qui ait condescendu à m'expliquer quoi que ce soit. Rien ! Vous m'entendez, rien ! Oui, un matin, mes bougres ont pris leur meilleur linge, ils se sont attifés, ils ont mis des souliers et en avant ! Comme s'ils voulaient parer au plus pressé. Voilà ce que j'ai affronté, bondieu de bon sang ! »

Ne lui ricane pas encore à la figure comme le fait le menu fretin des joueurs car, si tu observes bien, tu t'apercevras que les majors, eux, sont sur le qui-vive et cela n'est nullement dénué de sens. Rien ici n'est dénué de sens, tu le sais dorénavant. Dans la comédie de ce jour de fête au marché, il y a rassemblée là toute la vérité de ce peuple tien c'est-à-dire son impasse. Il y a cet homme qui crie : « Dites-moi quelque chose, mais faites marcher votre langue... Quand c'est pour marchander des ragots, tout le monde y va mais dès qu'il s'agit d'une affaire sérieuse, on se coud les lèvres. Croyez pas que j'ignore ce qui vous fait couarder ! »

Ce qui devait arriver arrive. Tu t'en doutais peut-être. Monsieur le maire s'amène, sa toque mussolinienne sur le crâne et les reins ceinturés de son écharpe bleu-blanc-rouge par-dessus sa belle veste de pure laine, curieusement suivi par etcetera de gamins qui entonnent déjà un refrain de dérision : « Monsieur Julien Thémistocle, retiens ton mors, monsieur le maire galope après toi ! O monsieur Julien Thémistocle !... » Comme si dans sa saoulaison, Julien Thémistocle, le chef des tafiateurs de Grand-Anse, aurait entendu autre chose que l'écho de son propre délire et, même s'il l'avait pu, les beuglements d'un bœuf que René-Couli égorgeait à l'abattoir municipal l'aurait fait sursauter comme tout un chacun. D'ailleurs, le voilà qui reprend son antienne : « Où sont-ils ? Où donc le BUMIDOM les a-t-il charroyés ? BUMIDOM, bureau de minage des départements d'Outre-Tombe, ha ! ha ! ha ! Dites-le-moi, messieurs, vous les gens de bien, vous qui prétendez parler français mieux que les Blancs-France... Comment ? Vous vous taisez, vous à qui le père Le Gloarnec baille le Bondieu sans confession tellement vous avez le cœur enflé de droiture. Dites-moi quelque chose, merde ! »

Tiens, voilà monsieur le directeur d'école qui trottine avec son nœud papillon, qui se place à droite de monsieur le maire, roide, la sueur lui dégoulinant de ses cheveux crépus à ses lunettes fumées et sa rosette de la Légion d'honneur. Monsieur le maire lui tapote l'épaule et lui murmure : « Prépare-moi deux mots et quatre paroles, Mathurin, tout à l'heure, faudra que je leur fasse un brin de discours. » Monsieur le directeur d'école sourit de toutes ses dents en or : « Au service de la Patrie, monsieur le premier édile ! » Maintenant tout le bourg s'est massé devant l'entrée principale du marché, croyant à quelque manifestation officielle impromptue. Des fouillailleurs allongent le cou à l'intérieur pour tenter d'apercevoir la scène et l'un d'eux s'écrie : « Ha ! ha ! ha ! Je crois que cette fois-ci, monsieur le maire va foutre Julien Thémistocle hors de la commune pour de bon. Ce vieux couillon de hors-la-loi nous a assez emmerdés »... Et Julien Thémistocle, tu le vois verbiager de sa voix de grage à manioc : « Bande de je ne sais quoi ! Ma-commères ! Ne me faites pas prononcer l'injure qui a fait dégringoler les génitoires d'un abbé ! Vous m'envoyez le chef de la commune, c'est tout ce que vous avez déniché dans vos cabèches de nègres. Hon! Un jour, mes fils que vous avez expédiés là-bas, dans la froidure, ils reviendront vous demander des comptes. Oui, c'est bien ce que vos oreilles ont entendu : des comptes!... parce que ma famille a un sacré renom dans ce pays. Ne malmenez pas le titre de Thémistocle, n'ouvrez pas votre ratière de bouche pour dérisionner le cul de ma marraine, non, je suis pas baptisé... ha! ha! ha!... Le matin de mon baptême, ma marraine, Floraline Ladouceur, une bougresse de Morne Bois, a attrapé la mort subitement sur le chemin de l'église avec ses vêtements qui sentaient la naphtaline à deux pas et son chapeau de France. Une mort pleine de gamme et de dièse, non? Depuis ce temps-là, on m'a déclaré maudit. Maudit! Ha! ha! ha!... je vois, maintenant toutes les parties sont arrêtées. Les dés sont rentrés au fond des poches, les cornets ont été renversés pour que personne ne puisse y enfourner une parole endiablée en douce... »

Mon garçon, quand tu entends ça, sache que l'on s'apprête à rire un bon coup car désormais la tension ne fera qu'augmenter à mesure que la journée s'avance. Ris toi aussi, ainsi tu feras un nouveau pas dans la réintégration du giron nègre. N'oublie pas que c'est le rire (entre autres) qui a fait de nous un seul peuple! Armé donc de mademoiselle Sossionise, la chanterelle du presbytère et de compère Ali Tanin, le bâtard-Syrien, c'est presque le conseil municipal au grand complet qui s'est déplacé pour rétablir la loi au marché. Regarde monsieur le maire rehausser les bretelles de son pantalon, épousseter son écharpe tricolore et s'ériger des lunettes sur le nez alors qu'il a la vue aussi perçante qu'un mensfenil. Regarde, fébrile, griffonner le directeur d'école sur un coin de table sous le regard admiratif de la population. Regarde tout ce cirque et dévide un paquet de rires par terre jusqu'à ce que la maréchaussée intime à tous l'ordre d'ouvrir les trous de leurs oreilles.

« Fouançais, Fouançaises, chers compat'iotes, commence monsieur le maire, si je prends la peine de monter aujourd'hui sur ce rocher de roches, ce n'est pas pour vous dire des couillonneries mais pour estigmatiser l'attitude infâme de Témistòk'. Ce chien de comminis' de Témistòk' n'a aucun respect pour not' fête nationale puisqu'il est aux o'dres de Moscou. Oui, je le répète haut et fort, de Moscou! Nous qui savons que la Seine prend sa source au mont Gerbier des Joncs, nous qui admirons la pucellité de Jeanne d'Arc, nous qui devons la vie à Godefroy de Bouillon qui arrêta les Arabes à Roncevaux...

– Charles Martel, pas Godefroy, lui murmure le directeur d'école, troisième adjoint de son état.

– Nous qui sommes des Fouançais de bonne qualité, nous qui avons pleuré quand Charles Martel a été battu à Waterloo, nous qui avons suivi le général de Gaulle en dissidence...

– Oué! Oué-é-é! approuve la foule.

– Qui avons suivi Charles de Gaulle à la nage jusqu'à Lond'es, nous ne pouvons accepter d'être bafoués en ce jour immo'tel du 14 Juillet par un ivrogne de la marque de Témistòk'... (trouve-moi un subjonctif, grogne-t-il en direction du directeur d'école)... souvent-souvent, je lui ai demandé de cesser de nous emmerdationner mais le bougre ne veut rien entend'e. Il défie le drapeau sacré de not'e mère pat'ie, la Fouance. Je le somme de quitter immédiatement le territoi' de ma commine. Allez, ouste! Ouste, Témistòk'!...

– Il eût fallu que nous procédassions bien plutôt à cette expulsion afin que nos enfants n'imitassent point les macaqueries de Julien Thémistocle, lui glisse son troisième adjoint.

– Il eût fallu que nous possédassions, entame aussitôt le maire, des biens plus tôt au lieu que nous expulsassions nos enfants afin qu'ils n'imitassiont pas les macaqueries du sieur Témistòk. »

Applaudis quand tu vois la dévergondation de la foule subjuguée par cette volée de subjonctifs imparfaits – imparfaits dans leur construction bien sûr, ha! ha! ha! –, ne reste pas là, la gueule grande ouverte, plus interloqué qu'un nègre-Congo devant un verre d'orgeat. C'est ton peuple, le seul que tu aies et tu te dois de l'accepter tel qu'il s'expose. A côté de ses petitesses, il nourrit de fabuleuses mythologies à faire pâlir d'envie les anciens Grecs, et le mystère de notre mer bréhaigne (n'ajoute pas celui de la noyade d'Antilia, je t'en prie!) n'est que l'une d'entre elles. Autant dire que même si ton rêve fou d'élucider tout cela s'accomplit, tu te retrouveras avec encore cent autres interrogations à te lanciner toute la sainte journée et, tout comme moi, tu baisseras les bras et attendras la fin de cette baguenauderie. Car elle aura un finissement, sois-en persuadé, elle nous emportera tous dans une tourmente indescriptible que même les mots savantissimes que tu as appris en Europe seront impuissants à cerner. Joue pendant qu'il est encore temps! Roule les dés et convoque le onze comme si de rien n'était. Le faire-semblant est notre connivence à nous, les nègres créoles...

Ah, je sais! Je sais! On te baillera volontiers une autre mouture de cette histoire selon la coutume de céans. On t'expliquera : monsieur le maire rehausse les bretelles de son pantalon, époussette son ruban et se campant devant le boissonnier déclare : « VENI-VIDI-VICHY! Citoyen... Julien Thémistocle, dit graine de chacha, dit monseigneur du tafia, je vous fais part de ma très vaste estatufaction devant votre troublement de la voie répiblicaine et, en sus, comme foi de quoi, je vous redresse un procès-verbal de suite. » Julien Thémistocle, pas démonté pour un sou, rétorque : « Le tchou de ta mère! » Éclats de rires du public, applaudissements. La bande de gosses enchaîne : « Hé, Julien Thémistocle! Debout mon vieux, le rhum va te conduire chez toi. » Monsieur le maire plastronne sur ses ergots et revient en scène : « Devant l'obscénation de ce monsieur et... son refus d'obtempérance à la fo'ce piblique, je décide solennellement et démocratiquement de le remettre dans les verrous de la loi fouançaise. Messieurs La-Loi, faites vot' devoir! » « Ne me touchez pas, vous entendez! Touchez pas à la pointe d'un seul de mes orteils parce que je jure que je décapite net l'un de vous! Ha, mussieur li maire, vous êtes comme si dirait estatufié par mon troublement de l'ordre, vous avez sorti votre toile bleu-blanc-rouge pour... » L'édile suprême hurle : « Communiste! Tais-toi! » « ... pour faire de l'estomac sur moi. Hein ? C'est ça que vous voulez ? » Monsieur le directeur d'école enlève ses lunettes fumées, sort ses lunettes de vue cette fois-ci de sa poche de devant, se les met sur le nez, ouvre un livre qu'il tenait sous le bras et d'un geste impérieux qui impose le silence à la piétaille, commence : « Monsieur Julien Thémistocle, permettez-moi de vous citer devant cette assemblée spontanément réunie une belle et profonde page de notre grand, sublime et visionnaire poète, j'ai nommé Albert Samain. La gloire, l'honneur et la fierté de notre patrie éternelle, mère des arts et des lettres, comme nous le savons tous. Cela s'appelle... » Soudain, un bœuf se met à mugir avec fureur à l'abattoir municipal. Monsieur le directeur d'école ôte ses binocles en soufflant, tout en discrétion, sur l'un des verres et se croise les bras en attendant que la bête se calme. La colère étouffe monsieur le maire : « Faites taire cette isalope d'animal ! En plein conseil municipal l'aut'jour, je n'ai pu pa'ler une seule parole de galanterie pour le vin d'honnèr des sapeurs-pompiers de la commine à cause de ces vè'mines qui hélaient, hélaient. Premier adjoint, faites taire l'abattoir ! » Le demi-Syrien répond : « A vos ordres, pou'la Fouance, monsieur lu maire ! » Il entreprend de courir à toutes jambes afin d'accomplir sa haute mission tandis que les gamins lui dédient une chanson : « Ali Tanin, mon vieux, les coulis vont te saigner. »

Entre-temps, Julien Thémistocle s'est, avec peine, remis sur ses jambes, il s'est frotté le grain des yeux et, voyant enfin devant lui toutes ces personnalités, s'avance et serre les mains à chacune d'elles, figées d'ahurissement. On applaudit à tout rompre. Le marché et la rue ne sont plus qu'une averse de canailleries. L'amateur de rhum se carre en face de monsieur le maire et lui déclame un poème de Charles d'Orléans, la seule chose qu'il ait retenue de son bref passage à l'école :

En regardant vers le pays de France
Un jour m'advint, à Douvres sur la mer,
Qu'il me souvint de la douce plaisance
Que souloye au dit pays trouver.
Si commençai de cour à soupirer,
Combien certes que grand bien me faisoit,
De voir France que mon cœur aimer doit.

Soudain quelqu'un s'écrie :

« Tous les couillons ont crevé à Saint-Pierre! »

Le Mussolinicule, fou de rage, balbutie :

« Ar...arr... arrrrrêtez cet insi... insignifiant! La-Loi, foutez-moi ce moscoutaire à la geôle!... non, pétez-lui son écale, il va finir par rester dans un coin. »

Julien Thémistocle fend la foule et s'enfuit à la vitesse d'une mèche en direction d'En Chéneaux, vers la campagne environnante suivi de la meute de gamins. Mais déjà les joueurs sont revenus aux tables. L'intermède est clos. Retour aux choses sérieuses. Dans la nuit qui rampe, tu dois savoir qu'il y a une sourde peur qui étreint la peau des ventres, qui fait craquer les doigts sans raison et c'est grâce à elle qu'on demeure veillatif. Tiens-toi prêt à l'affrontement qui t'attend et mesure ta solitude. Qu'elle est grandiose! Onze! Onze! Chiffre de la mort. Symbole mystérieux de la mort que l'on courtise. Conjure-le!...

22

Et si je ruadais! Et si je disais : « Marraine, arrête ton cirque, ça suffit comme ça. J'en ai assez de ton tafiateur de Thémistocle et de ses frasques. » Quand le lait n'avait pas encore fini de dégouliner du bout de mon nez, bien avant que nous ne descendions au bourg, et que je te demandais où était ton homme, tu répliquais, agacée : « Les hommes c'est de la mauvaise engeance, à commencer par ton père, mon cousin, qui préfère vivre à la ville. Hon, très peu pour moi! » ou des phrases sibyllines de ce genre. Je te croyais, je croyais chaque parole de ta bouche, chaque geste de ta main, chaque mouvement de ton corps. Quand tu as déclaré : « Je ne veux plus pourrir dans cette campagne de Macédoine, il faut que j'ouvre une boutique à Grand-Anse », j'ai acquiescé. J'ai même fait des sauts de cabri. Quand tu t'es décidée pour cette maison haute-et-basse, collée à la mer, je n'ai pas hésité à t'embrasser et, dans mon sommeil, au tout début, le ressac modelait mes rêves. D'ailleurs, j'étais le premier levé, j'empoignais le pot de chambre en émail d'Aubagne acheté en catastrophe chez Syrien (à la campagne, nous déféquions au bord de la rivière) et j'allais le vider à marée montante. Je l'emplissais de sable pour le frotter, laissant la vague le renverser, le rouler, puis j'accourais avant qu'il ne soit définitivement charroyé. Un de ces matins, j'avais aperçu une petite fille assise dans le sable comme si elle avait été rejetée là au cours de la nuit. C'était Antilia. Je suis revenu très excité à la maison, criant :

« Marraine, il y a une âme en peine sur la plage, invite-la à venir habiter avec nous. »

Tu as d'abord souri en m'entendant prononcer ton expression favorite d'« âme en peine » puis tu t'es penchée par la fenêtre d'un air sceptique. A notre arrivée au bourg, tout le monde nous avait prévenus :

« Surtout méfiez-vous du sel marin, ça écaille toutes vos affaires, ça moisit le linge, ça donne le rhume, ça dessèche la peau, ça rend les chambres trop humides, donc fermez bien les ouvertures qui regardent la mer. »

Marraine n'en avait eu cure et c'est cela qui nous a perdus, a-t-elle prétendu par la suite car « ce que l'on ignore est plus grand que soi ». Nous avions recueilli la tourmente de l'enfant abandonnée, une tourmente unique pour la raison qu'elle ne s'exprimait jamais par des sanglots ou des criailleries mais par une immense rêverie, tantôt muette, tantôt bourdonnante, droit devant le ventre monstrueux de la mer de Grand-Anse. Marraine et moi étions fascinés. Elle avait eu beau sonder ses cartes, elle n'avait pas trouvé le pourquoi de cette arrivée, ni l'origine ni le nom de l'enfant. Elle décida de la baptiser Antilia.

Thimoléon, dans l'accointance duquel nous venions d'entrer, avait protesté contre cette manière d'adoption et en présence d'Antilia, les poils grisâtres de sa peau semblaient se hérisser :

« Si c'était une marmaille d'ici, ou même de Macouba ou bien de Grand-Rivière, soyez sûrs que sa mère aurait déjà accouru pour reprendre son bien. Pour moi, ce ne peut être qu'une algue qui a volé une forme humaine... il y a tellement de nos enfants qui ont péri dans cette sacrée putaine de mer, hon!

– Mais non! protestait Eau de Café, vous autres les nègres du bourg, vous avez peur de votre ombrage lui-même. Cette chagrineuse dort contre moi la nuit et j'entends son cœur chamader dans sa poitrine quand les vagues se font furieuses. Elle n'est point héritière de la mer! Elle est sans doute venue du sud avec sa mère et celle-ci l'a oubliée là... tant de ces gens montent chez nous s'employer dans les bananeraies. C'est que, dans leur pays, la sécheresse du carême est insupportable et la terre n'est guère donnante. »

Antilia ne fréquenta jamais les rues de Grand-Anse. On aurait dit qu'elle lui tournait le dos en permanence comme pour arborer cette hautaineté qui nous faisait baisser la voix en sa présence. Elle s'asseyait sur le lit de Marraine, scrutant le lointain de la mer ou, mue par quelque force implacable, se rendait sur la plage où elle se creusait un trou et s'y réfugiait jusqu'à l'heure du manger. Le père Bauer, un Alsacien rouge-écrevisse, qui remplaçait Le Gloarnec lorsque ce dernier devait faire un séjour au sanatorium, s'était autorisé à demander des explications à Eau de Café.

« On me rapporte que tu loges un être diabolique, est-ce vrai ? Je ne l'ai jamais vue à la messe, pourquoi cela si tu prétends qu'elle est une gentille petite fille ? Quel âge a-t-elle et pourquoi ne l'envoies-tu pas à l'école ? »

Et des litanies de questions qui avaient le don de mettre Marraine dans une colère de coq-calabraille :

« Man kay koupé grenn ou, wi ! » (Je vais vous châtrer !) lança-t-elle au prêtre, un couteau de cuisine à la main.

Fuite éperdue, attroupement du voisinage, quolibets, médisances, chansons de carnaval.

Marraine m'interdisait de suivre Antilia dans ses pérégrinations. C'est que, bien souvent, elle s'en allait jusqu'au promontoire de La Crabière et on ne la revoyait plus pendant un paquet de jours. Quand elle était de retour, elle riait aux éclats et nous rapportait des grappes de raisin de mer violacées ou des œufs de carette. D'autres fois, elle s'attifait comme une princesse et faisait une escapade à Fort-de-France. Eau de Café ne lui demandait jamais rien mais, le soir, quoiqu'elle fût loin d'être une bondieuseuse, je l'entendais, dans sa chambre, réciter une trentaine d'Ave Maria en compagnie de la fillette. La voix d'Antilia avait des résonances d'une profondeur et d'une doucereuseté impossibles à exprimer. Ce n'était pas la voix d'une enfant, je le jure ! A moi, comme aux autres, elle n'a jamais adressé un seul mot. Pas un seul.

A travers la cloison, contre laquelle je collais mon oreille, me parvenaient des bribes de plaidoiries pour le moins étranges :

« La négraille de Grand-Anse croit qu'il suffit de savoir

que deux et deux font quatre pour survivre. Ils sont enchaînés à une maudition éternelle et ne cherchent même pas à démêler les fils de leur vie, ni à demander des comptes au Bondieu, ni quoi que ce soit. Hon!... pourtant, marraine, je ne mens jamais sur la vérité : nous périrons tous dans cette île si nous continuons à faire des ronds sur nous-mêmes... »

J'hésite pourtant à évoquer le nom d'Antilia de peur de briser tout net la verve d'Eau de Café. A force de parler, elle finira bien un jour par aboutir à ce sujet. Sa langue ne pourra pas constamment l'éviter, ce n'est pas possible. Je lui montre le mot de menaces qu'une main invisible avait glissé l'autre soir sous ma porte à l'Océanic-Hôtel. Eau de Café n'a pas l'air surprise.

« N'en parle pas à Thimoléon! me souffle-t-elle, il est capable d'accuser n'importe qui, surtout les bougres qu'il déteste comme Ali Tanin ou bien le directeur d'école et ça va nous procurer des désagréments à n'en plus finir.

– De qui ça peut provenir, marraine?

– Hon!... à toi de savoir. N'as-tu pas gaspillé ton temps à jouer aux dominos sur le parvis de l'église? Ça t'apprendra à fréquenter les nègres de mauvaise vie. Eux, lorsqu'ils perdent, ils te gardent une rancune-arrache-barbe puisqu'à leurs yeux tu as dérespecté leur vaillantise. Tu les as transformés en petits garçons. Tu as mis leurs fesses buste nu, comme ils disent. Le sèrbi n'est pas un simple jeu, filleul, c'est aussi une diablerie africaine. »

Marraine me conseille désormais de ne plus serrer la main de quiconque sans prononcer dans la seconde qui suit : « Belzébuth, tu n'es ni bel ni beau, je suis plus fort que toi », formule, à l'en croire, imparable. Et si tu te trouves placé dans des circonstances où tu es obligé d'accepter un punch, voici une fiole de chenille-trèfle : Verses-en trois gouttes dans ton verre en catimini...

Hier, un événement important s'est produit : l'une des deux insignifiantes fenêtres de ma chambre a cédé sous les saillies incessantes du vent. Il devait être trois heures de l'après-midi puisqu'une sorte de tapisserie moirée couvrait toute l'étendue de la mer. J'ai fait quelques pas timides vers cette soudaine trouée de lumière et d'embruns mais au moment de m'appuyer sur le rebord de la fenêtre, j'ai déviré en arrière tel un crabe-c'est-ma-faute. Et si Antilia rôdaillait nue sur la plage! Avec elle, jadis, j'avais pourtant découvert que la nudité n'existait pas. Un corps déshabillé est toujours, en effet receleur d'ombres, d'indices, de foyers de chaleur et d'espaces infinis. Surtout un corps noir.

J'ai pris l'un de mes cahiers pour y ajouter ce dont Thimoléon m'avait entretenu le matin même dans la case-à-rhum entre deux gorgées d'absinthe. Il semble avoir vieilli de vingt ans depuis que nous brocantons des litanies incompréhensibles pour nos voisins de table qui ont cessé de nous prêter attention. Tous les boit-sans-soif de Grand-Anse m'ont été présentés, or c'est à peine si j'arrive à attribuer à chacun d'eux son surnom sans commettre d'erreur. Les amateurs de rhum ont l'honneur chatouilleux et font le rasoir parler français au moindre impair, du moins à les entendre, car comme dit le proverbe, la parole n'est jamais une charge pour la bouche qui la prononce.

« Réjouis-toi de l'heureux hasard qui t'a fait revenir au bercail la veille du 14 Juillet, jeune nègre, continue Thimoléon, pétri d'imperturbabilité, car demain-si-dieu-veut, je te conduirai au mitan même de toutes les extravagances et de toutes les pensées les plus raisonnables : le marché. Tu ne reconnaîtras là personne au premier regard. Chacun s'est forgé un masque de dureté, chacun soupèse ses mots comme si le poids de chacun d'eux pouvait faire basculer à tout moment le destin. Les dés règnent en maître. Et surtout le chiffre magique, le Onze, qu'on invoque tantôt avec rage, tantôt avec désinvolture pour amblouser l'adversaire et, tiens-toi bien à l'écart si c'est le sept maudit qui s'obstine à narguer un gouverneur des dés. Ah, le sept! Tout plutôt que lui. Le trois, le cinq, le huit, peu importe! Mais ce crapaud-ladre à sept queues, ce chat noir à sept vies, cette déveine de sept années, on ne veut pas, foutre! Prie en ton for intérieur comme l'ensemble des autres joueurs pour qu'il s'en aille au plus vite et qu'il cesse d'accorer la démonstration du major sinon ce dernier peut laisser une démence scélérate l'envahir et accuser n'importe lequel d'entre vous. Surtout toi, l'inconnu dont peuvent provenir on ne sait quelles calculations sordides! Profitant de l'occasion, il te défiera au combat du damier, il testera ton latin, repoussant une tralée de tables à la recherche de son pas (c'est le premier qui compte car c'est lui qui imprimera à la danse son cours infaillible), relevant le bas de son pantalon en kaki et envoyant voltiger son chapeau en bakoua. Il te lancera : " Te voici, me voilà! ", simulant de mouvements subtils du poignet le déchaînement du tambour-bel-air qui a commencé à rouler dans un coin du marché. " Te voici, me voilà! ", " Te voici, me voilà! ", " Te voici, me voilà! ", sans cesse jusqu'à ce que, accablé sous les regards effilés par la réprobation, tu te décides à entrer dans la ronde toi aussi. Et te voilà bientôt fanfaronnant un " Me voici! " si peu convaincant que certaines femmes, celles-de-tout-le-monde, se mettront à pouffer de rire et à se chuchoter aux oreilles des insanités invérifiables sur ton compte. Ne t'imagine pas que le tambour s'épuisera à t'attendre ni qu'il te gratifiera d'une miette de temps pour ajuster ton coup du pied gauche! Une fois le damier entamé, c'est le tambour qui commande et c'est à vous deux, les lutteurs de lui obéir au doigt et à l'œil. La foule excitée par le tafia et la joie du 14 Juillet ne fera que l'accompagner de ses cris sans pouvoir influer le moins du monde sur le rouler du combat. Tu seras seul face à ta vie ou à ta mort et l'autre nègre, le grand maître des dés, n'aura pas un petit semblant de commisération pour ton ingénuité que de toute façon il croit feinte. Il te tournera autour, esquissera des pas d'une ancestralité inouïe, il damera le sol de son pied d'appui comme un pur-sang cubain pour t'impressionner, il lancera ses bras en avant pour t'emprisonner le tronc et reculera au dernier moment, te laissant pantois et médusé. Ah, il y avait etcetera de temps qu'il avait soif d'un bon combat! Aujourd'hui, ils sont devenus si rares ceux qui savent se gourmer suivant les règles de l'art. N'essaie pas de saisir ce qui t'arrive, ne proteste pas en te disant : " Je n'ai rien à voir avec ces simagrées de nègres attardés. Je ne suis qu'un regardeur comme n'importe qui! " Il n'y a pas d'issue, mon bougre. Tu as été choisi : le sept t'a choisi. A toi de faire face et de lui montrer que ton corps est plus fort que toutes les ironies du mal-sort. Essaie ta hanche, oui, ta hanche car c'est d'elle que tigeront les envolées stupéfiantes de tes jambes au commandement du tambour. Tourne sur ta hanche, tournoie sur toi-même tel un mensfenil qui a repéré une proie au creux de la savane et quand tu as trouvé la bonne posture, laisse le fond de ta poitrine éructer le cri sauvage qui terrifiera les femmes et la marmaille : « Abobo! » Sois sûr que tu auras gagné les faveurs du tambourier et que désormais, il battra pour toi, désarticulant du même coup la superbe de ton adversaire et alors c'est lui qui sera contraint d'adapter ses pas aux tiens, quitte à perdre l'équilibre à chaque rupture de rythme. Mais, attention, les choses peuvent se passer tout-à-faitement d'une autre manière, autrement la vie serait aussi facile à boire qu'un bol de toloman. Le batteur peut feindre de ne pas remarquer que tu es un néophyte et que seul un méchant coup de dés, un chiffre sanguinaire, t'a placé avec soudaineté en si mauvaise posture. Des hommes d'âge mûr et donc obligés de jouer la comédie du raisonnable, lui glisseront de temps à autre : « Mollis pour lui! Allons, baille-lui un morceau de chance à ce jeune nègre! » mais, lui, abalourdi par le rythme du tambour, se cabrera sur le dos de la barrique et continuera à faire la peau de cabri parler français (car, je te le demande, comment résister à l'extraordinaire pouvoir de séduction de la langue de nos anciens maîtres?). Des frissonnades indéchiffrables parcourront la foule assemblée à l'entour de votre joute. Tu auras beau chercher le soutien d'une paire d'yeux, ce sera en vain! Tu ne recevras que des prunelles chavirées de plaisir sous les coups ensorceleurs du batteur ou alors charroyées dans quelque région lointaine de l'âme, quelque part dans la sombre Guinée dont, un jour, une partie de nos ancêtres fut arrachée. Quand l'échauffement arrivera à son terme, le tambourier cognera un son rauque qui vous ensouchera tous les deux l'un en face de l'autre blip! Vous voilà deux poteaux! Deux taureaux-maître-savane qui ont été retenus net par les cornes! Instant sublime qui imposera un silence d'église au sein du marché, minutes interminables, plus longues que le Mississippi, qui te rongeront le cœur afin de t'éprouver et feront couler des avalasses de sueur sur tes tempes. Mets à profit cette embellie pour hurler dans ta caboche : “ Sept, chiffre de fils de putaine! Sept, caca de chien! ” car l’autre, lui, fait appel à son Saint avec des mots d’un idiome inconnu et il attend d’être sa monture lors du combat qui se prépare. Aussitôt que le tambourier vous intimera l’ordre de reprendre la danse de la mort, cette fois-ci pour de vrai, capture le regard de l’adversaire dans le tien avec le maximum de violence et laisse la houle saccadée des battements de ton cœur te happer-te happer. Laisse le bougre tenter le premier coup et feinte avec grâce sa jambe alourdie de talismans de toutes sortes et ris! Ris droit dans sa figure, foutre! Ris en préparant avec soin ta riposte car le trou qu’il a ouvert à hauteur de son foie, c’est par là qu’il te faudra te faufiler tout à l’heure si tu veux le voir se tordre par terre définitivement. Des femmes diront : “ Il rit, c’est qu’il est fort, ce chabin-là ” et commenceront quelque prier-dieu chrétien en ta faveur, leurs deux mains emprisonnant leurs seins oppressés par l’angoisse. Ah, jeune nègre, à cause d’une salope de chienne de vermine de sept, te voilà livré d’emblée à l’épreuve de la danse-combat du damier devant ce peuple tien et tu ne pourrais pas espérer meilleur tribunal. D’autant que depuis que la mort instantanée y a été interdite par les nouvelles lois, c’est sur les traits du vainqueur que l’on lit s’il survivra deux jours ou bien deux mois. Tout dépendra de la tournure que prendra l’affrontement : si tu as été loyal, ton vainqueur pourra calculer son coup au plus juste pour t’éviter à toi d’interminables souffrances et à lui la geôle de la gendarmerie de Grand-Anse avant de rejoindre celle encore plus terrible de Fort-de-France. Mais, sache-le, si tu l’as oublié, au cas où tu te serais permis quelque parade vicieuse comme de feindre de tourner le dos à ton adversaire pour ajuster le pas de ta danse à celui du tambour et en profiter pour lui détendre toute la puissance de ton meilleur pied dans le nombril, alors là, mon vieux, prépare ton corps à une agonie de tortue-molocoye. Il existe un point invisible juste au-dessus de ton sein droit où siège le fil de toute vie et c’est lui que visera le major, non dans l’intention de briser ce dernier mais pour le distendre sans recours. Point très difficile à atteindre car protégé par le renflement du sein par en haut et la naissance des côtes par en bas.

Point rare et donc fort convoité de tous les champions du damier puisque, lorsqu'il est atteint, ô miracle en plein jour!, tu sens que tu pars, tu pars, tu pars, tu pars. Ta tête dérive comme halée par un courant irrésistible, tes veines se sentent gonflées d'un fluide enivrant qui te rend d'une légèreté surprenante à toi-même, tu sens que tu pourrais voler dans les airs si le poids de tes fesses et de tes cuisses ne s'était alourdi de deux tonnes dans le même temps. Cela n'a aucun rapport avec le mal-caduc et ses soubresauts vaguement obscènes, ni avec la crise qui s'empare de la femme légitime au moment où l'on s'apprête à clouer le cercueil de son mari. Rien de tout cela. Il s'agit au contraire d'une ivresse très digne, tellement digne qu'elle en impressionne le monde qui s'écrie : " Han, fil tjè'y pété! " (Ah, le fil de son cœur a été atteint!) On devine que le tambour se métamorphose à la manière du serpent-fer-de-lance qui mue. On découvre qu'il s'affuble de mouvements d'une doucine inconnue jusque-là qui, selon la puissance du coup que tu as reçu, te feras prononcer des propos désordonnés dans un incroyable migan de congo, de créole, de langage-couli, de français et de latin. Mais, je déparle déjà moi-même, jeune nègre, et tu ne m'arrêtes pas! Pourquoi envisager la pire des hypothèses, celle où tu t'approches d'une table où le sept se moque d'un maître des dés et où ce dernier te désigne comme son empêcheur de rouler les dés en rond. Il peut tout aussi bien t'ignorer et choisir ton proche voisin si ton étrangeté ne l'a pas convaincu de son invincibilité. Avec un nègre bien connu de lui, il sait au moins à qui il a à faire et quel genre de combat préparer dans sa tête. A ce moment, tu deviens un regardeur comme tout le monde et là, fais attention à ne pas t'enthousiasmer comme un vulgaire voyageur de passage : battre des mains a une signification très précise au damier. Cela revient à prendre position pour l'un des lutteurs et tenter de distraire son adversaire au moment même où ce dernier s'apprête à lancer sa jambe. En général celui qui ose frapper des mains ne fait qu'envoyer un message à l'adversaire de son favori. Il lui dit simplement : " Compère, si par malheur tu parviens à fendre le foie de mon frère, je serai aussitôt après ton homme! Gare à tes fesses! " Souvent, tout cela n'est que pure intimidation et l'adversaire peut, s'il le désire, feindre d'ignorer une telle provocation et continuer à combattre avec majesté, demandant même de la tête que la course du tambour s'accélère. Il peut crier avec une allégresse que l'on ne saura jamais fausse ou vraie : " Roulez-moi ce tambour, tonnerre de braise ! Je ne suis tout de même pas une jeune fille qui va se faire dévirginer. " Mais, malgré ça, ne laisse pas l'illusion t'annonchalir : le bougre a marqué la figure du batteur de mains dans ses pensées en une fraction de seconde et il récite déjà une prière pour lui engourdir les muscles des bras... »

23

EAU DE CAFÉ, EN SA PÉRIODE DE SAUVAGESSE

Ouvert mes cuisses. Monté sur moi. Défoncé ma coucoune pour faire le sang tiger sur l'herbe. « Quel est ton âge, sacrée vicieuse ? Quel est ton âge ? » il répétait dans ma tête, ses mains enveloppant mes seins dans une sorte d'aller-venir chatouilleur. Ouvert mes cuisses grand-grand-grand comme la mer même. Il avait une force terrible, le vieux-corps, ses muscles étaient aussi durs que du bois de goyavier. J'ai hélé à moué ! à moué ! à moué !, personne n'a voulu ou n'a daigné accepter mon cri. Peut-être parce que la chaleur se fessait avec fracas sur la savane et qu'on ne pouvait pas remuer le petit orteil. Je lui ai voltigé à la figure : « Je suis plus petite que Claire-Elise qui t'appelle grand-père » et alors, le commandeur d'habitation a pété de rire. Un modèle de rire que je sentais monter tout le long de sa carcasse fripée et qui tressautait au ras de son nombril. Sa bouche, presque édentée, bavait sur mon cou pendant que ses reins montaient-descendaient en moi. Un vertige m'a soudainement happée et je me suis entendue supplier, sans qu'aucun bruit ne sorte de mes lèvres, « Il va me fendre en deux, c'est une hache ! Manman ! Manman-doudou, viens le tirer sur moi, ce mâle verrat ! » Mais pourquoi l'appeler celle-là puisqu'elle vit sous la terre depuis le jour de ma naissance ? Quant à Doris, ma tutrice, je sais déjà qu'elle me reprochera d'avoir franchi le bordage de l'habitation Beauchamp et si tu l'as fait, c'est que tu voulais que le commandeur te déchire. Moi aussi, je me suis fait déchirer par lui et mes sœurs Éliane et Ginette aussi, et ma cousine Marceline qui a une fossette au menton et, en final de compte, mademoiselle Mina, et puis toutes les petites négresses d'ici et des alentours. Je t'avais pourtant prévenue que l'herbe-à-lapin de l'habitation, il ne la fait pas arracher exprès pour attirer les petites filles qui sont sur le point de devenir des femmes. Il ne les goûte ni avant ni après, juste au moment où elles vont éclore en femelles. Quand Man Ginette était venue faire du cirque dans la cour du béké et demander réparation pour sa petite Armande que le commandeur venait de s'approprier, le maître avait répondu :

« Pas de colère comme ça sur mes terres ou alors tu amarres tes paquets et tu fous le camp, compris ? J'ai dix personnes qui peuvent faire ton job alors laisse mon commandeur en paix, s'il te plaît. Il me les ouvre, ces mamzelles, vous n'avez pas encore compris ça depuis le jour, tonnerre de Brest ! Je n'aime pas l'odeur de moule des négresses nubiles. »

Il avait tout de même remis une bourse de monnaie à Man Ginette et c'est pourquoi Armande est venue deux jours après faire l'intéressante pour moi. Elle ira à l'école ! Et moi, je vais rester à la maison à charroyer des seaux d'eau à la source et à éplucher des bananes naines pour préparer le manger de mes frères aînés. Pas de robe, pas d'école ! Pas de souliers, pas d'école ! C'est comme ça que l'institutrice de Grand-Anse a parlé à Man Doris l'autre jour, au marché. Pourtant la femme-sage lui avait baillé etcetera de paroles cajoleuses sur la belleté de sa longue natte de mulâtresse qui lui pendait jusqu'au creux des reins. Pourtant, elle lui avait fait un rabais de six sous et demi sur les gombos. Elle a tout accepté avec le sourire mais n'a rien voulu savoir. Pas de robe, pas d'école ! Alors ma seconde mère m'a pelotonné sur ses tétés et m'a dit en chignant des larmes brûlantes :

« Ma pauvre petite négresse, tu es déjà noire comme un péché mortel, que vas-tu faire dans cette vie si tu ne sais ni lire ni écrire ? »

Ouvert mes cuisses avec violenceté. Ses mains cannies,

râpeuses, qui fouaillaient les poils naissants de ma coucoune. Son souffle embué de tafia qui couvrait d'un seul coup ma figure, m'obligeant à fermer les yeux. La harde rapiécée qui me cachait à peine le corps et qu'il a fini de mettre en charpie. La raideur de son fer en moi, non pas vraiment douloureuse mais étrange, dérangeante. Puis, la décharge violente dans un vaste beuglement de taureau à qui on scie les cornes et la mort brusque qui m'a terrifiée. Oui, le commandeur a joui et a laissé la mort le barrer en plein jour, une après-midi de soleil, au pied du Morne Capot, en un endroit où seuls les bois-petit-baume enlianés d'herbe-à-lapin et la pierraille se sont installés. D'abord, je n'ai rien compris. J'avais encore le ciel dans les yeux, tout ce bleu-mauve qui me démangeait les orbites et m'emportait loin, plus loin que les litanies de nuages de beau temps qui jouaient à se faire la course. Il ne remuait pas. Ses bras étaient devenus rigides comme de la roche, sa bouche à demi ouverte, les ongles de sa main droite s'étaient enfoncés dans la chair de ma hanche. En moi, son sexe ne se dégonflait pas. Soudain, j'ai vu que la mort était là, immobile et moqueuse, et qu'elle m'enserrait jusqu'à me faire tressaillir dans la colonne du dos. Alors j'ai hélé, j'ai hélé, j'ai hélé. Il était beaucoup trop lourd pour que je le renverse et m'échappe. Ma voix était beaucoup trop fluette pour qu'on m'entende de la route. Je voyais les feux du soleil commencer à descendre de l'autre côté du pays. Les cabris-des-bois caquetaient de temps en temps afin de préparer leur vacarme de la nuit. Mes lèvres étaient devenues sèches à force de crier sans réponse et la froideur du corps du commandeur me glaçait le sang. Je ne sais pas qui m'a sauvée de cet abîme de malheur ni comment cela s'est passé ni rien du tout. Personne n'a jugé bon de m'expliquer et Man Doris a refusé d'engager le moindre causer avec moi comme si j'avais attrapé la typhoïde. Dans la case, on m'avait allongée à même la terre, juste sur une mince palette de bambou, et un de mes frères m'apportait des breuvages insolites, toujours parsemés de feuilles, qui me redonnaient un semblant de vigoureusité. Mais, une miette de temps après, voilà que mes forces m'abandonnaient et que je me mettais à déparler. J'étais devenue comme deux personnes en une seule : une qui parlait tant et tellement qu'elle déparlait et une autre, malade, recroquevillée telle une chenille-orteil, qui écoutait, très calme, très sûre de son devenir et presque sereine. Au devant-jour, Man Doris se levait avant tout le monde et venait poser sa main sur mon front en murmurant :

« Quelqu'un a fait du mal à ma fille, oui. »

Un jour, un grand désordre s'est produit au-dehors. Des piaffements de chevaux, des voix fortes d'hommes blancs qui parlaient du beau français de France et les hurlements débornés de ma mère nourricière qui tentait de les empêcher de pénétrer dans notre case. L'un des messieurs a réussi à la repousser et à venir à mon chevet. S'agenouillant, il m'a pris le poignet et a souri, sans envoyer un petit morceau de parole. J'avais peur. Très peur. Ouvert mes cuisses. Ses mains poilues et couleur de bougie de Blanc-France sur ma peau moite. Ses doigts qui remontent doucement jusqu'à ma fente et l'effleurent avec habileté, m'arrachant malgré moi un gloussement. Son index qui en écarte les lèvres rose-violet et s'insinue avec une douceur extrême tout au fond de mon être et qui vont et viennent pendant qu'il observe avec attention le grain de mes yeux qui chavirent. Puis, il retire son doigt, sent l'huile qui a jailli de mon corps, calcule dans sa tête jaune mangot-zéphyrine et ressort de la case en s'éventant à l'aide de son panama. Une fois les Blancs partis, manman Doris est accourue avec une boquitte d'eau couleur de terre fraîchement remuée et m'a profondée dedans afin de me propreter. Je grelottais et sentais à nouveau la mort se rapprocher de moi. Ma chair était comme saisie. J'ai voulu pleurer, dire au revoir à ma tutrice, me lever et aller contempler une dernière fois la haie de coquelicots qui ceinturait la cour de notre case mais j'étais incapable de battre ne serait-ce qu'un seul poil d'yeux. Alors j'ai plongé dans le sommeil pendant un temps que je ne peux déterminer, sûrement des jours et des semaines entières. Je faisais des rêves d'une doucine insidieuse quoique atroces : mon corps amputé de ses bras flottant dans le ciel; mes cuisses largement écartées recevant le tronc d'un pied-bois gigantesque qui arborait parfois la prestance d'un fromager. Et puis un beau matin, tout cela arriva à son bout. Man Doris m'a simplement déclaré :

« Eau de Café, lave-toi bien propre, ta grand-mère n'aime pas les petites négresses qui ont du caca dans les oreilles. Je t'ai acheté une paire de souliers-plastique et un chapeau. »

Elle m'a conduit à Morne Céron, sur le rebord de ce morne étonnamment haut où Man Nanette avait fait construire une case en gaulettes de bambou tressé. Par en bas, on découvrait une immense habitation couverte de champs de canne ainsi qu'une grande bâtisse blanche à étage juchée sur un petit plateau : celle du Blanc-pays de Cassagnac. Man Nanette m'a regardée, elle a tâté mes bras, mes jambes, elle a ouvert ma bouche pour inspecter mes dents et m'a dit à son tour :

« Toi, ma négresse, tu as besoin d'un bon bain pour démarrer la déveine qui suinte sur ton corps, oui.

– C'est la déveine que lui a léguée sa mère Franciane, a commenté Doris.

– Hon ! Celle-là avait le don du beau parler mais quel sacré caractère de femelle !... Pourquoi avoir fait tout ce chemin pour me demander un travail que tu peux accomplir tout autant que moi ?

– Non... non, je ne crois pas. Cette délivrance est trop difficile pour mon peu de savoir. Je n'ai pas la prétention de pouvoir guérir de la maudition. Les maux de ventre, oui, les oreillons, oui, la rougeole, oui, l'avortement et tout ça, oui mais ce charme qui pèse sur la tête de cette fillette-là, non ! Tu es sa grand-mère, c'est à toi de le lui ôter. »

Man Nanette demeura près d'un siècle de temps assise sur son petit banc, humant le vent de terre qui se levait à cette heure du serein. Elle semblait écouter les messages obscurs qu'il diffusait dans le feuillage des arbres environnants. Ses yeux étaient collés sur le tronc d'un pied de prunes de Cythère où une bande de merles avait élu domicile. Comme si nous n'existions plus, Man Nanette se redressa en enroulant sur le côté les pans de sa robe défraîchie et avança à petits pas en sa direction. A la lisière de son ombre, elle se coucha de tout son long sur la terre et une longue plainte déchirante jaillit de sa poitrine. La terre se mit à trembler sous nos pieds, ce qui sembla épouvanter Man Doris. Et dire qu'on la surnommait la fianceuse du Diable ! Un silence tomba sur nous et les environs en furent pétrifiés. Au moment où la nuit noire ouvrit ses ailes, ma grand-mère se réveilla :

« J'ai parlé à sa mère. Nous irons, demain à belle heure, au devant de la mer de Grand-Anse. Va-t'en Doris, il faut que je prépare cette enfant. Elle n'a pas mérité cette maudition qui entortille sa vie quoique celle-ci la poursuivra si jamais elle enfante.

– Elle n'enfantera pas, déclara la fianceuse du Diable, et si jamais un jour cette chose-là se produit, rassure-toi : je séparerai aussitôt la mère et le bébé.

– Merci ! Merci combien de fois pour tout ce que tu fais pour Eau de Café. Rien ne t'y obligeait. Dieu qui est au ciel, et qui voit tout, te rendra ça. Maintenant, retire tes pieds de ma case, vite ! J'ai tout un lot de préparatifs sur mon compte. »

Le 12 janvier 1977

Très cher,

Ils nous ont démunis de ce que nous avions de plus précieux. Ils ont éventré notre langue avec une passion jubilante, ne nous laissant que des bribes, des fœtus de phrases et de jurons, tambours lugubrant au fin fond de nos veines. Ils ont étranglé la chaleur de ses sons dans l'armature de nos gosiers et ils ne nous ont laissé que le dérisoire, l'infect et l'incestueux.

Ils s'esbaudissent.

Ils nous ont métamorphosés en bourreau de chaque mot, en contempteurs satisfaits de notre propre dire et nous n'avons rien fait, rien dit. « Kal » (verge), « Koukoun » (chatte), « Bonda » (cul), « Koké » (baiser) : voilà ce qu'il en reste ! La tétralogie du foutre et de la merde. Le jargon néandertalien d'une grappe d'indigènes somptueusement fardés dans l'attente d'un enterrement de première classe.

ANTILIA

Sixième cercle

On ne nous a point appris à déchiffrer les repères de la Mémoire. Nous ne savons que jacquot-répéter, doués d'un rire prodigieux mais gonflé de trop d'outrances. Notre parole, dans sa fuite de fol coursier, nous grise et ne réussit qu'un plat étalement des jours et des faits.

Parfois, nous nous imaginons qu'il suffirait de recomposer la trame d'une seule vie et voilà le chemin qui s'ouvre dans la terre rouge des mornes.

Grand-Anse, Fort-de-France, Martinique, Antilles, Amérique du Centre et, de l'autre côté (« en l'autre bord » selon notre parlure), l'Europe ironique...

24

LA MAIN DU GÉNÉRAL

Un grand vent parcourut le bourg de Grand-Anse, annonçant la venue d'un homme que nous portions tous dans notre cœur sans le connaître et mettant un baume sur ce qui d'habitude désagrémentait notre existence. La première à claironner la nouvelle fut l'ancienne femme de Syrien qui, bien que tombée dans la plus extrême malaisance, entretenait toujours quelque rapport avec sa parentèle émigrée à la ville. Elle farauda à la Rue-Devant, plus haillonneuse et gueusarde que jamais, une pipe en terre à moitié allumée à la bouche :

« La Madone n'a pas pu guérir mon gros-pied, messieurs et dames de la compagnie, tellement le quimbois que des nègres méchants m'ont envoyé était puissant mais aujourd'hui, qu'ils tremblent dans leur caleçon! Je serai la première à le toucher après monsieur le préfet et là, je serai guérie. Guérie! »

Ces propos plongèrent les galope-chopine des bars de la Rue-Derrière dans une rude perplexité. Certains émirent la supposition que le pape lui-même s'apprêtait à fouler le sol de la Martinique; d'autres, plus modestes, penchaient pour quelque Monseigneur de France ou de Navarre. Pas un qui songeât à Papa de Gaulle alors que la plupart avaient rejoint ses troupes à l'île de la Dominique au péril de leur vie.

« N'écoutez pas cette négresse-là, rigola Dachine. Elle

cherche à affrioler un homme parce que cela fait bien quinze ans qu'elle n'a pas été chevauchée.

– Hé! Qui veut partir en bordée avec cette cochonne? Allons, un peu de courage, les hommes, il suffira tout juste de la savonner et de vous laisser ensorceler par sa douceur », lui rétorqua-t-on.

Toutefois, lorsque, le lendemain, on découvrit que la bougresse s'était coiffée, lavée, habillée de manière pimpante d'une robe de calicot moulante et surtout qu'elle avait peinturé ses lèvres en rouge, le monde comprit qu'elle ne bêtisait point. Ali Tanin ne reconnut pas sa mère et la siffla, Man Léonce pantelait de ne pas parvenir à mettre un nom sur cete figure qu'elle avait l'impression de bien connaître, Major Bérard, grand rustaud devant l'Éternel, se surprit à gracieuser en lui proposant de lui porter son panier caraïbe et Ti Fène Auguste, semblablement ému à l'entrée de son estaminet, laissa chavirer un plateau à punch. Insoucieuse d'autrui, l'ex-Man Tanin, se dirigea à l'endroit où le taxi-pays de Maître Salvie embarquait les passagers en partance pour En Ville. Le chauffeur, qui astiquait la carrosserie rouge sang du « Bourreau du Nord », tout en se régalant d'une dispute entre deux négresses jacassières qui venaient d'embarquer, fut le seul à ne pas se perdre en conjectures : il avait été amoureux d'elle, au temps de l'antan, quand elle ne s'était pas encore laissé enguillebauder par les sirènes sonnantes et trébuchantes de Syrien, « chose qui ne lui a pas apporté l'heureuseté », murmurait-il pour lui-même chaque fois que leurs routes se croisaient. Ce chagrin indélébile avait pétrifié dans sa mémoire l'image vraie de celle que le mariage, l'embourgeoisement puis l'indigence brutale avaient défigurée.

« Rose-Aimée... Rose-Aimée... balbutia-t-il en la voyant approcher comme dans un rêve.

– Mon cher Salvie, attends que mon gros-pied soit parti et tu seras si surpris par ma prestance que tu comprendras que les années n'ont eu aucun effet sur moi. J'ai fauté, c'est vrai, en me refusant à toi mais regarde mes cheveux, ils sont encore noirs et je peux remplacer quand tu le voudras la coulie malpropre que tu as mis en case à Fond Gens-Libres.

– Où... où tu vas comme ça ?
– Ha ! ha ! ha ! Je vais à la rencontre du général de Gaulle, cher monsieur. »

Il la crut folle. Il regarda ses passagers, se gratta la tête et plantant son regard dans celui de Rose-Aimée, s'efforça de lui assener avec le plus de dureté possible qu'elle ferait mieux de regagner ses pénates d'En Chéneaux au lieu d'aller drivailler à Fort-de-France où les bourse-ou-la-vie rançonnaient les gens à qui mieux mieux. Il lui proposa même de la raccompagner tout en refléchissant à toute vitesse à sa proposition de concubinage. Une parole, une seule, lui suffirait à renvoyer la sœur de feu René-Couli qu'il hébergeait plus par pitié que par désir. Elle était maigre-jusqu'à-l'os et acquiesçait moutonnement à tout ce qu'il disait, ce qui avait le don de l'agacer au plus haut point. Rose-Aimée avait-elle parlé sérieusement ? Ou bien n'avait-elle plus tous ses esprits ?

« Tiens, le prix du passage, Salvie, pour le cas où tu croirais que je cherche à voyager gratuitement sur ta tête », fit-elle en lui tendant un gros billet de mille francs plutôt neuf.

Salvie calengea avant de s'en saisir, les yeux écarquillés devant la femme qui montait déjà dans son taxi-pays. Elle portait des talons hauts malgré son éléphantiasis et pourtant nulle créature au monde n'aurait eu plus de grâce qu'elle en cet instant-là. Sans le savoir, le chauffeur venait d'entrevoir l'espace d'une demi-seconde ce que l'on appelle d'un terme malcommode l'éternité. Il eut simplement le sentiment que l'univers s'était arrêté, qu'il était tombé en pâmoison devant la quintessence de la belleté. Même les passagères avaient cessé de potiner, subjuguées qu'elles étaient, elles aussi, par Rose-Aimée Tanin, celle dont les âmes charitables de Grand-Anse déploraient le cruel destin. Alors l'une d'elles eut une phrase sublime, une phrase qui collait avec exactitude à ce morceau de réalité. Eau de Café lança :

« Chaque femme est une reine ne serait-ce qu'une toute petite fois dans sa vie. »

Un attroupement s'était formé devant le « Bourreau du Nord » tandis que Salvie, le cœur désarroyé, empoignait sa boquitte d'eau savonneuse d'un geste maladroit, la faisant verser sur tout un pan de sa chemise-veste.

« Tu veux dire que... tu démaisonnes, fit-il à l'adresse de Rose-Aimée... que tu as trouvé une case à la ville ?

– Non, mon bougre, je suis Grand-Ansoise et je demeurerai Grand-Ansoise quoi qu'il arrive mais, demain, j'ai rendez-vous sur La Savane avec Papa de Gaulle. Allez, va te changer, sinon tu risques d'attraper un chaud-froid, oui. »

La corne du « Golem » qui passait à grand ballant fit sursauter les badauds. Son chauffeur lança à l'adresse de Maître Salvie :

« Sakré yichkôn, man kay dépyèsté'w talè ! » (Espèce de fils de pute, je vais te mettre en pièces tout à l'heure !)

La trivialité du propos rompit le charme. En un virement de main le « Bourreau du Nord » se retrouva rempli de ses habituels clients. Seul Ali Tanin, le demi-Syrien, contemplait, songeur, sa mère rajeunie par il ne savait quel miracle et en oubliait de taquiner les demoiselles qui partaient en quête d'un petit djob en ville. Dachine, tout penaud, le tira par la manche et lui souffla :

« Elle dit vrai. Je viens d'entendre la nouvelle sur Radio-Martinique... »

Cette confirmation transmigra de bouche à bouche jusqu'aux confins du bourg où Julien Thémistocle, le nègre-marron, l'irréductible, faisait une plaidoirie devant une assemblée de nègres auxquels la municipalité avait confié la tâche purement symbolique d'étêter la haie de glisséria qui entourait l'école primaire. Il était en train de se moquer de leurs patronymes :

« Monsieur Présent, tenez-moi bien ce sécateur, oui... quant à vous, mon cher Placide, arrimez l'échelle pour ne pas vous péter l'écale du dos par terre... Ha ! ha ! ha !... En ce qui vous concerne, citoyens Ladouceur et Lecurieux, faites attention aux passants, s'il vous plaît. Imprécautionneux comme vous êtes, ça ne m'étonnerait pas que vous salissiez au passage une belle dame. »

Les municipaliers ne réagissaient même plus à ses goguenarderies. Pas une semaine ne s'écoulait sans qu'il ne dérisionnât le nom de quelqu'un tout en en profitant pour se gonfler le falle sur le sien. A l'entendre, le titre de Thémistocle avait été imposé de haute lutte aux Blancs-France chargés d'établir l'état civil au lendemain de l'abolition de l'esclavage.

« Mon grand-père n'a pas couardé comme les vôtres, messieurs, racontait-il, quand on a rassemblé les nègres de l'habitation Morne l'Étoile et qu'on les a fait défiler les uns après les autres devant un petit couillon de Blanc assis à une table, un grand cahier ouvert devant lui, il n'a pas accepté que ce bougre-là ouvre son dictionnaire au hasard et lui impose un nom. Il a refusé cette macaquerie. Il est venu avec son coutelas à la main et a menacé le Blanc de lui couper les génitoires s'il ne marquait pas exactement ce que mon grand-père allait lui dicter, foutre! Hon! Faut avoir du cœur pour faire ça, les hommes. On voulait l'appeler " Diligent ", il a fait un tonnerre-de-dieu, ce qui a obligé le Blanc à inscrire " Thémistocle "... Riez, bande de nègres sans instruction! Thémistocle est le nom d'un grand Grec. »

A celui de Papa de Gaulle, Julien Thémistocle frémit. Il coupa court à son bavardage et déboulina jusqu'à Fond Massacre où il s'était provisoirement installé chez une concubine. Le « Bourreau du Nord » le dépassa sur la route et les passagers déclarèrent que cette fois-ci le zombi auquel il avait vendu son âme venait de lui demander paiement. Une larme coula sur la joue d'Eau de Café, à ce qu'il paraît. Rose-Aimée Tanin, qu'il avait moult fois violentée en dépit de la fétidité de ses hardes, eut un rire mauvais. Maître Salvie, le chauffeur, actionna sa corne à plusieurs reprises pour tenter de le raisonner mais Julien Thémistocle courait-courait-courait, tout-à-faitement indifférent aux chiens qui jappaient sur ses talons et aux roches qui lui écorchaient le plat des pieds. Il repassa lui-même la vareuse militaire qu'il avait ramenée de la guerre, cira ses bottes avec du crachat, se rasa vitement-pressé à l'aide d'une lame Gillette rouillée qui traînait sur une étagère et, sans bailler une seule explication à sa compagne qui se faisait toute petite dans un coin, habituée qu'elle était à subir ses va-te-laver, se précipita au bord du chemin pour espérer le « Golem ». Son chauffeur, Major Bérard, freina pile devant lui, provoquant un chambardement à l'arrière où marchandes de légumes, vieux-corps allant toucher leur pension de retraite, mamzelles pleines de gamme et de dièse ainsi qu'élèves en partance pour l'internat du lycée Schœlcher furent projetés les uns contre les autres dans un seul ouélélé de jurons, de cris de douleur et de notre-père-qui-êtes-aux-cieux.

« Bouwo-di-Nô kay pwan douvan nou, wi, Béra. Sa ou ka fè a ? » (Le " Bourreau du Nord " va nous devancer, oui, Bérard. Qu'est-ce que tu fais ?) glapit une fanatique.

– La... ladjè pété, mézan... mézanmi... (La... la guerre a éclaté, mes... mes amis...) réussit-il à articuler.

– Démarre, compère, fit Julien Thémistocle en sautant à l'abordage sur le marchepied du " Golem ", il ne s'agit pas d'une nouvelle guerre. J'ai mis ma tenue pour accueillir dignement le général de Gaulle. »

Revigoré, Major Bérard bailla un méchant coup d'embrayage à sa machine et le « Golem » entreprit de rattraper le « Bourreau du Nord », chose qui se produisait en période normale sur le pont de la rivière Galion, entre les communes de Trinité et Gros-Morne. Les passagers chantaient pour l'encourager :

« Chauffeur, chauffez, la voiture n'est pas à toi ! »

Pour retarder l'échéance, Maître Salvie se mettait carrément au mitan de la route étroite, ne reprenant sa droite ligne que dans les tournants réputés périlleux. Encouragé par ses passagers, Major Bérard, le pied sur l'accélérateur et la paume de la main droite purgeant la corne de son taxi-pays, tentait les manœuvres les plus folles à la grande frayeur des rares automobilistes. La route étroite s'élargissait subitement à l'approche du pont qui surplombait un fond couvert d'énormes touffes de bambous. Les supporters du « Bourreau du Nord », gens respectables pour la plupart, plus âgés en tout cas que les voyous du « Golem », ne répliquaient pas aux injures de leurs adversaires. Ces derniers hurlaient :

« Nou sanfouté lanmô ! Béra, bay bwa, fout ! » (Nous nous foutons de la mort ! Bérard, accélère, foutre !)

Pour de bon, arrivé à la gueule du pont, là où l'abîme semble prêt à engloutir tout ce qui oserait s'y pencher, Major Bérard, chauffeur au doigté cracher-du-feu, lançait son véhicule sur le can gauche, lequel glissadait sur l'herbe de

Guinée du fossé, drivait à l'arrière tandis que ses roues droites quittaient le sol, freinait puis accélérait en tournant son volant à toute pour éviter la tête du pont, sans jamais cesser d'actionner sa corne, grisé par les applaudissements de ses passagers. Le « Golem » faisait un baiser au destin avant de se redresser et dans une formidable grinçure de ses essieux, de choquer le flanc du « Bourreau du Nord » qui avait baissé la garde depuis longtemps. A l'instant du doublement, les nègres-Golem criaient à l'endroit des nègres-Bourreau :

« Sakré bann makoumè ki zôt yé! » (Tas de femmelettes!)

Or ce fameux jour où Rose-Aimée Tanin avait fait son apparition dans une splendeur inouïe et avait prétendu partir à la rencontre de Papa de Gaulle, le lieu de la joute était désert. Une grosse pluie, tombée depuis la veille, faisait gronder la rivière Galion sous le pont. Le bec coi, Major Bérard stoppa le « Golem » avec brutalité une seconde fois, ne réagit pas aux protestations de ses fanatiques qui le pressaient de bailler de l'avant pour tenter de rattraper Maître Salvie avant le bourg du Gros-Morne « sinon nous n'aurons pas assez de mouchoirs pour essuyer la vergogne qui suintera sur notre front ». En effet, les habitants des communes séparant Grand-Anse de Fort-de-France, c'est-à-dire Fond d'Or, Sainte-Marie, Trinité, Gros-Morne et Saint-Joseph, suivaient avec passion la guerre entre les deux taxis-pays dont les chauffeurs étaient les plus m'en-fous-ben de tout le nord de l'île. Leurs propres taxis-pays se tenaient prudemment à l'écart d'une histoire qui durait depuis deux décennies et finirait de toute façon par un grand tuage d'hommes. Fond d'Or et Sainte-Marie étaient plutôt favorables au « Bourreau du Nord » alors que le cœur du Gros-Morne et les autres bourgs ardaient pour le « Golem ».

« Landjèt manman sa! Landjèt manman sa! (Merde alors!) répétait, méconnaissable, Major Bérard.

– Si tu permets à ces ma-commères du “ Golem ” d'atteindre le Gros-Morne avant nous, je ne voyagerai plus avec toi, mon nègre. C'est fini! fit une voix au bord de l'hystérie.

– Salvie a dû lui envoyer un quimbois, c'est pas possible,

hasarda quelqu'un d'autre. Regardez-moi comment Bérard, un nègre si plein de vaillantise, est en train de tourner-virer sur lui-même comme un pantin de carnaval. »

Le chauffeur s'était accoudé au rebord du pont et fixait le mince filet argenté qui transparaissait à travers le fouillis des bambous et des balisiers. Quelques passagers descendirent pour le secouer mais ne purent l'approcher. Une sorte de fluide semblait le protéger de leurs mains énervées, dissolvant leurs exclamations en mille petites sonorités qui se confondaient avec la rumeur de la rivière Galion.

« Voilà ce qu'il a gagné à trafiquer avec le Diable! déclara une femme. N'a-t-il pas toujours refusé de faire bénir son auto lors de la fête de saint Antoine?

– Maître Salvie a toujours suivi les préceptes de l'Église, mes amis. Aujourd'hui, tout le monde peut voir que Bondieu blanc est plus fort que Bondieu nègre », dit un autre.

Julien Thémistocle ne perdit pas de temps à philosopher sur la soudaine taciturnité du chauffeur du « Golem ». Il empoigna son sac, sauta par l'une des fenêtres du taxi-pays et reprit sa course-courir, à travers champs cette fois-ci car les routes coloniales ne vont jamais tout droit et préférèrent épouser à plaisir les coteaux des mornes. Il n'était mû que par une seule et unique pensée : rattraper le « Bourreau du Nord » pour ne pas manquer l'arrivée de Papa de Gaulle. Son allure cloua d'effroi maints ouvriers agricoles occupés à désherber les champs de canne, fit tomber à la renverse une femme qui baliait la cour de terre battue de sa case, emberluqua le garde-champêtre du Gros-Morne qui se jura de ne plus avaler six verres de rhum sec avant l'heure de midi, terrorisa une quiaulée de négrillons qui jouaient aux canniques au pied d'un manguier-bassignac aux racines échassières, fit prendre leur envol aux poules, canards et coqs d'Inde en garogne et émerveilla un peintre (Blanc-France de son état) qui, assis devant un chevalet, s'efforçait de reproduire le jaillissement altier du Morne des Olives. Selon Radio-bois-patate, Julien Thémistocle courut plus vite qu'une dévalaison de douze chevaux. Plus que l'esprit-soukougnan qui pourtant se déplace à dos de lumière. Quelques mètres avant l'entrée du bourg, il rattrapa le « Bourreau du Nord » dont les passagers s'esclaffaient, tout heureux pour une fois d'avoir réussi à semer leur éternel adversaire. Il faut dire que la présence de Rose-Aimée, revenue à son apparence de jeunesse, avait galvanisé Maître Salvie. Ses habitués ne le reconnaissaient plus car il prenait tous les risques, abordant la descente de l'Anse Charpentier à cent à l'heure, ne ralentissant pas dans les zigzags de la route précédant le bourg de Trinité. Personne ne protestait bien que tout un chacun fût terrorisé, hormis Rose-Aimée, qui, assise, seule à l'avant, à ses côtés, chantonnait une mazurka créole. La figure du chauffeur semblait avoir revêtu une détermination et une audace que rien n'aurait pu décontrôler. Peu à peu, on respira, Eau de Café enfouit son chapelet dans son madras et lança une plaisanterie. Lorsqu'au pont du Galion le monde réalisa que le « Bourreau du Nord » venait de remporter une brillante victoire, on s'embrassa, se félicita, fit circuler une chopine de rhum Madkaud, le plus raide qu'on possédât dans le pays à cette époque. Aucune marchande de légumes ne tempêta quand deux paniers pleins de vivres à ras bord s'échappèrent du toit et se répandirent sur la chaussée juste devant l'usine Dénel.

« C'est cadeau pour Papa de Gaulle! s'écria l'une d'elles. Il a sauvé la France, on peut bien faire un petit sacrifice aujourd'hui, foutre! »

Aussi les rires se figèrent-ils sur leurs lèvres quand la figure impeccablement rasée de Julien Thémistocle apparut tout soudain à la portière où était accoudée Rose-Aimée. Le bougre avait sauté sur le marchepied et s'était accroché au véhicule sans jamais daigner bailler le moindre coup d'œil ni au chauffeur ni à ses passagers. Le « Bourreau du Nord » ralentit comme de lui-même et un grand silence s'établit à l'intérieur, rendu encore plus étrange par les pétarades du pot d'échappement. Le taxi-pays traversa le bourg du Gros-Morne sans provoquer d'autre réaction que des ricanements incrédules. Rose-Aimée posa sa main sur celle du nègre-marron avec une tendresse qui brisa le cœur de Maître Salvie. Le nègre qui l'avait maintes fois forcée de jour comme de nuit (puisqu'il avait le don maléfique de se métamorphoser en incube), le hors-la-loi crasseux qui défiait la maréchaussée de Grand-Anse, un coutelas effilé à la main, n'était point ce beau morceau de nègre qui présentement voyageait debout sur le marchepied du « Bourreau du Nord », insoucieux de la mort. Il aurait, en effet, suffi d'un simple coup de frein de la part de Maître Salvie pour l'envoyer valdinguer dans quelque ravine où seuls les serpents-fers-de-lance et les manicous se seraient occupés de sa sépulture. Eau de Café, furieuse mais impressionnée par l'escampe de son habit militaire, ferma les yeux et commença ses éternelles oraisons à saint Martin de Porès. Le bourg de Saint-Joseph fut traversé dans le même silence indisable. A l'approche d'En Ville, Julien Thémistocle effleura de ses joues la main de Rose-Aimée et lui dit à très haute voix :

« Il y a si-tellement longtemps que tu es dans mon cœur que j'ai oublié de te demander de partager ma vie.

– Ah ! La vie m'a fait un coup de chien, mon bougre.

– Je sais... je sais... mais maintenant je ne te lâcherai plus et nous affronterons ensemble les chienneries de l'existence. De Gaulle est venu nous apporter un monde meilleur. C'est un grand nègre.

– Merci un tas de fois ! » murmura la femme.

Maître Salvie parvint à la Croix-Mission dans une sorte de rêve. Il omit de déposer certaines marchandes près du cimetière des riches et récolta une bordée d'injures. On l'avait déjà oublié dans le charivari de la ville, lui et sa douleur d'homme blessé au seul endroit où nul être, quel qu'il soit, n'a jamais pu se protéger. Il s'effondra sur son volant, ne ramassant même pas l'argent du voyage, ce dont on profita à l'excès, sauf Eau de Café et deux ou trois ravets d'église qui avaient la profitation en horreur. Rose-Aimée et Julien Thémistocle remontèrent, enlacés, le boulevard de La Levée, posture inhabituelle en pays créole, ce qui déclencha des quolibets et des sifflements hargneux.

« Les voilà qui se mettent à la mode-France à présent, ronchonna un mendianneur qui leur tendit le main. Où va-t-on dans ce pays-là, eh ben Bondieu ? »

Les rues de Fort-de-France avaient été propretées et pavoisées de drapeaux bleu-blanc-rouge si neufs qu'ils semblaient irréels. Une euphorie étreignait les nègres d'En Ville, dont les plus prompts à s'annonchalir à cette heure de la sieste, les joueurs de dés de La Savane, discutaillaient sous le kiosque à musique des mérites respectifs de Napoléon et de Papa de Gaulle. Bec-en-Or, l'un des plus redoutables majors des Terres-Sainvilles, accueillit à bras ouverts son alter ego de Grand-Anse avec lequel il avait combattu dans le même régiment des Ardennes. Lui aussi avait revêtu une vareuse militaire, moins rutilante que celle de Julien Thémistocle et lardée de coups de rasoir très probablement. L'homme aux dix-huit dents en or ne se priva pas d'œillader sa compagne et de tenir des propos égrillards à son endroit.

« Je me les suis fait arracher une après l'autre, expliqua-t-il à Rose-Aimée, et je les ai remplacées par de l'or, comme ça, même après ma mort, ma bouche ne pourrira pas. Ha! ha! ha! »

A l'Allée des Soupirs, la jeunesse dorée de Fort-de-France se livrait aux premiers frémissements de l'amour. Une immense estrade avait été installée à côté de la statue de l'Impératrice Joséphine au pied de laquelle un vagabond était en train de pisser.

« Toi aussi, tu es venu pour le Général? s'enquit Bec-en-Or.

– Il est temps que demain soit là », répondit sobrement Thémistocle.

Ils passèrent la soirée à boissonner aux « Marguerites des Marins » et dans les troquets de la Transat. La négraille piaffait d'impatience et avait décidé de ne pas dormir. Les péripatéticiennes de la Cour Fruit-à-Pain avaient, exceptionnellement, diminué leurs tarifs et bien couillon celui qui s'en serait privé. Philomène, qui fut jadis la négresse féerique des bas quartiers de Fort-de-France, dispensa une doucine faramineuse à tous ceux qui eurent la chance de défaillir entre ses bras.

« C'est pour Papa de Gaulle », leur susurra-t-elle.

Au matin, un soleil émotionnant s'empara d'En Ville. Les drapeaux tricolores ennoblissaient les tamariniers, les poteaux électriques, les cases vermoulues et les autobus qui étaient les seuls véhicules autorisés à circuler. Bec-en-Or et

Julien Thémistocle fendaient la foule amassée sur les trottoirs et leur amicalité était si bien pétrie qu'ils se tenaient par la main, oubliant Rose-Aimée qui peinait à suivre leurs pas. Ils évoquaient leurs bons coups d'antan en se baillant des tapes démonstratives sur l'épaule, se passaient et repassaient une bouteille de rhum dérobée à la devanture d'un Chinois de l'avenue de Sainte-Thérèse. C'est à peine si leur vêture vagabondesque se remarquait au mitan des grand-robes chatoyantes et des costumes noirs. Le bandit à la dentition aurifère remarqua une femme qui s'était couverte de la tête aux pieds de tous les bijoux créoles possibles et imaginables – épingle tremblante piquée dans son madras-tête-chaudière, anneaux-dahlia à l'arrondi impressionnant, bagues surmontées de dessins de fruits – mais c'est le collier-forçat en or massif qui décorait son cou qui cloua Bec-en-Or d'ébahissement. Que de magnifiques dents il aurait pu s'en faire fabriquer, tonnerre du sort ! Elle se tenait légèrement à l'écart du monde, juchée sur une caisse de Royal Soda vide, princesse d'un jour, princesse éphémère à la figure peinturée d'une gaieté mutine. Les deux compères arrêtèrent net leur dérive, brocantant des regards de stupéfaction, l'un, le nègre de la ville, songeant au détroussage, l'autre le nègre de la campagne au troussement de jupon. Ils s'approchèrent de la créature par-derrière, se camouflant à l'aide de vieux journaux comme s'ils se protégeaient du soleil. La foule avait grossi et les mots « Papa de Gaulle » sillonnaient les lèvres aller-pour-virer. Bec-en-Or fut le plus prompt : il réussit à délester la jeune femme de son collier sans même la faire tomber et se perdit aussitôt dans la foule. Julien Thémistocle, à lui caresser le bras, reçut un sacré modèle de calotte qui l'envoya rouler-mater sur un groupe de badauds. Il eut le temps de subir etcetera de coups de talons et de crachats avant que Rose-Aimée, qui n'avait eu cesse de le suivre sans protester, ne l'aidât à se relever. La princesse avait disparu de son piédestal et une tonne de gens occupaient à présent l'endroit où elle dominait le monde. Julien aurait cru avoir rêvé si une douleur lancinante ne lui raidissait pas la mâchoire. Il était partagé entre la colère et l'étonnement.

« Oti Bèkannô ? (Où est Bec-en-Or ?) demanda-t-il à Rose-Aimée.

– Mi Papa dè Gôl! Wéé-é-é-é, mi li-m! » (Voici Papa de Gaulle! Hourra-a-a-a, le voici!) hurla la foule à en perdre la voix.

Une DS 19 noire décapotable entourée d'une nuée de motards descendait à vive allure le boulevard de Sainte-Thérèse. Une casquette fleurdelisée, un long nez et une peau couleur de farine-France surmontaient un corps gigantesque qui se tenait au garde-à-vous d'une main et saluait de l'autre. Les femmes tombaient d'évanouissement par grappes ou s'agenouillaient pour prier. Les hommes couraient à la poursuite du géant, insoucieux de bousculer enfants et marchandes de pistaches. Julien Thémistocle, le nègre-marron, qui avait défié l'ordre des Blancs depuis le jour de sa naissance, se trouva embrigadé dans cette démonstration de ferveur. Il se surprit à crier :

« Dè Gôl, ou sé papa nou! Fè sa ou lé épi nou! » (De Gaulle, tu es notre père! Fais ce que tu veux de nous!)

Il fut porté jusqu'à la place de La Savane par la négraille en délire. Bec-en-Or, ô surprise, s'échinait à remonter ce flot humain, une rage sans manman au cœur.

« Sa ki ni ? (Qu'y a-t-il ?) fit Thémistocle.

– Où est la chienne de tout à l'heure ? Où est-elle, hein ? gueulait-il, toutes les veines de son cou bandées comme des cordes de mandoline. Viens, suis-moi, on va la retrouver, cette salope! »

Le géant à casquette portait un magnifique uniforme blanc et l'on se disputait déjà sur le nombre exact de médailles qui le décoraient. Il serra les mains d'une rangée d'anciens combattants nègres qui s'essoufflaient à tenir droites leurs oriflammes qu'ils avaient ramenées de toutes les guerres où ils avaient versé « l'impôt du sang » à notre mère la France. Une bougresse, enceinte jusqu'aux yeux, hurla :

« Bon Dieu, fais-moi accoucher là même, s'il te plaît. »

Puis elle s'étala de tout son long sur l'herbe drue de La Savane et se mit à simuler les gestes des parturientes sans parvenir à retenir l'attention de qui que ce soit. Bec-en-Or l'enjamba au moment où le nouveau-né faisait son apparition entre ses cuisses. Julien Thémistocle le ramassa et le déposa avec délicatesse entre les bras de sa mère.

Il ne comprenait pas la rage qui animait le major des Terres-Sainvilles. N'avait-il pas réussi le genre de coup qui ne se présente qu'une fois dans la vie? Maintenant, il pouvait prendre sa retraite ou partir en croisière à Bénézuèle. Quand ils atteignirent la Bibliothèque Schœlcher, ils entendirent la voix du géant proclamer :

« Mon Dieu! Mon Dieu! Que vous êtes foncés! »

Des salves d'applaudissements se frayèrent un chemin au travers d'un murmure de réprobation. Mais la suite du discours pansa aussitôt la plaie et l'on se pâma devant les mots choisis du géant, mots pourtant simples, fort éloignés de la grandiloquence créole, mais qui sortaient comme ennoblis de sa bouche. La foule se bouscula pour prendre ses mains qu'il tendait avec générosité. On lui présentait des enfants pour qu'il leur touche le front et qu'ils reçoivent un peu de son intelligence. Des vieilles femmes lui baisaient les doigts dans l'espoir de recouvrer une seconde jeunesse. Seul Bec-en-Or, la rage au ventre, poursuivait sa quête de la princesse du matin à qui il avait dérobé un collier qui se révéla être en crysocale. Oui, messieurs-dames, en foutu crysocale! Julien Thémistocle l'abandonna et se pressa au-devant des barrières juste au moment où Papa de Gaulle passait. Ce dernier, ému par sa vareuse militaire et sa croix de guerre, lui serra longuement la main avant de lui bailler l'accolade sous les flashes des photographes. Le géant lui murmura :

« Mon Dieu! Mon Dieu, que vous êtes français! »

L'instant d'après, Thémistocle prit sa voix de stentor et s'écria à l'adresse de la foule :

« Vous aviez mal entendu! Papa de Gaulle n'a jamais parlé de la couleur de notre teint. Jamais! »

Et de courir partout porter la bonne nouvelle. Faisant le tour de la Maison des Sports. Longeant les hautes murailles du fort Saint-Louis. Cavalcadant le long du boulevard de La Levée. Regagnant le Bord de Mer par le pont Gueydon et Rive Droite Levassor. Sur la jetée, il buta sur Antilia (c'était la princesse aux mille bijoux) en grand causement avec Bec-en-Or qui lui gueulait :

« Tiens, reprends ta pacotille et la prochaine fois mets-toi du vrai or au cou sinon je te saigne là même! »

Julien Thémistocle enveloppa la main qu'avait serrée Papa de Gaulle dans un mouchoir blanc et la mit dans la poche de sa vareuse. Ce n'est qu'à la station des taxis-pays qu'il s'aperçut qu'il avait perdu Rose-Aimée. Elle n'avait pu suivre sa frénésie lorsqu'il s'en était allé à travers la ville rapporter la véritable phrase du géant. Il ne réalisa même pas qu'il s'embarquait à bord du « Bourreau du Nord », le véhicule des gens de bien. Contrairement au matin, son chauffeur, Maître Salvie fit preuve d'une jovialité énigmatique. Il houspilla des marchandes de légumes pour qu'on baille au nègre-marron une place près de la fenêtre. L'une d'elles s'apitoya sur ce qu'elle croyait être une blessure à la main mais il ne réagit pas. Dès le lendemain, il s'installa derrière le marché de Grand-Anse pour recevoir ses clients. Il déroulait avec précaution le mouchoir qui bandait sa main, empochait la somme qu'il avait demandée (somme proportionnelle au mal que le bougre était censé guérir) et tapotait la paume du rhumatisant, de la concubine bafouée, du candidat à l'examen des bourses ou de l'éleveur de coqs de combat qui se présentait devant lui. Ainsi parvint-il à diminuer la folie de Bogino, miracle que ni René-Couli ni la Madone n'avaient pu réaliser, et à soigner la bandaison de maître Féquesnoy, ébranlant du même coup ses convictions radicales-socialistes et son allégeance totale à la IVe République. La renommée de Julien Thémistocle fit le tour de l'île lorsque les journaux montrèrent sa photo dans les bras du géant. On accourut du Lamentin, voire de Rivière-Salée ou du Vauclin pour lui toucher la main et, pour la première fois de sa vie, il eut tant d'argent qu'il ne sut qu'en faire. Parfois, il se prenait à songer à la vie de félicité qu'il aurait connue avec Rose-Aimée si elle n'avait pas disparu dans la foule exaltée sur la place de La Savane. Il lui aurait guéri son éléphantiasis de sa main magique. Le matin, il lui arrivait de se rendre près de la fontaine municipale où Maître Salvie garait le « Bourreau du Nord », pour lui dire :

« Si tu vois Rose-Aimée, assure-la qu'elle est attendue. Je sais que toi itou tu la portes dans ton cœur mais pas plus que moi, foutre ! »

Hélas, ni Thémistocle ni Maître Salvie ni personne de

Grand-Anse n'entendit plus jamais parler de Rose-Aimée. D'aucuns insinuèrent qu'elle avait brocanté d'identité et rejoint le cortège fardé et lotionné des péripatéticiennes qui hantait la Cour Fruit-à-Pain la nuit venue. Julien Thémistocle soigna tous les maux tant qu'il ne lava pas la main qui avait serré celle de Papa de Gaulle. Malheur pour lui, il s'affala dans un dallot après avoir passé la nuit entière à jouer au sèrbi lors de la fête patronale de Grand-Anse et la main bénie trempa des heures durant dans l'eau sale. Dès lors, elle perdit tout pouvoir et notre homme, qui avait dilapidé ses richesses, se retrouva plus gueux qu'auparavant. Il redevint incube, hors-la-loi, fier-à-bras, adepte des dieux de la Guinée.

« Pour moi, cet homme est mort depuis le jour où il est parti en dissidence pour se battre contre Hitler au lieu de s'occuper de moi dont il avait assassiné la mère », conclut, mauvaise, Eau de Café.

Mais chacun à Grand-Anse savait qu'elle se mentait à elle-même...

25

Alors tu vois, déplore Thimoléon, tu n'as pas connu une miette de tout ça. Quand tes frères étaient dans les fers, toi, tu drivaillais à travers le pays, là-bas, au sud, terre des mancenilliers où, à ce que rapporte Radio-bois-patate, le sable des plages est d'un blanc de cassave et la mer d'un calme prodigieux. Et puis tu as enjambé l'océan à pieds joints pour te retrouver sous la tour Eiffel, poussant l'ingratitude jusqu'à ne point venir embrasser ta marraine Eau de Café. On ne compte pas, on est des chiens sans queue, hein! Un bougre qui abandonne sa commune à l'âge de onze ans et y revient à celui que tu portes maintenant sur ta tête, est capable du pire. Surtout s'il a la suprême audaceté de chercher à tout comprendre en un seul jour. Un seul jour, tu te rends compte! De toute façon, on n'a eu cesse de gloser sur toi, de transmettre de tes nouvelles de proche en proche. Ton existence, on la connaît comme B-A BA. On t'attendait en quelque sorte. C'est pourquoi à ton abordée personne ne t'a adressé la moindre question, même pas les farfouilleuses (elles sont tenues par la loi du silence) et que ton étonnement insistant a fait mauvais effet. Même ça que tu avais oublié! Si bien que tu n'as peut-être aucun intérêt à jouer au fort en gueule aujourd'hui, à moins que tu n'aies ramené de ton long détour un protègement infaillible. Personne n'admettrait ta défaite. Ou ta mort. En tout cas, pas avant que tu ne te justifies! Car là, tu serais rayé de toutes les pensées et de tous les propos, même ceux qui se brocantent à mots couverts. Ta position est difficile car tu ne peux te permettre non plus d'aller-venir entre les tables de jeu tel un voyageur européen, insouciant et insoucieux des enjeux, incapable d'interpréter un raclement de gorge, attentif seulement à l'extérieur des choses. Toi, tu sais fort bien que derrière ces figures, derrière ces mains inusables qui roulent les dés il y a une épaisseur, une manière d'enrageaison. Il y a la vie et la mort, tout ce que tu as négligé dans le passé au profit de nouveaux cieux, là où vivent des races autres, étrangères à notre souffle. Tu as voulu t'écarter, on t'a retenu si bien qu'aujourd'hui te revoilà. A toi d'inventer une façon acceptable de claquer des doigts et de jeter les dés! Attention, ils seront d'une exigence extrême et avec toi l'extrémité sera repoussée, les bornes de la braveté seront déplacées plus avant expressément en ton honneur. Ta vie sera à nouveau en jeu. Comment? C'est à toi de calculer dans ta caboche crépue et de mesurer avec précision la hauteur de ton combat. Si elle te dépasse, tu le sauras aussitôt car plus personne ne fera l'effort de ne point te chiquenauder dans cette foule bruyante du marché. Tu sauras où tu as mis les pieds et combien les retirer sera malaisé. Au contraire, si tout se passe à l'aise comme Blaise, tu verras certains te tendre leur cornet afin que tu invoques le chiffre à leur place. C'est un début de confiance. Ça ne voudra pas dire ici non plus que tout est gagné mais la soirée s'annonce sereine pour tes os, tu peux laisser un petit brin de soulagement t'imprégner.

Les coulis de Basse-Pointe t'imposeront la confrontation la plus sincère car l'instinct se cache sous leur longue chevelure luisante que leur envient en secret des tas de nègres et donc, d'emblée, ils chercheront à t'éprouver pour savoir si d'être parti et revenu, tu ne les places pas encore plus bas (plus « au fond » diraient-ils) qu'ils ne le sont déjà. Ils voltigeront leur crachat à tes pieds, essuieront leurs doigts graisseux de boudin sur ta chemise en feignant mille excuses et toi, tu devras tout supporter. Il s'agit d'un nouveau baptême : celui du retour à céans. Tu n'as pas à t'encolérer, tu n'es encore rien pour l'instant. Un étranger de plus, c'est tout. Ce ne sera pas fini, loin de là. Ces coulis ont plus d'une rancœur dans leur sac et ils s'acquitteront de leur tâche jusqu'au bout. Ils te suivront de leur pas naturellement feutré à chaque table où tu oseras t'avancer et sans même t'en rendre compte, ils se planteront en face de ta table de jeu, t'observant, impassibles, eux aussi pratiquant le langage des yeux qu'ils ont inquisiteurs. Si tu laisses la tremblade s'emparer de toi, tu es comme qui dirait pris dans une nasse. Si tu soutiens leur regard tout en ne négligeant pas la course des dés sur la table – tu dois être capable de cet exploit – alors ne bouge pas. Pas de gesticulations qu'ils risqueraient de mal interpréter. Et surtout, n'oublie pas en quelle langue ils sont grands-grecs sans quoi l'éclair bleu-noir d'un coutelas peut jaillir de nulle part, en fait de derrière leur pantalon en kaki ou enveloppé dans leurs chemises tachées de colle de banane et tu verras la table faire une sacrée voltige, les dés se disperser à jamais, les joueurs s'écarter lestement. Tu te retrouveras seul avec la lame bondissante, prête à te fendre en deux comme on fend une calebasse mûre. Aie surtout l'œil sur le fils de René, feu l'égorgeur de bœufs!

Fais taire ta curiosité! Car, toi, tu n'as pas vécu leur misère non plus. Tu n'as point courbé l'échine (« l'écale » diraient-ils) sous les coups de roche répétés des négrillons hurlant « Couli! Couli mangeur de chiens! » dans la savane. Ni pris tes jambes à ton cou lorsque la maquerelle de Man Léonce s'est mise en travers du chemin qui borde sa boulangerie et, une paire de ciseaux en main, s'en est prise à eux :

« Ouste! Bande de chiens sans poils! Je ne veux plus voir de sales coulis de votre espèce promener vos fesses devant chez moi. A partir d'actuellement, je découpe en morceaux le premier qui se croit assez brigand pour passer outre. »

Quoi dire ? Comment riposter ? Rien. Rien à part appeler sur sa tête la colère du dieu Madévilin mais elle est plus vigoureuse que toutes ces simagrées. Le béké Dupin de Médeuil couche dans son lit et c'est de là sans doute que vient le barrage. Alors tu n'as pas vécu ça, compère, tu ne sais rien des émois ravalés, des colères rentrées, des pleurs qui ruissellent comme une maladie des yeux. Tu ne sais rien des femmes indiennes violées dans quelque hallier ou dans le bruissement de rivière d'une touffe d'herbe-Para par le béké ou par un commandeur nègre ivre mort. Ou soudoyée au bourg par ce mulâtre vicieux de Féquesnoy. Tout ça c'est l'histoire d'ici dont tu as voulu – ne le nie pas – te détourner. C'est ce qui sert de pâture à notre esprit que l'on prétend étroit comme un croupion de poule, comme si la violence et la misère bleue ne vous ouvraient pas tout grand le Miquelon de la mer. Comme si dans vos livres il y avait davantage de vie que dans la vie elle-même, comme si l'homme ne pensait pas avec sa chair et son esprit mêlés.

Et puis, ne t'avise pas de soulever la poussière du temps sur le nom d'Antilia ! Nous savons tous que son souvenir ne cesserait de te ronger dès l'instant où la mer a renvoyé son corps au pied de La Crabière. Combien de fois ne l'avais-je pas mise en garde : « Antilia, fais attention, cette mer-là est traîtresse. Ce n'est pas parce qu'elle feint l'amicalité avec toi qu'un jour sa rage ne décidera pas de te haler au fond de l'eau. » Mais qu'avais-je récolté sinon des injures ou des moues chargées de méprisation ? Ah, je sais, tu n'es pas convaincu de sa mort. Les autorités n'ont jamais formellement identifié le corps et d'aucuns prétendent qu'Antilia a profité de cet événement pour s'escamper à Fort-de-France. « Eau de Café me tient en esclavage ! » maugréait-elle lorsqu'elle récurait le derrière de votre cuisine. La figure de la noyée avait été complètement déchiquetée par les rochers, c'est vrai mais moi, à la charnure de ce corps que j'ai vu là, allongé sur le sable, à l'opulence de ses seins et au triangle noir qui bâillait entre ses cuisses, j'ai reconnu sans erreur possible la mamzelle qui se baignait nue le matin dans votre bassin. Tu peux continuer à douter et rêver pour elle d'un destin lumineux mais cela équivaut à nourrir des chimères qui ne peuvent que te conduire à la même fin que notre philosophe, ce cher Émilien Bérard...

Donc, tu entres au marché et tu recherches ce que tu as perdu, tu remontes la filière des jours non vécus, tu reprends le monter-descendre de tes paroles et tu verras, tout s'arrangera...

Autre clameur de Thimoléon :

Si tu avais prévu quelque stratégie d'évitement, clame Thimoléon, si tu avais cru pouvoir te réfugier dans une manière de hauteur arrogante, alors retire tes pieds en cinq sec : on n'a que faire du cadavre d'un inconnu à qui on ne pourra même pas organiser une veillée. Ici, souviens-toi, personne ne peut s'écarter de personne. Nous vivons trop à portée de voix et les gémissements des femmes adultères (il ne s'agit point de désir mais de rite) emplissent les vérandas dès le soir tombé sans que quiconque se sente dérespecté. On devine tout à l'avance car il y a eu la lente préparation jour après jour c'est-à-dire les rigoladeries obscènes, les effleurements discrets, les grafignements aux fesses matées, les parties de cache-cache autour des moulins à manioc sous le regard mi-amusé mi-indifférent du monde. Et puis vient le moment où, las de jouer, on décide qu'on a gagné le droit de franchir le pas et l'homme assène à la femme de son voisin, donc de son frère, « Quand tu as fini ta vaisselle, je suis prêt pour toi, oui. »

Tu vois, tu es cerné de toutes parts. A toi de jouer ! Trouve la faille, la fente qui te permettra de t'immiscer dans l'odorante intimité du marché et de te faire accepter à nouveau comme un nègre de céans. Lorsque, sur le coup d'une heure et demie du matin, il semble y avoir une pause, une « embellie » disons-nous de préférence, parce que les gosiers sont secs et les ventres vides, tu pourras t'asseoir sous la paillote décorée de drapeaux bleu-blanc-rouge, à côté des anciens combattants qui ressassent dans un créole énigmatique les parties de dés à jamais disparues des 14 Juillet de leur jeunesse. C'est à eux que tu dois d'abord t'adresser en feignant d'admirer leurs poitrines bardées de rafales de médailles et ainsi tu éviteras l'offense. Ils voudront savoir sans plus tarder de quelle façon tu es venu à eux : en forte gueule ou en fils repenti. C'est pourquoi dans le premier cas tu dois parler ton français cravaté-laineté et dans l'autre, le créole. Ton choix opéré, ils entameront avec toi la lente approche qui vous mènera tous à la compréhension mutuelle, scellée par maintes et maintes chopines de tafia clair. Mais, attention ! Laisse-les envoyer des paroles ! Ils ont besoin de la parole comme ceux de ton âge de la coucoune de la femme. Ne les interromps sous aucun prétexte même si le sens de tel ou tel mot te paraît aussi traîtreux qu'un couteau à double tranchant, ou si tu voudrais leur faire préciser une quelconque allusion à une histoire du temps de l'antan.

Par à-coups, ils déclameront quelques bribes en français pour t'éclairer un peu la voie. Il faut les écouter, les écouter, ouvrir tes oreilles de dix-sept largeurs comme disent les Haïtiens, jusqu'à ce qu'elles éclatent. Pendant le temps qu'ils te tiennent sous leur emprise, ils te jaugeront pour savoir si tu es réellement digne de leur considération, et quand tu entendras « L'amiral Robert était un sacré chien-fer ! » ou bien « Ah, la France est une nation vaillante, oui ! », ne te livre pas au sursautement ! Ils ne comprendraient pas et tu compromettrais gravement la suite de ta démarche. Là encore tu exposerais ta vie au danger car ils ne pourraient pas arrêter d'un geste le rasoir qui s'apprête à te lacérer le dos ou l'arrière-train. Car, sache-le, on te forcera à tricher pour pouvoir te corriger. On marquera les dés, on les travaillera de telle façon qu'en les empoignant de ta main déjà tremblotante, tu n'auras d'autre ressource que de les envoyer valser contre le rebord de la table et, tambour de braise !, les voilà par terre... et là, tu es frit, mon vieux. Les dés par terre c'est le comble de la déchéance. Le corps courbé qui se penche pour les ramasser se livre de lui-même à la vindicte d'un coup de pied (mais c'est chose rare) soit d'un coup de rasoir effilé exprès pour la circonstance. Ou alors tout peut se dérouler autrement. C'est-à-dire que rien ne se produira. On s'écartera, la bouche empreinte de dégoûtance, pour que tu puisses plonger tes mains dans la poussière et on t'abreuvera d'un rire violent, secoué de hoquets et quand tu voudras remettre les dés en jeu, un major t'empoignera l'avant-bras et te forcera à les jeter (cette fois-ci pour de bon) au-dehors, dans le caniveau qui enserre le marché. Premier avertissement.

Donc, si tu es venu toi aussi en fort en gueule, dirige-toi derechef sous la paillote, tire une chaise à toi sans qu'on t'y invite et attable-toi en priorité avec ceux de 14-18 en lançant à haute voix : « Messieurs, honneur ! » et sois certain qu'ils te répondront : « Respect ! », un peu éberlués tout de même mais ça ne fait rien : c'est ton choix et ils s'inclinent devant lui. A toi de te montrer à la hauteur. Tu seras libre de leur couper leurs plaidoiries quand ça te chantera, tu seras libre de t'esclaffer ou de ne point le faire, de hocher la tête ou de lever ton verre à la santé d'Untel. Mais même dans cette hypothèse, n'abuse pas! Ils possèdent la parole. Ils la détiennent depuis une éternité de carêmes et d'hivernages. Or, toi, tu es parti, tu es revenu, alors écoute. Écoute! Ils t'induiront en une joie effrénée à chacune de leurs vantardises. A toi de démêler le sérieux du frivole, car c'est à toi en personne qu'ils s'adressent. Toi, le neveu, le filleul, l'homme de leur vieille commère Eau de Café, dont ils ont reconstitué en un rien de temps les générations depuis ton arrière-grand-mère Laetitia Augustin qui enfanta d'un béké de Fond Gens-Libres (ce qui à leurs yeux te rehausse quoique cette union furtive ne rapporta à ta famille qu'un éphémère « De Valois » accolé à l'Augustin) jusqu'à toi qui leur fais face, étranger et pourtant si proche, désireux de rentrer dans le rang quitte à s'humilier.

Tu devras supporter le récit de chaque médaille glanée au hasard des batailles en Europe – « Les tirailleurs sénégalais sont bleus à force d'être noirs mais c'est des mâles bougres. Ça n'a pas peur de mourir pour la patrie comme ces capons de Marseillais! » – avant qu'ils ne consentent à s'occuper de ton cas c'est-à-dire t'insinuer comment agir, comment parler, quoi faire pour que tout ton être redevienne en conformité avec la société d'ici. Eux non plus ne te dévoileront pas tout. Le pourraient-ils d'ailleurs? Ils ne t'offriront pas le mode d'emploi ou quoi que ce soit de ce genre car ils soupçonnent que si tu es venu en fier-à-bras c'est que tu es « fort », c'est que ton corps est gardé... Ah! Ils te raconteront, sois-en sûr, la grève de Morne Carabin et de Fond Massacre. Les cris de guerre des nègres révoltés, les coutelas qui virevoltaient au-dessus des têtes, les Blancs-pays apeurés qui, la nuit venue, évacuaient leurs femmes et leur marmaille au Plateau Didier, à Fort-de-France. La course folle des torches de bambou dans le faire-noir jusqu'à la maison du maître. Et là, apprends-le, le monde a changé! On n'avait plus seulement affaire à une poignée de commandeurs armés de vieux mousquetons et munis de chiens créoles hargneux mais au fond peu dangereux sauf pour les mollets. Non! C'est surtout derrière eux, en deuxième ligne, si l'on peut dire : une compagnie de gardes mobiles métropolitains, embusqués dans leurs jeeps et leurs camions, mitraillettes prêtes à aboyer dans l'inhabituel silence de la matinée. Puis on t'informera que ces armes nouvelles ont fauché des vies. De jeunes vies, de vieilles vies, des vies pleines de maturité, des vies désespérées, des vies gonflées de sève, toutes sortes de vies, quoi! Des vies nègres. Tout ça, on te le fourguera à la diable, en engloutissant la moitié des phrases comme pour se décharger d'un secret, d'une peine trop lourde à charroyer en soi et il ne faudra pas insister, ne pas chercher le pourquoi des choses. Ni le nom des gens, ni ce qui s'ensuivit. Tu l'apprendras au long des années, au détour de causements familiers, une fois que tu seras réensouché de manière définitive. Pour l'instant, tout ce qu'on te révèle suffit grandement... c'est même un suprême honneur qu'on te fait car aux étrangers (ou aux partis-revenus de ton espèce : c'est tout comme!), on présente sa bouche cousue comme à ces journalistes mulâtres montés tout exprès de la ville avec leurs gros appareils-photo noirs. Tu vois, on te fait déjà un peu confiance. Continue!

Quand les anciens combattants seront tout-à-faitement saouls et qu'ils se mettront à confondre les Dardanelles et le canal de la Dominique, alors tu pourras prendre congé d'eux d'un simple signe de tête et t'en revenir parmi les joueurs qui sauront désormais à quoi s'en tenir avec ta personne. Tu sortiras quelques billets de mille francs que tu poseras d'un geste négligent à portée de ta main après les avoir déchiffonnés d'un geste consciencieux (car les tendre en boule est un affront que seuls peuvent se permettre les nègres-marrons). Et puis, dis-toi bien qu'on ne sait jamais ce que cela pourrait cacher. Parfois, en te tendant la main, on peut te la « prendre » et quand tu es pris, tu ne disposes plus que de deux issues : soit déchirer le billet en cinquante petits morceaux et les jeter un à un dans ton dos sans te retourner et sans cesser de fixer ton adversaire dans le mitan de ses grains de coco-yeux, soit lui érafler avec discrétion la main d'un coup de rasoir si bien qu'il ne pourra plus fermer le poing et donc tenir ta chance prisonnière. Tu sortiras tes propres dés, tes « os » comme ils préfèrent dire, et tu les manipuleras un long moment entre tes doigts afin qu'on admire ta dextérité car c'est à partir d'elle qu'on pourra juger si tu es venu rafler le produit de la sueur des marmiteux ou si tu préfères, en toute gratuité, prendre plaisir à voir rouler les os dans leur immaculée blancheur.

26

« Je n'aurais jamais pensé qu'un mois entier vous surprendrait ici », me déclare le retraité de la Marine, jovial et disert à mesure qu'il me voyait m'incruster dans son hôtel dont j'étais, apparemment, le seul vrai client.

Je découvre que des gens à qui je ne me suis jamais adressé me haïssent car, dans ce hameau comme partout ailleurs dans cette île minuscule, le nègre nourrit jalouseté à l'endroit du nègre et parfois le tient en haïssance. La déveine, imposée d'en haut par les anciens maîtres et leur descendance, a transformé chacun d'entre nous en un abîme de suspicions et de rancœurs contre son plus proche voisinage. Touché par mon désarroi, le retraité de la Marine finit par me souffler entre deux portes :

« Ce soir, si vous avez un moment, à partir de minuit, pas avant, hein ?... pas avant, s'il vous plaît, vous m'accompagnerez sur la plage. J'y fais toujours une promenade pour trouver le sommeil. Avant de partir driver sur les océans, j'ai connu Franciane, la mère d'Eau de Café, qui n'avait pas encore eu l'insigne malheur de marcher dans la même trace isolée que Julien Thémistocle. Elle travaillait en tant qu'amarreuse sur l'habitation De Cassagnac, sise à Morne Capot, sur les hauteurs nord de Macédoine. Partout ce n'était que louanges pour le béké de ces lieux qui, prétendait-on, ne se comportait pas en sanguinaire. A la vue d'un nègre gros-gras-vaillant, vêtu avec correction, on s'extasiait : " Tiens, voilà un bougre à de Cassagnac ! " Franciane n'avait jamais connu que l'empilage incessant des troncs de canne coupés avec une célérité démentielle par des hommes qui semblaient faire une course-courir avec le soleil. Les feuilles tranchantes des cannes lui éraflaient le bras, lui mordaient les pommes de la figure et des larmes furtives se perdaient dans la sueur de son corps. Si tu t'arrêtes, les cannes, elles, n'arrêtent pas de tomber! Et à l'orée du soir, quand le commandeur fait sa tournée pour compter les piles, il te réprimande à moins que tu ne lui aies ouvert dans toute sa longueur le plus secret de ta chair (ou en tout cas promis de le faire). Franciane ne demandait pitié à personne. Elle interdisait aux muletiers de l'aider à soulever les amarres qu'elle destinait à son bœuf car une fois que tu acceptes la main tendue du nègre, il voudra prendre tes deux mains. C'est dans sa nature. Plusieurs fois, des coupeurs de canne, ivres d'avoir gaspillé la moitié de leur paye dès le troisième jour de la semaine, avaient essayé de la forcer en plein travail mais elle s'était débattue comme un coq de combat et leur avait crié : “ Restez dans votre folie! Moi, je ne suis pas de votre espèce, non. ”

« Franciane-la-fière? Franciane-la-négresse-aux-grandes-manières. Que de titres ne lui avait-on pas baillés! Car voici une femelle qui dépense son corps en pure perte sans jamais lui accorder ne serait-ce qu'une parcelle de plaisir. Et ses yeux, il fallait contempler ses yeux, toujours animés d'une colère sans motif qui ébranlait les audacieux. Le monde en avait conclu : “ Ce n'est pas une négresse de chez nous. Auparavant, elle vivait loin, au sud, et peut-être qu'elle regrette sa famille ou son terroir. C'est ça! ”

« Le soir, quand chacun avait regagné sa case et que les Congos commençaient à cogner leurs sinistres tambours, elle s'accroupissait avec les vieillardes autour du feu et devisait. Les hommes se demandaient : “ Mais qu'est-ce qu'elle peut bien avoir à raconter, celle-là? Elle qui ne fait que boire, manger, se ceindre les reins pour le travail et dormir. ” Assez vite, on apprit qu'elle avait le don de la parole, chose ô combien surprenante pour une femme. Car si la femme a le don d'enfanter, l'homme possède celui de jongler avec les mots et d'en tisser de fabuleux récits. Après tout, pensait-on, ce n'est pas tout à fait une femelle. Jusqu'au jour où le maître, flânant à cheval du côté de Savane-Pois, l'aperçut, superbement courbée dans la touffeur des cannes et décida (bien que l'esclavage eût été aboli depuis au moins soixante ans) d'en faire sa seconde épouse. Dès le lendemain, Franciane avait quitté les champs et besognait aux cuisines de la maison du maître. Une impressionnante bâtisse blanche en bois et en pierre, entourée sur deux étages de vérandas ouvragées et au-dehors de haies de bougainvillées les plus éclatantes que l'on pût trouver en cette partie de l'île. A Morne Capot, la valetaille s'était fait une raison et proclamait : " Dieu est grand, il sait ce qu'il fait. Cette bougresse-là n'était pas faite pour nous, vous n'aviez donc pas remarqué la vénusté de son corps ! "

« Et ce n'est pas à dire qu'on lui en voulait vraiment puisque, dès le premier jour, nos femmes ont partagé la couche des maîtres blancs soit de force soit par séduction, et puis, il faut l'avouer, on espérait en secret que de fouailler dans la noirceur brûlante d'une coucoune crépue, ceux-ci en deviendraient plus compréhensifs envers nous. D'ailleurs, dans le cas qui nous occupe, dès que la nouvelle parvint à l'épouse de De Cassagnac, elle sembla s'étioler du jour au lendemain, elle si active, si gaie parmi ses négresses, parlant tout le temps notre langue avec un plaisir irritant. Elle n'adressa pas la moindre bravacherie ni le moindre coup d'œil à sa rivale. Le matin, engoncée dans une dodine, perdue dans une chimère à vous briser l'âme, elle distillait ses ordres d'une voix à peine audible à la « da », la gouvernante noire de sa fille Marie-Eugénie et de ses deux fils. Elle ne mit plus les pieds aux cuisines et son rire manqua à certaines. Peu à peu, elle cessa de s'habiller, puis de se laver. Elle passait de son lit à la dodine et de la dodine à son lit avec une indifférence effrayante. Le béké mit du temps à prendre conscience de cette transformation, trop occupé qu'il était désormais à aller rejoindre Franciane dans la case qu'il lui avait fait aménager à sa seule et unique intention près du bassin. Quant à Franciane, elle sembla trouver tout à fait normal de telles prévenances, un peu comme si elle y découvrait la juste récompense de ses souffrances passées.

Elle s'offrait avec une impudeur étudiée dans le bassin qu'une source alimentait nuit et jour et où les lessiveuses venaient puiser de l'eau. Mais sa parole diurne était toujours aussi rare et de Cassagnac se fit fort de la dérider en se livrant à d'incroyables pitreries du haut de son balcon tel un garnement nègre et cela bien qu'il fût entré dans la quarante-sixième année de son âge.

« La femme légitime de De Cassagnac entra en déraison quand le ventre de Franciane commença à enfler. Elle poussait des hurlements au beau mitan de la nuit et réveillait le monde jusqu'aux cases les plus éloignées de la maison du Maître, celles des Congos. Or, le Maître ne soufflait mot, n'entendait rien. La nuit était réservée à Franciane et à elle seule. Il mangeait dans sa case, soliloquant, buvant force tafia, rotant sans retenue. " Un vrai nègre à présent ", se lamentait la da. Mais il fallut bien qu'il fît quérir le docteur de Grand-Anse car son épouse était devenue d'une pâleur telle qu'on lui voyait les veines à travers la peau et surtout elle déparlait sans trêve dans la langue des nègres.

« Dans ce tournevirement naquit Eau de Café sur l'habitation De Cassagnac, un douze janvier de l'année 1903, quand Franciane fut violentée dans un champ par un nègre qui n'était même pas natal du Morne Capot. Un nègre d'ailleurs, d'en bas, ce qui revient à dire de cette coulée étroite qu'est Macédoine où les gens ressemblent à des ateliers de fourmis-manioc quand on les observe depuis l'habitation. Un nègre qui portait le titre pompeux de Julien Thémistocle sur sa tête...

« Venez, cher monsieur, m'accompagner ce soir sur la plage. J'ai encore tout un lot de choses graves à vous livrer. »

L'homme ne me baillait point de menteries : avant de s'engager pour la vie dans la marine marchande, il s'était échiné dans les champs de canne du Blanc, m'avait appris Thimoléon.

Eau de Café resplendit d'une joie qu'elle s'efforce de tenir secrète. Elle me croit devenu raisonnable depuis que je ne lui pose plus aucune question et que je semble sur le point d'abandonner ma quête. Elle qui lit demain dans nos rêves sait déjà que je vais partir mais pour conjurer le sort, elle m'invite à emménager dans la chambre qu'occupait Antilia dans le temps, à côté de la sienne, à l'étage de la boutique.

« Tu ne prends pas la hauteur de mon manger ? s'inquiète Eau de Café.

– Si, si... » dis-je en avalant avec brusquerie une cuillerée de la sempiternelle soupe-calalou qu'elle préparait aussi bien dans le mitan de la fournaise du carême que dans la froidure de l'hivernage.

Thimoléon m'interroge sur mes livres et est fort surpris d'apprendre que je n'ai jamais rien publié. Il insiste pour que je lui montre mes manuscrits « car je ne veux pas que tu marques des histoires qui n'ont jamais existé. Un livre, ça doit exposer la vérité, rien que la vérité vraie. Je n'ai pas beaucoup lu mais je sais que le plus considérable écrivain du monde, Victor Hugo, a toujours écrit ce qu'il a vu de ses yeux ou bien ressenti de son propre cœur ».

Il avait appris à lire au finissement de la Seconde Guerre mondiale, lorsqu'il s'était lié d'amicalité avec l'instituteur de l'école d'En Chéneaux et que ce dernier l'avait convaincu d'adhérer au Cercle communiste de Grand-Anse. Aussi vénérait-il le livre autant que le tafia et parfois, le soir, nous l'entendions déchiffrer à haute voix une vieille histoire du socialisme presque en lambeaux qui lui avait été offerte par ses nouveaux camarades. Soudain, l'atelier s'animait. Les rabots faisaient souffrir l'acajou et le poirier-pays jusqu'à une heure avancée. On le taquinait :

« C'est toi le diable! Tu travailles la nuit, compère. »

Bien qu'il ait toujours feint de fuir Antilia comme la vérette, j'ai toujours soupçonné qu'en ces moments-là, la fillette venue de la mer nous endormait, Marraine et moi, d'un geste connu d'elle seule et qu'elle le rejoignait parmi les planches rougeâtres et la sciure. Je ne crois pas qu'ils aient jamais brocanté la moindre parole mais ils devaient se comprendre par le chant car, plus d'une fois, mon sommeil a été rompu par l'en-aller prodigieux d'une voix aussi alerte que le froissement d'aile de l'oiseau-mouche. La mer semblait modérer son vacarme, le vent se retirait tout au fond des ténèbres pour revenir bruire doucereusement à travers les fentes des cloisons. Dans le bourg avachi d'ensommeillement, pas même l'aboiement d'un chien sans maître. Pas même le courir-descendre d'un camion-dix-roues chargé de bananes en provenance des grandes plantations de Basse-Pointe. Un silence de complot.

J'avais la furieuse envie de tiger de mes draps pour pouvoir enfin surprendre Antilia dans une posture humaine et peut-être lui arracher un sourire mais mes membres semblaient s'engourdir et mes yeux se gourmaient contre le poids de marbre de mes paupières. Je n'avais d'autre ressource que de demeurer dans cet état semi-conscient et me laisser transporter par la frénésie de son chanter dans un univers peuplé de chimères (celles que nous nommions « soukliyan » dans notre langue), de papillons mauves, de flûtes en bambou ciselées d'argent, d'hommes géantissimes scrutant les cieux sans étoiles ainsi que d'immenses rochers dépourvus d'ombrage. D'ailleurs, c'est par ce biais-là que j'avais décidé d'attaquer. Thimoléon, pourtant sur ses gardes, fut surpris :

« Si je crois en l'existence d'un autre monde que le nôtre ?... un autre monde, hein... ha ! ha ! ha ! Mais que vas-tu chercher là, mon petit bonhomme ? Moi, en tant que communiste et donc athée, je ne crois qu'à une chose : à ça ! » déclara-t-il en tapant du poing sur la table en bois de courbaril.

Marraine le fusilla du regard tout en bredouillant une courte oraison à saint Martin de Porès, son favori. « Je ne veux pas que le péché entre dans ma maison » était son obsession depuis qu'elle s'était mis à dos le curé de Grand-Anse pour avoir gardé Antilia chez elle. Elle n'allait plus à la messe de six heures et avait maquillé un coin de sa chambre en un vaste autel où ne manquaient ni encensoirs ni chandeliers et elle se disait à elle-même la messe avec cette souveraine effronterie caractéristique des femmes créoles du temps jadis.

« Tu vois, reprend très vite le menuisier, il ne faut pas perdre son esprit à chercher le pourquoi et le comment des choses que l'esprit humain n'est pas fait pour comprendre. On a déjà bien assez avec cette vie de nègre à déveine, ce travail qui écaille votre vie sans terminaison pour s'encombrer encore la tête du souci de l'autre monde, à supposer même qu'il existe, hein... avant la guerre de 14-18, on avait le droit d'aller à Morne l'Étoile et de couper tous les pieds de bois que l'on voulait. J'ai rempli les salons des bourgeois de Grand-Anse, de Fond d'Or et de Sainte-Marie avec du courbaril, du gommier rouge, du zamana, du merisier... du bon bois, tu m'entends, un bois qui avait pris le temps de grandir. C'était une joie sans bornes que de le modeler. Aujourd'hui, je suis contraint d'acheter cet affreux mahogany qui pousse en un rien d'années. Comment veux-tu que je m'y prenne, moi ? Je ne suis pas casseur de roches. »

Marraine me verse une nouvelle rasade de vin Socara, un ignoble breuvage fabriqué chimiquement à Fort-de-France dont le peuple raffolait. Je surmonte l'horreur qu'il m'inspire en le laissant m'enivrer peu à peu. Mes doigts tremblent de façon imperceptible. Elle se rend à son balcon et se rafraîchit la figure dans une bassine placée sous la gouttière afin de recueillir l'eau de pluie. Encore une habitude campagnarde qu'elle ne parvenait pas à perdre bien qu'elle habitât le bourg depuis maintenant une bonne vingtaine d'années. Vaincu par l'alcool, je m'écrie :

« Tu m'as menti ! Oui, Eau de Café... ne te justifie pas, non, laisse-moi dévider mon compte de paroles. Tu m'as raconté des calembredaines : Antilia n'est pas partie à la ville, elle n'est pas devenue une grande dame, elle ne fait pas de politique. Tout ça c'est un lot de couillonnades ! Elle a fui l'étroitesse de Grand-Anse, puis elle a tourné le dos à la mesquinerie de la ville où tu l'avais par imprudence expédiée et, en ce moment même, elle arpente les trottoirs de Paris, telle une âme en peine, livrant sa chair de caïmite à la chalandise. Tu l'as perdue ! C'est toi qui l'as perdue. »

Marraine et Thimoléon se regardent, interloqués. L'homme prend une paire de dés et se met à les faire rouler sur la table sans s'occuper de moi. Marraine humecte une serviette dans l'eau de la bassine et me l'applique sur les tempes d'un geste très maternel. Quelqu'un cogne en bas à deux reprises.

« C'est Gabriel-sans-dents qui m'emmène du poisson, fait Eau de Café, va voir, Thimoléon. S'il a du thazard, je n'en veux pas, il ne doit pas être frais. Si c'est du requin, prends-moi un kilo et demi. »

Quand le menuisier est descendu, Eau de Café s'assied en face de moi, m'observe longuement et finit par me dire :

« Écoute-moi bien, filleul ! J'avais déjà enterré l'histoire de cette fillette du diable dans le tréfonds de ma mémoire. Plus personne dans ce bourg ne se souvient d'elle. On a tourné la page et voilà que toi, tu reviens des pays étrangers la tête encore farcie de tout cela. Mais quelle est ta véritable intention ? Que t'importe le destin de cette ombre humaine ? Quel lien mystérieux te rattache encore à elle ? Moi, je vais sur mes soixante-treize ans et je tiens à avoir un enterrement convenable. Ne viens pas ressasser ces diableries qui ne peuvent que me porter préjudice à nouveau. Ce que l'on ignore est plus grand que soi... oublie ! Oublie, je t'en supplie !

– Qui veut m'empêcher de trouver ? Toi ? Qui a fait saccager ma chambre à l'Océanic-Hôtel, hein ? »

Marraine s'approche à quelques millimètres de ma figure. Ses rides tressautent, accentuant la terrible fixité de ses yeux.

« Je peux te révéler ceci, mon garçon : depuis le temps de l'esclavage, nos femmes ont tué leurs bébés dans leurs ventres afin de ne point fournir de bras aux maîtres. Ne pas faire d'enfants pour l'esclavage, tel était le mot de passe ! Après, quand la liberté est venue, les abbés ont voulu nous interdire cette habitude. C'est crime ! clamaient-ils en chaire, mais cela ne nous a jamais empêchées d'éteindre les existences intempestives qui se préparaient dans nos chairs. Les breuvages de Doris ont toujours fait merveille. Alors quand certaines de nos femmes sont devenues bréhaignes, par punition, les abbés ont à leur tour desséché le ventre de notre mer... Antilia, j'ai fait trente-douze mille choses pour qu'elle ne voie pas le jour mais je l'ai accouchée quand même et on me l'a enlevée à la naissance. En plus, au lieu d'enterrer le cordon de son nombril sous un arbre comme l'exigent nos traditions, on l'a voltigé à la mer. C'est tout, filleul, maintenant pars, je t'en prie... »

27

EAU DE CAFÉ, NÉGRESSE PLUS LAIDE QUE LES SEPT PÉCHÉS CAPITAUX

Les seins ne sont jamais trop lourds pour l'estomac qui les porte même si, comme les miens, ils sont plus arasés que la Savane des Pétrifications. Julien Thémistocle, dès que je t'ai approché, un jour de grand marché dont tu n'as même pas gardé souvenance, j'ai senti que tu étais pour moi. Le gris-chat de tes prunelles a balayé mon cœur de tous les miasmes qu'il charroyait depuis le sortir de l'enfance. Je t'ai frôlé au moment où tu aidais une marchande à décharger son panier de choux de Chine et tu m'as dit joyeusement « Attention de se blesser, oui! ». J'ai longtemps porté en moi le poids de ces quelques mots. La nuit, ils m'accompagnaient dans mes veilles. Dans mon jardin, ils m'aidaient à supporter avec une infinie patience le raide soleil de carême. Aussi ai-je toujours su que tu serais à moi, même si je ne sais pas lire dans les astres ni déchiffrer le bruissement du vent qui monte dans les cannes. Ma passion, car comment nommer autrement cette certitude délicieuse qui me démangeait les tempes chaque fois qu'on prononçait ton nom devant moi, n'est pas née d'une attirance foudroyante. Il me semble qu'elle a toujours été là, au plus profond de moi, comme une attente de toi alors que je ne te connaissais pas encore. C'est pourquoi notre première rencontre n'a pas été pour moi un choc mais tout bonnement la confirmation d'un sentiment, non!, plus que cela, d'un fond-de-cœur, indéraillable. Je n'ai pas exhibé de larmes le jour où tu te mariais avec cette capistrelle de Passionise à l'église de Basse-Pointe. Je me souviens seulement du suisse hiératique, grand nègre harnaché de rouge et de bleu, brandissant sa lance sur le parvis, que la traîne du voile de l'épousée a soudainement enveloppé. J'ai toujours su qu'elle te trahirait et traînerait ton honneur dans les pires dalots. Tu t'es laissé éblouir par sa belleté de mulâtresse et par le beau parler des gens qui prétendent qu'il existe trois reines dans le nord : la Blanche créole Florence de Cassagnac (dont on n'a pas vu la figure depuis l'époque où le diable n'était qu'un petit garçon), la négresse, au demeurant femme-de-tout-le-monde, Myrtha et cette Passionise si fière de son titre de Belleterre. Mais tout ça, c'est des couillonnades que les femmes désœuvrées inventent pour rendre le passage du temps moins pesant lors des après-midi de grande chaleur. En réalité, notre nord regorge de créatures à la succulence diabolique. Que fais-tu des chabines solaires de Macédoine, des brunes capiteuses de Maxime, des négresses bleu nuit de Morne Capot ? Le grain de tes yeux a été aveuglé par Passionise parce qu'elle t'a emprisonné dans ses rets à l'aide de la poudre « emmenez-moi-venir-cet-homme » d'un manieur d'herbe maléfiques qui, s'il vit toujours, doit avoir dépassé cent ans plus vingt années dessus, au quartier Desmarinières à Rivière-Salée. J'ai souvent accompli le voyage à pied jusqu'à cette commune que borde une mangrove impénétrable. J'y ai vu le yacht qui transporte les marchandes à Fort-de-France, sans jamais toutefois m'y embarquer un seul coup. Je n'ai rien mis dans la capitale, pourquoi irais-je y driver sinon pour finir péripatéticienne au Morne Pichevin comme cette Philomène chimérique dont parlent avec exaltation nos jeunes nègres vierges ? Les demoiselles de bonne famille trop laides pour dénicher un mari m'y envoyaient, contre deux musses d'huile ou un morceau de cochon salé, quérir le charme qui devait leur permettre de modifier leur déveine. Si j'étais surprise par quelqu'un de chez nous, je devais prétendre que j'agissais pour mon propre compte et comme j'étais tout le portrait d'un péché mortel, je n'avais aucune peine à justifier ma démarche. Mais jamais personne ne barra mon chemin pour me questionner sur ce qui ne les regardait pas. Même les bourse-ou-la-vie qui hantaient les routes de Fond d'Or ne m'ont jamais agressée alors que je transportais, bien serré dans ma culotte, le paiement du quimboiseur : une paire d'anneaux créoles en or massif de Cayenne, une bague munie d'une pierre brillante ou un collier d'ambre. La poudre qu'il me remettait me semblait si banale d'aspect qu'un jour où les avalasses d'hivernage m'avaient détrempée jusqu'aux os, j'ai simplement gratté le tronc d'un figuier-maudit pour en recueillir la mousse et figurez-vous que le charme agissait quand même. Je n'avais donc plus à fatiguer mes os à travers mornes et coulées : il me suffisait de m'installer en tant qu'intermédiaire de l'Invisible. Ce que je fis à l'insu du voisinage car je ne travaillais que pour les étrangers. Jusqu'au moment sublime où l'ombre de Julien Thémistocle a traversé ma vie et que je décidai de le circonvenir dans un premier temps, puis de l'attraper dans mes fils d'araignée. A l'époque, j'avais peur de me regarder dans un miroir. Je haïssais la noirceur bleutée de ma peau, mes lèvres en ourlet, mes dents plus blanches que la pulpe du corrossol. Quant aux grains de poivre de mes cheveux, n'en parlons même pas! Mes compagnes se lamentaient des après-midi entières :

« Foutre que Dieu est méchant, il n'aurait pas pu nous bailler un petit morceau de belleté, non ? »

Personne ne trouvait de réponse à cette injustice criante et surtout immotivée. Qu'avions-nous fait au Maître des Cieux ? D'ailleurs, ceux qui lui avaient désobéi, Adam et Ève, n'étaient-ils pas blancs comme de la farine de manioc ? Le jour où je tombai d'amour pour Julien Thémistocle fut le même que celui où il nous apporta ses vues sur la question. Je ne suis qu'un simple nègre d'habitation qui manie la houe et le coutelas du matin au soir, nous dit-il, mais je connais des choses qui ne sont pas dans les livres. D'ailleurs, ce n'est pas parce que notre marmaille va désormais à l'école qu'elle doit se montrer si prétentieuse envers nous. L'autre jour, j'ai dû tailler les fesses de mon aîné parce que le bougre prétendait me regarder droit dans les yeux. Qu'est-ce qu'on leur montre au tableau noir : à défier leurs parents ? Hon ! Moi, Julien Thémistocle, fils de Jean Thémistocle lui-même fils de Thémistocle qui apprivoisait les serpents au plus touffu des bois, je déclare que Dieu n'a pas tort. Eh oui ! Inutile de largir vos yeux comme ça, mesdames de la compagnie. Quand il eut créé le Blanc, le Noir et le Mulâtre, le Bondieu les convoqua au paradis pour un ultime entretien avant de les envoyer sur terre. Le Blanc s'habilla très vite et s'empressa d'arriver le premier : le Bondieu lui bailla une petite boîte. Le Mulâtre, pétri d'insouciance et de je-m'en-fous-ben, comme nous le savons tous, s'attifa, coiffa longuement ses cheveux, se pommada, se lotionna et au bout d'une matinée finit par se rendre au paradis où Dieu lui remit une boîte moyennement grosse. Monsieur le Nègre, quant à celui-là, il faisait le macaque comme à l'ordinaire ! Il éplucha des cannes, but du sirop-madou, changea son bœuf de piquet, lutina toutes les femmes qui passaient aux abords de sa case, chanta et battit du tambour, but son compte de tafia, fit la sieste et sur les cinq heures de l'après-midi se rendit à l'appel du Très-Haut. Il reçut en partage une énorme caisse sous le regard furieux du Blanc et du Mulâtre. Le Nègre se mit à bambouler partout, à gigoter, à pousser des exclamations de joie. Le Bon Dieu demeura impassible et lorsque le Nègre se fut calmé, il ordonna à chacun des trois d'ouvrir leur caisse. Le Blanc s'exécuta, maussade, dix plis au front. Miracle : sa boîte contenait de l'or, de l'argent et des pierres précieuses. Sa figure s'éclaira d'un sourire radieux. Le Mulâtre, perplexe et passablement embêté, ouvrit la sienne avec lenteur. Elle contenait un encrier et un porte-plume. Le Mulâtre sourit, visiblement rassuré. Le Nègre hilarait de plus belle devant son énorme caisse, certain que le Bon Dieu lui avait réservé la plus belle part. C'est donc avec précipitation qu'il ouvrit la sienne. Tonnerre du sort ! Elle contenait une pile de fourches, de houes, de coutelas et de truelles. Le Nègre demeura le bec coi. Ses oreilles tremblaient de façon comique. Le Blanc, qui avait obtenu la richesse, et le Mulâtre l'intelligence pétèrent de rire d'une seule voix.

« Me voilà enchaîné au travail jusqu'à la fin des temps », murmura le Nègre, incrédule.

Mesdames de la compagnie, ne cherchez pas ailleurs les raisons de notre laideur et de notre pauvreté ! Dieu nous a baillé notre chance et nous l'avons nous-mêmes gâchée. Mais pourquoi perdre courage ? Moi, quand je regarde vos formes, j'ai de la salive qui emplit ma bouche et j'ai envie de vous chevaucher ici-là même. Le mulâtre et le Blanc ont la même envie et c'est pourquoi vous toutes, vous arborez une marmaille si bariolée. Pas une d'entre vous qui ne possède que des petits nègres noirs. Ha ! ha ! ha ! Notre revanche c'est la coucoune noire et grainée aux lèvres roses comme la conque du lambi. Dès qu'on approche la bouche de votre giron, on est comme happé par ses radiations et l'on plonge sa langue sans retenue dans la fente bombée jusqu'à s'évanouir de doucine. Pour dire que la négresse est somptueuse, pour effacer de son esprit toutes les litanies de mauvaisetés qui ont été proférées à son égard par le Blanc, il faut d'abord sucer sa coucoune. Alors, mesdames de la compagnie, de quoi vous plaignez-vous ? Livrez vos corps à la soif de tous ces bougres-là et vous verrez après comment ils clameront haut et fort votre belleté. Car la belleté de la négresse n'est pas dans les cheveux en fil de soie, dans le nez pincé et les lèvres en lame de couteau. Décrassez votre tête de toutes ces couillonnades ! La belleté de la négresse ne peut être décrite avec les mots des Blancs.

De ce jour, je me suis su belle et c'est grâce à Julien Thémistocle. Je lui en serai toujours reconnaissante quoi qu'on raconte sur la malpropreté sexuelle de la lignée des Thémistocle. Bien qu'on eût cessé de me seriner qu'il était l'assassin de Franciane, ma mère, je livrai mes chairs à Julien derrière le dos de ma gardienne Doris. Sur le chemin qui me conduisait au bourg de Trinité où j'allais prendre des cours de couture chez une dame de bien, je trouvais toujours le moyen de faire un chemin-découpé pour aller coquer avec lui dans quelque ravine de l'habitation Fond-Massacre. J'entendais les quolibets qui accompagnaient mes pas au débouché de chaque case :

« Voilà une négresse qui ferait peur à la laideur elle-même ! Ouille manman, accourez donc voir ça ! »

Je battais mon chemin, drapée dans une fierté maréchalesque, parce que je savais que je serais belle, très belle, tout à l'heure sous les doigts experts de ce nègre de Julien Thémistocle dont on raillait la prétendue absence d'instruction. Le monde vous juge sur la rareté ou la profusion de vos propos. Dans un cas, vous êtes un imbécile ; dans l'autre, un grand savant. Allez savoir pourquoi le nègre vénère tant la parole et maudit le silence ! Julien n'avait longuement parlé qu'une fois dans sa vie mais sa parabole sur le Blanc, le Nègre et le Mulâtre avait, à mes yeux, plus de poids qu'une tonne de ces billevesées dont notre race est si friande. Elle m'avait allégé ma vie et je ne sentais même pas la dureté de la pierraille sous le plat de mes pieds. J'allais à sa rencontre comme le vent qui grimpe au plus altier du Morne Jacob mais plus gaie que lui. Plus rayonnante que ce vent qui psalmodiait des douleurs secrètes : échos d'amours fous non partagés ou chagrins de femmes laissées veuves dans la fleur de l'âge. Nous roulions dans les halliers et nos corps pétrissaient la terre qui semblait prise de convulsions. Nous nous perdions l'un dans l'autre et ces instants avaient un goût d'éternité. Négresse, ma bonne amie, l'éternité c'est quand tu sens monter dans ta matrice une sorte d'éraflure qui te fend en deux jusqu'au ras du cou et que tu t'agrippes au bras de l'homme en demandant pardon au Bon Dieu d'empiéter si fort sur son territoire.

J'ai vécu ainsi cinq années d'heureuseté, interrompues hélas tout le temps que dura l'agenouillement de notre mère la France devant ce chien-fer d'Hitler. Revenu d'Europe, il a fallu que le rêve se dissolve en sept douleurs qui se lovèrent dans les moindres recoins de ma chair. Tout cela parce qu'il avait prononcé haut et fort, avec l'accent brodé des Blancs-France, une parole qu'il avait sans doute apprise là-bas. Les nègres de la case-à-rhum ruminèrent des jours durant la stupéfaction que cela leur procura.

« Si le Bon Dieu a créé les Nègres, ironisa Julien Thémistocle, dernier du nom, c'est parce qu'il n'avait plus de poils pour fabriquer les singes. Ha ! ha ! ha !... »

Septième cercle

Plus nous remontons dans la forêt sombre des paroles, plus la trace se fait étroite et plus le sens file en désordre à travers les lianes. Le nègre vit deux, trois, quatre vies quant-et-quant et sans doute est-ce là la cause de son insigne faiblesse. Il croit détenir des secrets grandioses alors qu'il n'est que le jouet de symboles grandiloquents.

L'être que l'on s'imaginait avoir aimé de toutes ses forces ne s'en était même pas aperçu ou n'avait jamais existé. Notre île est parcourue de silhouettes à qui nous donnons corps pour nous rassurer sur notre sort et voilà pourquoi la dérisoireté est si fréquemment la banale explication de tant de maux.

Une souffrance qui se nourrit désormais d'impalpable peut-elle nous forger un destin ?

28

LA NOYADE D'ANTILIA

A la tendresse des Avents qui tente de chavirer chaque jour et chaque nuit du mois de la Noël, désarmant les rancunes les plus tenaces, préparant certains cœurs à l'irruption de l'amour, succède janvier et sa chaleur scélérate. A Grand-Anse, on savait bien qu'il était inutile d'accabler le soleil car c'était de la roche, des arbres et de l'écorce de la mer que semblaient sourdre des éclats de feu. Inutile d'actionner les ventilateurs ou de s'asperger d'eau quinze fois par jour à l'aide d'un tuyau. Même le bitume, ramolli et gluant, demandait pardon. Le temps était comme emprisonné dans les maillons d'une force invisible qui vous baillait la dégoûtation du manger, du parler, du marcher et s'aviser de boire du tafia revenait à recevoir un coup d'assommoir.

En janvier, le quinquagénaire Julien Thémistocle affichait vingt ans d'âge et rivalisait d'élégance avec Ali Tanin. Il s'employait comme mandoliniste chez le coiffeur de la Rue-Derrière pour gagner de quoi cadeauter ses conquêtes du moment. Les notes cristallines qu'il tirait de son instrument aidaient Honorat Congo et ses clients à supporter la touffeur des après-midi. Dans le salon, tapissé de photos d'actrices italiennes et de footballeurs brésiliens, on n'entendait plus que le cliquetis des ciseaux adouci par les mélodies du temps-longtemps que s'escrimait à jouer l'amoureux d'Eau de Café. La figure des hommes d'âge mûr s'imprégnait d'une soudaine gravité, en proie qu'ils étaient à ce sentiment terrible, irrépressible qu'est la nostalgie ordinaire. Celle qui n'entretenait pas de rapport avec quelque grand amour brisé ou rêve désenchanté mais qui découle simplement, banalement de la souvenance d'une odeur de marinade s'échappant de la fenêtre d'une case, d'un tapotement affectueux sur l'épaule après l'effort commun ou de la contemplation d'un ciel mauve aux approchants du soir quand les causers de la journée se sont épuisés d'eux-mêmes. Ou encore du bien-être d'un sommeil qui vous senne aussitôt la tête posée sur l'oreiller.

Pour rompre le charme, Honorat Congo racontait une histoire salace de son invention bien qu'il en affublât les personnages de noms de gens identifiables à Grand-Anse. Ce jour fatidique-là, il apprit à ses clients la raison pour laquelle Major Bérard s'était mis à clopiner (l'année de la Madone ou celle de Papa de Gaulle, on ne savait plus) alors qu'on n'avait pas eu connaissance qu'il eût été le moins du monde victime d'un accident.

« Le bougre forniquait la femme de Syrien, messieurs, hâblait-il. Oui, Rose-Aimée Tanin, la négresse qui a plein de petits zéros en guise de cheveux. A l'époque, Syrien n'avait pas encore fait fortune grâce aux culottes noires et s'endormait sur une chaise de son magasin de peur de rater quelque client matinal.

– Quant à Bérard, il n'avait sans doute pas encore conquis son titre de major, l'encouragea le client auquel il taillait la barbe.

– Il commençait, il commençait... rappelez-vous qu'il avait déjà levé-fessé par terre deux grands maîtres du damier à Basse-Pointe et Macouba et qu'il avait lancé un défi au célébrissime Hurard Belgrade de Morne-des-Esses. Son retourné du dos du pied gauche commençait à être redouté, mes amis. »

La mandoline jouait alors en sourdine. Les coups de ciseaux se faisaient plus hachés. Honorat Congo essuyait d'un geste sec chaque touffe crépue qui tombait sur l'épaule de son client tout en se tamponnant le front. Son excitation devint à son comble lorsqu'il se rendit compte qu'il avait un public inhabituel à sa fenêtre, un vrai public et non pas les sempiternels fainéantiseurs de la Rue-Derrière. Après, on épilogua longtemps pour comprendre quelle aimantation secrète avait attiré Ti Fène Auguste, Man Léonce, la boulangère, Dachine, l'éboueur municipal, Maître Salvie, le chauffeur du « Bourreau du Nord », Ali Tanin, le bâtard-Syrien, Thimoléon, le menuisier, et même maître Féquesnoy, le notaire à l'entour du salon de coiffure de ce nègre-Congo « si noir que bleu » selon l'expression gonflée de mésestime de ceux que les hasards du maelström colonial avaient dotés d'une pigmentation café-au-lait. Honorat Congo avait d'ailleurs une antienne :

« Je ne suis pas un fils d'esclave comme vous autres, non. »

En effet, lorsque, au beau mitan du siècle précédent, les nègres créoles, aidés de Papa Schœlcher, l'Alsacien au grand cœur, eurent contraint les Blancs-pays à remiser chaînes et carcans au fond de leurs hangars. Lorsque le fouet ne fut plus qu'un instrument de distinction servant à faire galoper les chevaux. Lorsque les champs de canne à sucre furent désertés et que les distilleries cessèrent de fumer. Lorsque le monde nouveau s'installa dans ses aises, la colonie importa du pays d'Inde et plus tard du Congo des cargaisons de travailleurs sous contrat. Le père d'Honorat Congo, qui avait pour nom Massemba, reçut en partage avec cinq de ses congénères une ancienne case d'esclave sur l'habitation Séguineau où régnait depuis trois siècles la dynastie des de Cassagnac, originaire de l'Anjou. Leur arrivée fut houleuse. Les nègres créoles, qui entre-temps avaient conquis les flancs des mornes, les ignorèrent puis entreprirent de les injurier, de leur cracher à la figure et de leur voltiger des roches. Grand-Anse et ses campagnes résonnèrent des mois entiers de « Congo sale ! », « Congo malpropre ! », « Congo senti ! » ou « Congo chien ! » Au finissement du siècle, l'ire des autochtones s'affaiblit sans s'estomper tout-à-faitement. Massemba, que tous désignaient par le sobriquet de Congo Laide, s'employa sa vie durant à empêcher qu'il n'échût au fils qu'il avait conçu avec la première négresse créole qui condescendit à le laisser la toucher, événement qui se produisit après sept éprouvantes années de sécheresse du cœur et d'abstinence de la chair. Cette négresse-là était la mère de Rose-Aimée Tanin et par conséquent cette dernière se trouvait être la demi-sœur d'Honorat Congo lequel n'était donc autre que le demi-oncle de cet enjôleur de jeunes filles d'Ali Tanin. D'où le proverbe créole « Tout nèg sé fanmi » (Tous les nègres appartiennent à la même famille).

Cependant, Rose-Aimée ne voulut jamais reconnaître dans le rejeton de Congo Laide un proche parent, ni même un parent tout court et s'employa au contraire, non sans succès, à dépersuader le monde qu'elle entretînt des liens de sang avec celui qui deviendrait le coiffeur le plus émérite de Grand-Anse. Non seulement elle ne lui disait pas bonjour mais elle semblait ne même pas le voir, si bien qu'Honorat Congo avait coutume de la gouailler les rares fois où elle passait au ras de son salon :

« Je suis si noir qu'invisible, ha! ha! ha! »

Très tôt, Congo Laide avait tenu son fils à l'écart du travail de la terre en lui enseignant l'art de raser les barbes les plus rêches avec un tesson de bouteille. Enfant, Honorat n'eut jamais à s'embesogner dans les petites bandes qui ramassaient les cannes oubliées par les amarreuses. Le samedi venu, après la paye, tout ce que Grand-Anse comptait comme Congos s'alignait sagement devant la case de Congo Laide, à l'ombre d'un corrossolier, afin de se faire une propreté du menton. Honorat devint si expert en la matière que des nègres créoles désargentés se résignèrent, toute répugnance bue, à le laisser leur savonner les joues. En final de compte, quand au sortir de la Première Guerre mondiale, on en vint à oublier les griefs que l'on nourrissait à l'encontre des Congos, le jeune homme put louer un petit local à la Rue-Derrière qui ne tarda pas à prospérer et cela sans l'aide d'aucun maléfice. Il fut la seule personne à souhaiter la bienvenue à Eau de Café lorsque cette dernière installa sa boutique face à l'église. Même l'adoption d'Antilia ne parut pas le choquer.

« Fonmi fôl ka fè wôl fôl men i pa fôl pyès » (La fourmi-folle fait semblant d'être folle mais elle n'est point folle) proverbait-il à ses clients les plus hostiles à l'enfant abandonnée.

« D'ailleurs, si je savais comment couper la chevelure des femmes, n'hésitait-il pas à proclamer, je lui aurais taillé la sienne de si merveilleuse façon qu'assurément et pas peut-être, vous vous chamailleriez pour obtenir ses faveurs. »

En réalité le bougre, qui avait hérité de la laideur de son père et que les friquenelles du bourg dédaignaient, avait conçu le projet de mettre Antilia en case. Pas moins! Il n'ignorait pas qu'elle avait troussé la bouche sur les avances des sieurs Ali Tanin, feu Émilien Bérard et Julien Thémistocle.

« Ce qu'elle cherche ce n'est pas la belleté, en conclut-il, c'est vraiment l'amour-France. »

Cela nécessitait d'abord de maîtriser le français-France et non notre habituel baragouin teinté d'Afrique. Obstacle qu'Honorat Congo surmonta avec un talent prestidigitatoire en décidant de parler la bouche pointue en croupion de poule. Si, d'aventure, il apercevait Antilia qui s'approchait sur le trottoir d'en face, il se gonflait le jabot et, d'un geste précieux, aiguisait son rasoir sur un morceau de bois brûlé avant de déclarer à très haute voix la même phrase pompeuse :

« Jeu neu comprends pas queu meussieu leu maire neu seu déçudeu pas à meu coopter au conseil munusupal. Meutre Féqueunoy et moi-meume sommes leu plus gros donateurs aux œuvres de la commune. »

L'air toujours aussi avantageux, il se saisissait du menton de son client pour lui passer le blaireau et, juste à l'instant où la jeune fille passait devant le salon, il demandait :

« N'eu-ceu pas, cheur meussieu ? »

Ce langage brodé n'eut aucun effet apparent sur Antilia qui ne se doutait même pas que le coiffeur lui faisait ainsi la cour. Sans doute en eût-elle ri de ce fou rire qui baillait la chair de poule à Eau de Café. Mais ce fut un bien pour un mal car Honorat Congo acquit la réputation d'être l'un des plus grands mentors en français de tout le pays, après le député Lagrosillière il s'entend bien. Il se mit à monnayer ses conseils stylistiques aux élèves incapables de rédactionner une belle journée d'hiver et aux amoureux transis qui préféraient déléguer à la poste le soin de témoigner de leurs chatouillis d'âme. Il finit même par être coopté au conseil municipal à la suite du décès d'un de ses membres, chose qui laissa Antilia encore plus froide. Son salon ne désemplissait pas : on venait de Fond d'Or et d'Ajoupa-Bouillon pour se faire coiffer par lui, non qu'il n'y eût pas de nègres talentueux dans ces communes limitrophes mais parce que l'on plaisirait à l'écoute de son beau français-France. Honorat Congo refusa de se laisser tenter par le concubinage avec des négresses-matadors qu'attirait sa situation dans l'espoir qu'une telle constance finirait un jour ou l'autre par faire fléchir Antilia. Les années s'enfuirent, sa tête blanchit, son parler s'affina au contact des gendarmes blancs qui s'acclientaient chez lui, son salon se modernisa. Seul son amour, qu'il avait su par on ne sait quel miracle garder à l'abri des commérages, ne varia point.

Peu à peu, il se mit à se venger sur autrui, n'admettant pas que tout un chacun, sauf lui, Honorat Congo, obtînt au moins une miette de ce qu'il avait longtemps désiré. Il accablait le monde de sarcasmes qui, parce qu'ils étaient emballés dans un humour créole, lui évitaient de probables bastonnades. Donc, le jour où devait se dérouler l'événement fameux que fut la noyade d'Antilia, il venimait sur le dos de Major Bérard :

« Rose-Aimée Tanin ne se gênait pas pour se mettre les quatre fers en l'air avec lui, messieurs et dames de la compagnie. Eh oui, dans le lit conjugal même, foi d'Honorat Congo ! Pendant ce temps ce couillon de Syrien psalmodiait ses “ Achlam malfik mamdulillah chamsine ” pour son Bondieu, agenouillé sur un tapis. Tout roulait à la douce pour les deux amants mais, petit à petit, le bougre se douta de quelque chose. Quoi ? Nul ne le sait. Toujours est-il qu'il s'arrangea pour les coller en plein décalé-mangouste et, sans s'énerver, mit le canon d'un pistolet de contrebande sur la tempe de Bérard. “ Ou bien je te fais péter la cervelle ou bien je t'encule : à toi de choisir ”, proposa-t-il à l'amant de sa femme sans se départir de son calme. Le major se mit à trembler, de l'eau est venue à ses yeux, il fit mille propositions toutes plus mirobolantes les unes que les autres à Syrien comme de l'autoriser à coquer ses filles et il en avait un sacré paquet avec trente-douze mille femmes différentes. « Depuis Justina qui a douze ans mais qui a déjà deux gros tétés sur la poitrine jusqu'à Hortense qui vit avec un muletier de Morne Céron, précisa-t-il. Je n'ai qu'à ouvrir la bouche pour qu'elles obtempèrent. Je te le jure, Syrien. Ne me fais pas ça ! » Le mahométan ne voulut rien entendre. Lentement mais sûrement, il enfonça le canon de son arme dans le trou-caca de Major Bérard qui mordit un oreiller pour ne pas meugler. Rose-Aimée, nue et terrorisée, ne reconnaissait plus son mari. Elle crut, elle aussi, son heure venue. Des gouttelettes de sang teintèrent la couche à mesure que Tanin poursuivait son horrible pénétration. " Si j'appuie sur la gâchette maintenant, qu'est-ce que tu vas ressentir ", ricana-t-il à l'adresse du pauvre Bérard. Puis Syrien retira brusquement l'arme et l'encula à grands coups de reins qui arrachèrent au nègre des cris déchirants. Et de lui dire : " Après ça, je te mets au défi d'aller claironner que tu as coqué la femme d'Abdelhamid Tanin. Je veux qu'à chaque fois que tu t'avises de faire ça, tu sentes tes fesses te brûler, mon bougre. "

« Pas la peine de vous dire, mesdames-messieurs que le secret et du clopinement de Bérard et de l'adultère de Rose-Aimée a été férocement gardé par ces deux personnes qui du coup mirent fin à leur liaison. Ha ! ha ! ha ! »

Le bourg sembla s'esclaffer dans son entier tellement il y avait du monde qui se pressait aux abords du salon de coiffure. Honorat Congo sortit sur le pas de sa porte, ciseaux en mains et s'écria, rigolard :

« Hé ! Les femelles là ! Si y'en a qui ont besoin d'un bon rasage de coucoune, Honorat est prêt à travailler sans payer, oui. »

Le sublime succédant sans crier gare au trivial selon une tradition solidement établie à Grand-Anse, un déchaînement de vagues plus hautes que des maisons se produisit sur la plage. De la Rue-Derrière où se trouvaient les gens, ils pouvaient apercevoir de gigantesques ourlets d'écume couleur d'argent en fusion qui se bombaient en un drap d'eau bleu-vert du plus bel effet. Les Grand-Ansois accoururent sur la plage afin de graver ce phénomène dans les mémoires.

Le vent, réfugié au sein du promontoire de La Crabière, ne pouvait en être tenu pour responsable. Certains émirent l'hypothèse d'une colère des esprits Zémis dont les archéologues blancs avaient violé les sépultures au lieu-dit Fond Brûlé, Quartier Vivé. Ils avaient embauché deux robustes Grand-Ansois pour les aider à pelleter l'endroit, au contrefort de la rivière, et ces derniers avaient rapporté la découverte de curieuses pierres sculptées à trois pointes qui avaient plongé les savants dans une profonde perplexité. L'un d'entre eux, qui s'était saoulé un samedi soir au bar de Ti Fène Auguste, avait braillé toute la nuit dans les rues désertées du bourg :

« Nous avons la preuve que des humains ont vécu ici 4 000 ans avant Jésus-Christ. Hourra, citoyens! La Martinique est plus vieille que l'Europe. »

La population se déplaça avec prudence jusqu'au bord de mer, Eau de Café en tête. Mue par une soudaine intuition, celle-ci criait le nom d'Antilia, lui demandait de revenir parmi nous les chrétiens-vivants, d'abandonner à leur sort les divinités amérindiennes et, comme elle ne reçut pas de réponse de sa protégée, elle se mit à déparler. De La Crabière à l'en-bas de Redoute, le spectacle était impressionnant : les flots étaient sereins derrière la ligne où les lames prennent naissance mais au bordage de la plage, de long en large, sur les quatre kilomètres du rivage, quel boulvari! Honorat Congo affirma sur un ton très docte que la fin du monde était pour tout à l'heure. Il voyait des zébrures incandescentes sur la bleuité du ciel.

La descendance de René-Couli chantait en tamoul tout en jetant des pétales de bougainvillées sur le ventre de la mer. Ali Tanin, le demi-Syrien, se souvint que son père adorait Allah et murmura des prières dans cette langue gutturale que nul ne songeait plus à décalcomanier. Eau de Café, brandissant son chapelet-rosaire, répétait inlassablement :

« Credo in unum Deum. »

Elle fut la seule à s'approcher de la bête. Nul ne s'en étonna car on avait présagé depuis longtemps qu'elle y trouverait sa fin. Au moment où ses pieds touchèrent l'eau, le tressautement s'arrêta net. Les vagues s'aplatirent et un soudain bouillonnement des tréfonds libéra des fumerolles qu'irisaient les quadrilles du dernier soleil de cette mémorable journée. Elle pénétra dans la mer jusqu'à mi-corps sans que sa peau en soit brûlée. Bientôt, elle disparut tout entière et une frénétique pitié s'empara du monde. Plusieurs femmes se roulèrent par terre en s'arrachant les cheveux. Julien Thémistocle qui fut le tuteur puis l'amant d'Eau de Café, lui l'incube invétéré, le nègre-marron en révolte perpétuelle contre l'ordre colonial, le médaillé de guerre qui avait rejoint Papa de Gaulle à Londres, le major-fier-à-bras des contrées les plus reculées de notre commune (et, pour ceux qui s'en souvenaient encore, le violenteur à mort de Franciane, la négresse-aux-belles-manières, mère d'Eau de Café), prit une figure de petit bonhomme de dix ans. Il mit son gros doigt dans sa bouche et se mit à gémir avec douceur. Ses paupières se couvrirent de caca-z'yeux jaunâtres qui attirèrent des milliers de moucherons-yenyen.

« Manman, poutji ou pati ? » (Mère, pourquoi t'en es-tu allée ?) dit-il en s'approchant de cette mer de la tranquillité qu'était devenu l'Atlantique.

Puis il désigna l'éboulis là-bas, au pied de l'hôpital, à l'endroit du gouffre sous-marin qui avait pris la vie de tant de baigneurs innocents. Deux corps gisaient, l'un disloqué, l'autre rigide, sur la plus luisante des roches. Le monde, terrorisé, n'osait bouger. Le petit bonhomme entreprit d'avancer sur le sable noir, et ses empreintes étaient celles des sabots de cheval. Il prit par la main le corps rigide et tenta de le relever sans succès. Il se lova entre ses bras, secoué par des vagissements si stridents qu'on dut se boucher les oreilles raide-et-dur. Dachine, l'éboueur municipal, proposa d'aller chercher monsieur l'abbé mais quelqu'un lui rappela que ce dernier était alité depuis des semaines sans que quiconque, pas même Sossionise, la chanterelle du presbytère, sût la nature de son mal. Il était remplacé à la messe du dimanche tantôt par l'abbé de Fond d'Or tantôt par celui de Basse-Pointe, chose qui commençait à faire grincer des dents parce que les zélatrices de la Sainte Église étaient privées de communion. Elles refusaient, en effet, de livrer leurs secrets en confession à un bougre venu d'une commune étrangère.

Quant à la gendarmerie, il ne fallait même pas y songer : ces messieurs de France ne se mêlaient pas aux macaqueries des bonnes gens de la Martinique. D'ailleurs, qu'auraient-ils saisi à la révolte des esprits Zémis, eux qui eurent maintes fois l'occasion de protéger les archéologues de l'hostilité active de la plupart des Grand-Ansois ? Ici, quand on trouvait, par hasard, quelque débris de poterie amérindienne, on s'empressait de la réenterrer deux fois plus profondément et jamais personne n'eut à se plaindre du peuple des morts. Il n'y avait que les quimboiseurs pour les utiliser dans les philtres de déraison ou leurs talismans qu'ils fabriquaient à prix d'or pour les bourgeois d'En Ville.

Eau de Café se dressa sur son siège de pierre et bailla à téter à Julien Thémistocle de son sein flasque et décharné. Le petit bonhomme s'allaita goulûment et se mit à grandir-grandir-grandir, reprenant ainsi sa force première de nègre plus long que le Mississippi. Ils prirent chacun un bras d'Antilia et la halèrent jusqu'à la foule tandis que la nuit ombrageait les toits de Grand-Anse. La seule parole qu'Eau de Café prononça fut :

« Pourquoi n'avoir pas épargné à mon filleul un tel spectacle de souffrance ? Où est votre cœur ? Emmenez-le à la boutique et passez-lui du tafia camphré sur les tempes. Il est grand temps qu'il dorme... »

Et le monde lui obéit...

29

PROPOS TESTAMENTAIRES D'EAU DE CAFÉ

J'ai longtemps feinté avec la mort, en fait dès l'instant de ma naissance puisque ma mère Franciane a fermé les yeux exprès pour me permettre de voir la claireté du jour. La mort a une odeur de sur. Elle se faufile en un virement de main au cœur de votre case et comme le nègre est une nation qui ne sait pas taire sa langue, il ameutera le voisinage de ses pleurnicheries :
« Voisine, chère, j'ai comme un tressaillement dans ma tête, je sens que je ne peux pas mettre un pied devant l'autre ce beau matin-là. Ouille ! Qu'est-ce qui m'arrive foutre ! »
Il réclamera une serviette mouillée autour de ses tempes pour que ses idées ne partent pas à la venvole, il boira du thé d'herbes amères pour prévenir les lâchements de corps, il se souviendra du Bondieu et enfilera prier-dieu sur prier-dieu, un chapelet geingôlant entre ses doigts. Il fera toutes sortes de macaqueries, sautera comme un cabri jusqu'à ce que l'évidence s'impose à lui et à ce moment-là, hon !, regardez-le-moi se composer une figure tragique. Qu'on convoque mes enfants et petits-enfants ! Qu'ils s'agenouillent au pied de mon lit, j'ai un paquet de choses gravissimes à leur révéler ! Le nègre est une nation qui sarabande devant la mort tellement il en a peur.

Pour ce qui me concerne, sache que j'ai toujours mesuré l'illusoireté de cette vie. Elle nous a été prêtée, un jour il faut bien la rendre. L'important est de garder dignité et tendresse. A Grand-Anse, nous avons trop tendance à partir la rage au ventre, un rictus plein de bave nous déformant trop souvent les traits. Or, la mort n'est pas douleur! La vie est douleur, la maladie est douleur, la peine d'amour est douleur, la faim est douleur mais pas l'instant où nous passons de la lumière à l'ombre. La mort est, comment te dire, aussi ténue que la ligne d'horizon. Il faut se laisser glisser dans la mort sans opposer de vaine résistance et sentir monter dans chacun de tes membres le lent engourdissement qui t'éloigne peu à peu de la dureté du lit où tu es allongé. Le bois de l'armoire s'amollit, le mur de brique fond, les êtres chers deviennent des silhouettes qui s'agitent sans raison, seul l'air devient plus lourd. L'instant de la mort est vraiment le seul où l'on soupèse l'air que l'on respire, où l'on mesure son poids et sa puissance. Ne ris pas, cher filleul! Chaque soir, depuis que Julien a déserté ma vie, je me suis appliquée à mourir. Je ne parle pas de cet ensommeillement grossier qui vous harponne à la façon d'un sac de charbon quand la journée a été trop rude. Je parle de la doucine qui se disperse sur vos paupières par couches successives et les ferme sans que jamais vous cessiez de voir. Le jour se maintient derrière le couvercle de vos yeux. Chaque ombre semble diffuser sa propre démesure et il est vain de vouloir déraidir son bras ou sa jambe. C'est à ce moment qu'irruptionne l'odeur de sur et qu'elle entreprend d'imprégner les draps du lit, la moustiquaire, la table de nuit, la bassine d'eau et son broc.

Pour tout te dire : Antilia est ma fille. Je l'ai conçue en secret avec plusieurs hommes car, quand tu poses le pied dans une niche de fourmis, impossible de dire laquelle t'a piqué. Elle a eu pour pères Thémistocle l'ancêtre, Julien son arrière-petit-fils, le Blanc créole de Cassagnac, Major Thimoléon – eh oui, ce vieux bougre puant –, véritable philosophe en dérade et d'autres dont il est bien inutile de révéler les titres. Dès que Man Doris, ma mère nourricière à l'époque lointaine où la déveine bourrasquait nos vies de nègres dépenaillés, m'eut aidée à accoucher, elle empaqueta l'enfant sans prononcer un seul morceau de parole et s'en fut avec lui Dieu sait où. Personne ne s'aperçut de rien car j'eus une grossesse sans ventre, tout juste remarqua-t-on que mes hanches s'étaient élargies et que je peinais à soulever les boquittes d'eau. La nuit, mes rêves étaient peuplés de la figure de mon enfant auquel je n'avais même pas eu le temps de choisir un nom. Doris m'avait rassurée :

« Elle portera le nom de ces lèches de terre qui abritent nos vies et semblent toupiner sur le dos de la mer. »

La femme-sage avait toujours eu la parole incomprenable. Elle avait dépassé de moult allongeailles les limites du siècle au mitan duquel elle avait vu le jour et s'apprêtait à franchir celles du présent siècle sans vergogne. Quand je lui demandais :

« Pourrai-je bientôt descendre au bourg voir ma fillette ?

– Hé femme, ne te laisse pas aller ! La vie n'est pas un vaste rêvoir où l'on promène un corps irrassasiable. Ton enfant te sera rendue lorsque tu seras en âge de la supporter, pas avant. »

Si bien que j'ai dû continuer à arpenter les savanes de Macédoine, de Fond Gens-Libres et de Morne Carabin, me façonnant une attitude d'insoucieuse malgré qu'au-dedans de moi, mon cœur hébergeait d'affreux tourments. Le temps de l'amiral Robert est venu et reparti, la Madone du Grand Retour a drivaillé tout à l'entour du pays sans me dispenser la moindre grâce, le fils de Clémentin est mort à la guerre d'Indochine et il semblait qu'un carnage avait commencé en Afrique du Nord. On se lamentait en se prenant la tête dans les mains :

« Qu'avons-nous à faire de ces contrées inconnues ? D'accord pour défendre la France, nous l'avons fait etcetera de fois déjà depuis l'époque où nos pères ont bravouré à la guerre du Mexique aux côtés de l'empereur Maximilien, mais à quoi riment ces cercueils des plus beaux fleurons de notre jeunesse qu'on nous expédie par bateau une fois par mois ? »

Le monde s'apprêtait à chavirer. Assurément. Je me devais de partir moi aussi et m'installer à mon compte. Je n'avais que trop tardé à rompre le quimbois de cette campagne qui vous effrite les yeux sans que vous puissiez opposer la moindre résistance. Vous découvrez un jour que vos pieds vous font mal quand vous leur mettez des souliers et que vous n'avez plus envie de mettre votre beau linge sur vous, sauf le dimanche parce que c'est obligation. A ce moment-là, vous êtes devenue une vraie négresse des bois qui marmonne toute seule quand elle est courbée dans son jardin et connaît par leur nom et qualités toutes les plantes que Dieu a mises sur terre. Petit à petit, le français se dérobe sous le plat de votre langue, il devient si lourd que vous ne répondez que par des sourires à ces gens de la ville qui se souviennent une fois l'an qu'ils entretiennent lien de cousinage ou de marrainage avec vous. Le créole devient la seule mesure de votre personne. C'est donc tout cela que j'ai fui en ouvrant boutique au bourg de Grand-Anse à la stupéfaction des nègres de céans. Que n'ont-ils médit de moi! Que n'ont-ils clamé :

« Eau de Café va au vice, mes amis! Une négresse comme elle à qui on aurait baillé le Bon Dieu sans confession. »

Tout de suite, le bourg m'a été hostile. On n'admettait pas que je puisse m'installer en grand comme qui dirait une Man Rothschild. D'où sortais-je ? Qui était ma mère ? Et la mère de ma mère ? Au début, seuls les guenilleux de Crochemord et de Bord du Terrain faisaient honneur à mon comptoir et encore, pour acheter un rien du tout de beurre rouge ou un demi-quart de pain! On sema du sel sur le pas de ma porte pour m'obliger à déguerpir. On déposa un crapaud-ladre transpercé de clous rouillés sur le rebord de ma fenêtre. Ses pattes arrière avaient été amarrées avec une ficelle rouge. Ceci pour que je revienne d'où j'étais partie. Je ne mollissais pas d'une maille et mangeais ma petite misère dans mon coin sans chigner. La nuit, j'entendais le grondement de la mer si-tellement fort que parfois, je me levais, apeurée, et courais sur la plage en chemise de nuit. Dachine, le charroyeur d'ordures municipales, le nain dont tout le monde se moquait, fut long-temps le seul à entretenir causement avec moi :

« Tu seras une villageoise seulement le jour où tu n'entendras plus le tambour-à-deux-fesses de cette chienne de mer. Nous autres, on l'ignore, on n'en prend pas sa hauteur et c'est pourquoi elle envoie les pieds en l'air, elle fait du cirque toute la sainte journée pour attirer notre amicalité. La mer de Grand-Anse est maudition. Pourquoi es-tu venue perdre ton âme par ici, hein ? »

Pour de vrai, les nègres de Grand-Anse semblaient insensibles à sa prestance. Ils ne l'évoquaient jamais dans les longues plaidoiries que le rhum les aidait à fabriquer dès leur réveil. Les femmes fronçaient leurs sourcils, s'armaient de tout leur courage avant de courir lui jeter leurs pots de chambre. Le sable semblait de mica noir jonché de débris d'étoiles. Les lames coléraient au premier feu du soleil, comme prêtes à s'envoler au faîte des mornes.

« Elle t'écarquille les yeux, négresse ? me demanda Thimoléon, mon plus proche voisin, le second à briser la nasse de silence dans laquelle le bourg m'avait enfermée.

– Elle me procure du désennui. Je n'ai pas le temps de songer à mes emmerdations... Pourquoi vous la haïssez tant ?

– Tu auras le temps de l'apprendre. Fais attention, ne t'en approche pas trop ! Cette femelle n'est pas très abordante malgré ses poses de charmeresse. Quand elle se calme, c'est de la feintise et tu peux être sûre que la prochaine lame sera haute comme une maison. »

Puis on oublia mon étrangeté. Le temps poussa le temps et les carnets de crédit fleurirent sur mes étagères. On se mit à affectionner mon surnom d'Eau de Café. On me redouta parce que je savais lire demain dans les rêves d'autrui et qu'on venait me consulter depuis Rivière-Salée ou Morne-Rouge. On me bailla pleine et entière respectation, mais cela ne suffisait point à m'emplir de sérénité. Une faille traversait mes chairs, m'interrompant parfois au beau mitan d'un causer ou d'un travail et je devais essuyer le coin de mes yeux à l'aide de mon mouchoir-de-tête comme si la sueur m'embêtait : ma fille – « Elle s'appelle Antilia » m'avait annoncé Man Doris – me réclamait. Elle avançait vers moi dans la chaleur du jour, légère, ses pieds frôlant à peine le sol et me fixait sans rien dire. Un vrai crève-cœur. La femme-sage avait refusé nettement-et-proprement de m'indiquer quelle maisonnée lui avait donné refuge, toujours sous le prétexte que lorsque l'heure de la recueillir sonnerait, rien ne pourrait m'empêcher de récupérer mon bien.

« Ce qui doit te revenir, l'eau de la rivière ne peut le charroyer », répétait-elle.

J'avais beau questionner le monde à l'endroit et à l'envers, nul n'avait entendu parler d'un bébé sans mère qu'une famille du bourg aurait adopté une charge de temps auparavant. A force d'attendre, je t'ai fait venir, toi, de Macédoine et t'ai élevé, toi mon filleul, comme le fils de mes entrailles. N'oublie pas le nombre d'années que tu as dormi contre mon ventre ! Le barrissement de la mer te faisait peur. Et puis, toi aussi, tu t'es habitué et tu as commencé à drivailler jusqu'à La Crabière avec les bandes de négrillons et les cochons-marrons. Dès que l'hivernage avait cessé d'enfler ses eaux, tu nageais dans la mer de Grand-Anse avec une insouciance qui me terrifiait. Tu te levais le matin, tu la regardais par la fenêtre et tu décrétais comme ça :

« Aujourd'hui, elle va dépailler en bas de l'hôpital, vaut mieux que j'aille à l'embouchure. »

Qu'y cherchais-tu ? La mer de Grand-Anse nous refusait tout poisson, hormis quelques rares crabes de mer et des poulpes-satrouilles si gluants qu'ils vous collent aux mains. J'avais beau te tailler les fesses chaque soir quand tu me revenais sale et les vêtements en charpie, tu ne voulais pas comprendre. Mais c'est par toi que le miracle devait se produire. C'est toi qui devais me ramener ma fille. Elle avait vécu cent sept ans seule dans un renflement de la plage sans que personne s'en aperçoive. Elle s'était nourrie d'eau salée, d'œufs d'oiseaux-touaou, de raisins de mer et de crabes-zagaya. Aussi n'avait-elle pas appris à parler le langage des humains. Elle ne savait même pas sourire. Ni pleurer non plus bien entendu. Elle n'a réagi qu'à son nom : Antilia ! Elle a levé la tête, m'a dévisagée et m'a prise par le bas de ma robe. J'avais si-tellement espéré cet instant que j'ai calengé avant de l'embrasser. Une tremblade me secouait tout entière, mes pensées avaient grand mal à se mettre les unes derrière les autres. Voici que j'étais soudainement une mère ! Le bourg, qui s'inquiéta de me voir adopter cette petite inconnue, me disait transfigurée, énamourée et que sais-je encore. Ali Tanin, le bâtard-Syrien qui tient une boutique de toile à l'entrée du bourg, est venu me conter une parabole.

« Ma commère, commença-t-il, embarrassé, je ne fourre guère mes pieds à la campagne mais tous les nègres-gros-sirop font halte chez moi par besoin de linge kaki et j'arrive ainsi à connaître les péripéties qui secouent les habitations les plus reculées... Ne me toise pas comme ça, ma commère, je ne suis pas un amateur de malparlances sur le dos d'autrui ni un remueur de caca. Rien ne me sied plus que la tranquillité mais... mais mon devoir est de te mettre en garde. Connais-tu ce qu'il advint de la Vierge de l'habitation Séguineau ? Il y avait un fromager deux fois centenaire qui s'élevait dans la cour de la case du béké, un nommé de Cassagnac à ce qu'il paraît, peut-être celui dont tu soignes la fille, cette Marie-Eugénie. Cet arbre était si gros que quatre hommes, main dans la main, parvenaient à peine à le ceinturer. Le Blanc-pays en était très fier et se faisait un plaisir de le montrer à tous les Blancs-France de passage dans notre île. Les nègres révéraient le fromager au pied duquel on trouvait chaque samedi matin des coqs noirs égorgés, des culottes de femme fermées avec des cadenas, des bougies Saint-Antoine, des requêtes griffonnées sur du papier d'emballage à l'aide d'un morceau de charbon de bois. Le maître ne s'inquiétait guère de ces macaqueries jusqu'au jour où l'on y découvrit un fœtus. Oui, ma commère, un bébé presque formé, tout rose avec de grands yeux noirs ! De Cassagnac manqua de tomber du haut mal. Il convoqua coupeurs de canne, cabrouettiers, maréchaux-ferrants, amarreuses et servantes pour leur tenir une vibrante plaidoirie sur la punition divine et les rigueurs de l'enfer.

« " A partir de dorénavant, conclut-il, la voix encolérée, je ne veux plus voir aucune de vos simagrées sous mon arbre. Le premier que j'attrape, je lui donne son billet-ce-n'est-plus-la-peine. Compris ? "

« La négraille baissa la tête car tu connais le nègre d'habitation, ma commère, il feint d'être mouton pour mieux te couillonner. Combien de fois je n'en ai pas collé un qui pleurnichait pour que je le gratifie d'un rabais de cinq sous alors que dans le même ballant, il m'avait soustrait un caleçon. Hé ! hé ! Le lendemain matin de cette mémorable roustance, on trouva une paire de coqs espagnols baignant dans leur sang sur la plus grosse racine échassière du fromager. De Cassagnac n'était pas un mauvais bougre et ne mit pas sa menace à exécution. Tu le sais, toi, puisqu'il a fréquenté ta mère

Franciane, la négresse-aux-grandes-manières pendant un lot de temps. Ne coquille pas les yeux ainsi, Eau de Café ! Je t'ai déjà dit que même si je ne sors pas de mon antre à ballots de linge et à cartons de chaussures, j'ai connaissance de tout ce qui roule dans l'alentour du pays. Le Blanc-pays calcula dans sa tête une journée et une nuit entière, ce qui mit les nègres en terreur et arrêta la coupe de la canne. Que préparait-il ? Lequel d'entre eux paierait pour le sacré quimboiseur qui n'avait pas daigné obtempérer aux ordres du maître ? Les vieilles prédisaient le pire, ayant connu l'ancien temps c'est-à-dire les derniers feux de l'esclavage. Mais de Cassagnac réapparut, un sourire énigmatique aux lèvres, et ordonna à deux charpentiers de construire une caisse de la taille d'un enfant de trois ans. Un frémissement parcourut l'assemblée des nègres. Bondieu-Seigneur-la Vierge Marie, quelle monstruosité avait bien pu germer dans la tête-calebasse du Blanc créole ? Quoi, foutre ? Au début de l'après-midi, la caisse achevée, de Cassagnac se dirigea d'un pas serein vers la chapelle de l'habitation, y saisit une statue de la Vierge qu'il fit mettre dans la caisse. Puis, il fit clouer cette dernière dans une anfractuosité du tronc si noueux et tortueux du fromager. Il venait d'y construire l'un de ces reposoirs que l'on rencontre si fréquemment à la croisée des chemins de campagne.

« " I la ka véyé zòt déclara-t-il Tala ki kwè i pé dérèspèkté Manman nou tout ki la a, enben fè'y non, i ké konnèt wotè konba'y ! " (Elle vous observe. Que celui qui se croit capable de manquer de respect à notre Mère à tous, vienne la défier, il saura à qui il a affaire !)

« Bien entendu, les mentors, les quimboiseurs, les docteurs-feuilles, les malfeinteurs, les nègres qui travaillent de la main gauche, les incubes, les séanciers, les faiseurs de zinzin, les voyants, les guérisseurs par touchements de main et consorts désertèrent l'ombre du fromager. Même de jour, les travailleurs agricoles passaient au large de ses branches puissantes et certains finirent par ne plus le regarder. On ne l'évoqua plus et quand on se trouvait forcé de le faire, on murmurait " Gran bagay lonng-lan " (la grande chose haute). Le temps passa et l'arbre grandit. L'anfractuosité où avait été placée la Vierge fut peu à peu recouverte par une débauche d'écorce, de nœuds et de lianes. Un jour, on ne la vit plus du tout et les cirques de nègres engagés avec le Diable recommencèrent de plus belle. De Cassagnac se résolut en final de compte à faire abattre le fromager. Il tergiversa tant et tellement sur la date où cela devait être accompli qu'un cyclone eut le temps de bousculer sa grande carcasse. Le fracas de sa chute s'entendit, dit-on, jusqu'au bourg de Basse-Pointe. Le Blanc-pays parut soulagé de n'avoir point été le bourreau de cet arbre qui avait côtoyé huit générations de Blancs, de nègres, de mulâtres, de chabins et d'Indiens. Un muletier en qui il plaçait toute sa confiance et auquel il ne pouvait rien refuser le tisonna si fort qu'il consentit à ce qu'on ouvrît le boudin du fromager pour en ôter la Vierge. Une compagnie de bûcherons se relaya plusieurs jours d'affilée mais le fromager ne livra pas la statue. On retrouva bien les clous qui avaient servi à fixer la caisse ainsi qu'une partie de cette dernière mais le tronc était complètement vide à l'intérieur, creux du faîte aux racines. Le fromager était mort depuis un siècle de temps et pas un être humain ne s'en était aperçu. Cette splendeur qui ombroyait la cour de terre battue de la demeure du maître n'avait été qu'un squelette ! Voilà, ma commère, à toi de déchiffrer la couleur de mes paroles. Ne dis pas après que moi, Ali Tanin, je ne t'ai pas avertie ! »

Eau de Café se refusa à décrypter le message. Ha ! ha ! ha ! Ne t'étonne point que je parle de moi de manière royale. Ici, au bourg, on m'a tout de suite couronnée du titre de « Reine des campagnes ». La mulâtraille n'aime pas l'odeur de notre sueur à ce qu'il paraît et nos orteils écartés qui dégagent une odeur de Chabichou la dérangent. Ces gens-là ne font pas caca comme tout le monde peut-être, hon ! Sache qu'Eau de Café ne s'est jamais laissé impressionner par les chuchotements qu'ils profèrent sur son passage ni même sur les complosités qu'ils organisent contre elle pour la contraindre à s'en aller. Mon secret, je ne le baillerai à personne. Pas même à toi, filleul. Malgré ton instruction de nègre qui a fait la France, tu n'es pas apte à l'entendre. Tu ne pourras jamais comprendre qui fut Antilia. Abandonne ta quête...

30

Pour faire plaisir à Marraine, j'ai quitté non sans un pincement au cœur l'Océanic-Hôtel où, chaque nuit, la mer me faisait offrande de sa tiédeur amoureuse. Mon départ de Grand-Anse n'est plus de toute façon qu'une question de jours, voire d'heures. Le retraité de la Marine et la bonne ont été très chaleureux avec moi tout en devinant que je ne remettrais plus les pieds à Grand-Anse de ma vie. Seuls Eau de Café et son compère Thimoléon essaient encore de bailler le change alors qu'eux aussi se préparent déjà à l'inéluctable. Qui aurait passé ainsi un siècle de temps à écouter leurs vieillarderies et à tenter d'en démêler l'écheveau? L'ancienne chambrette d'Antilia précipite mon envie d'échapper à cette touffeur que j'ai supportée sans broncher, je me demande bien comment. Elle est à la fois vide et propre. Pas une toile d'araignée ni un grain de poussière. Pourtant, Marraine affirme ne l'avoir pas aérée depuis la fin tragique d'Antilia. Elle y installe un matelas à même le plancher et colle sur l'une des cloisons une reproduction de la Cène. Le premier soir, je comprends que la jeune fille a vécu dans une sorte de geôle. Encastrée entre la chambre de Marraine et la salle d'eau, elle ne possède aucune ouverture et on est contraint de laisser la porte à demi ouverte pour ne pas avoir la sensation d'étouffer. Pire : on y entend à peine le ressac. Comment Antilia, fille de la mer, a-t-elle pu supporter une si cruelle privation?

« L'insatisfaction te démange, filleul. Ne dis pas non, ta

figure est marquée détresse en toutes lettres, me dit Eau de Café. Je vais faire un effort pour t'apporter encore un lot d'éclaircissements mais je ne te garantis pas le résultat. Je suis si vieille. Qu'est-ce que la mort attend pour m'emmener ?

– Non, tu en as assez dit, déclare le menuisier, moi, je n'ai pas encore épuisé toute la longueur de ma parole... »

Doris, la femme-sage qui a élevé ta marraine tout au long de la deuxième guerre mondiale ? s'interroge Thimoléon. L'embêtant avec le nègre c'est que pour comprendre la texture de sa vie, il faut remonter au premier débarqué ou presque. L'histoire du Blanc des Isles est bien plus simple : elle commence et finit avec sa propre personne comme si sa grandeur se suffisait à elle-même. Chaque maître (on continuait à leur bailler ce titre par habitude) semble être son propre ancêtre ou en tout cas avoir concentré en lui ses qualités et son destin. Au contraire, la ligne de vie du nègre est imprévisible et de génération en génération, on assiste à d'incroyables bouleversades qui, pour être décryptées, doivent être reliées aux membranes des jours passés. Or, précisément, Doris n'a jamais eu, dans notre souvenance tout au moins, ni de mère ni de père ni de lieu de naissance. On aurait dit un être sans attaches bien qu'aux éclats moirés de sa longue chevelure, on lui devinât (comme Major Bérard) quelque ascendance caraïbe. Certains assuraient qu'elle avait toujours vécu à Morne l'Étoile et que son âge réel était trois fois celui qui apparaissait sur sa figure. « Elle ne connaît pas la mort » disait-on à mots couverts. Et c'est la franche vérité qu'on aurait pu lui bailler vingt, cinquante ou cent vingt-cinq ans, suivant son humeur du jour ou bien la couleur de ce dernier.

Son métier la conduisait sur la plupart des habitations de la région et donc, la nuit, il lui fallait trouver un nègre charitable qui lui ouvrît la porte de sa case car les femmes la craignaient d'une craintitude irraisonnée. Quand elle revenait par hasard sur la même habitation, elle lançait à la cantonade avec une volonté évidente de choquer :

« Je cherche quelqu'un pour me danser sur le ventre ce soir. Pas le même que la dernière fois, ha ! ha ! ha !... celui-ci n'a pu faire que deux petits coups sans piment, ha ! ha ! ha ! »

Nul n'osait la réprimander puisqu'on avait besoin de son savoir et surtout qu'elle ne demandait rien en contrepartie de ses prestations. Si on la gratifiait de dix sous ou de quelque morceau de popeline, elle acceptait en vous souriant de toutes ses dents. Si on ne lui baillait que « Merci, Man Doris », elle vous remerciait d'un signe de tête. Elle avait le cœur aussi large que sa coucoune. Toutefois, cette femme qui aidait tout un chacun à donner la vie, ne pouvait elle-même enfanter. Un vrai papayer mâle. C'était là la chimère qui la rongeait et la poussait à détruire son corps. Dans la campagne, la gueusaille était persuadée qu'elle effaçait à l'aide de ses plantes de halliers et ses mixtures inconnues les germes d'enfant que les hommes lui déposaient dans les entrailles. La mère de Julien avait déclaré :

« Cette négresse-là, elle a tué autant de petites marmailles qu'elle en a mis au monde. »

Tous se trompaient sauf Franciane, la mère d'Eau de Café, qui, on ne sait par quel moyen, avait deviné son secret. Bien que muette d'ordinaire, dès que Doris se présentait sur l'habitation De Cassagnac, sa langue se déchaînait. Même le maître, pourtant si familier de ses caprices, en avait été étonné et lui avait intimé en vain l'ordre de coudre sa bouche.

« Qu'y a-t-il entre ces deux femelles-diablesses ? demandait-il à la ronde ou entre leurs mères, le savez-vous ? »

Il ne pouvait saisir la genèse de ces haïssances entre nègres que les siens et lui avaient contribué à allumer, peut-être même, comme dans le cas présent, sans s'en douter le moins du monde. Le nègre n'a pas besoin d'un sac de raisons pour haïr le nègre. Franciane mignonnait son ventre ballonné et lançait à la valetaille rassemblée :

« Cette chienne-là aurait aimé que Dieu lui accorde la même bénédiction qu'à moi. Regardez donc l'envie qui démange le grain de ses yeux ! »

Plus sa grossesse avançait, plus Franciane devenait becquetante envers son souffre-douleur. Une véritable harpie. Un jour, elle se jeta sur l'avorteuse au sortir d'une case où cette dernière venait de panser un ouvrier agricole qu'un trigonocéphale avait piqué à la cuisse. Doris avait encore en main un paquet d'herbe-qui-guérit-tout ainsi qu'un liquide jaune dans une fiole, probablement le venin qu'elle avait aspiré de sa propre bouche et dont elle comptait fabriquer des antidotes. Franciane lui laboura les joues jusqu'au sang et le maître en personne dut s'interposer. Doris, d'ordinaire si pleine de hautaineté envers le monde, n'avait jamais bronché aux sarcasmes de sa rivale et cette fois-là non plus, ne riposta point. Sa robe avait été chiquetaillé sur un côté. Le maître ordonna qu'on aille lui en chercher une autre parmi celles de sa femme légitime et sans doute avait-il, lui aussi, perdu la raison. Doris fixa Franciane que le maître emportait dans ses bras et articula avec une lenteur étudiée :

« Né-gres-se! »

Lorsqu'elle regagnait son bercail au Morne l'Étoile, la petite coulée de Macédoine lui était un passage obligé. Au cas où quelque orage éclatait sans crier gare, elle pouvait toujours frapper à la porte d'un tel ou un tel. Le soir du fameux jour où Franciane s'en était prise à elle, Doris se dirigea tout droit chez les Thémistocle et dit comme ça :

« Bonsoir la maisonnée! Je veux parler à Julien.

– A cette heure-ci, il doit hanter la case-à-rhum, foutre. Qu'est-ce que tu lui veux? fit, intriguée, l'une des nombreuses cousines du hors-la-loi.

– Quelqu'un m'a remis une commission pour lui sur l'habitation De Cassagnac.

– Ah bon! Eh ben, laisse-la-moi. Je la lui remettrai, ça t'évitera de faire tout un détour...

– Non dit l'avorteuse d'un ton grave c'est une parole qu'on lui a envoyée. Seules ses oreilles doivent l'entendre. »

Elle disparut dans le faire-noir. Arrivée aux approchants de la case-à-rhum, elle appela un petit bonhomme qui s'amusait à compter les étoiles et le pria d'aller lui chercher Julien. De grands éclats de rire et le bruit sec des dominos que l'on martelait sur les tables lui parvenaient depuis la bâtisse en tôle ondulée vivement éclairée par trois lampes-tempête. Elle eut peur que Julien, à qui elle n'avait jamais adressé la parole de sa vie, refusât de se déranger, surtout pour une femelle. Pourtant, il vint, accompagné de l'enfant, les mains fébriles d'avoir trop bu. Sa bouche empestait le tafia :

« Ah ! Que me veut la fianceuse du Diable, hein ?
– J'ai... j'ai à te parler, homme... va-t'en, petit bougre ! Voilà, je reviens de l'habitation De Cassagnac et...
– De chez le bon béké, ha ! ha ! ha !... qu'est-ce que tu veux que ça me foute ? Je ne me suis jamais éreinté dans la canne du Blanc, fût-il bon comme du pain bénit à la manière de ton de Cassagnac... ha ! ha ! ha !... J'ai mon jardin de Bois-Cannelle et ça suffit à me satisfaire l'estomac. Je n'ai nul besoin de ses offres d'embauche. La dernière fois qu'on m'en a fait une, cela a provoqué mort d'homme.
– Il ne s'agit pas de cela, reprit Doris en s'efforçant de sourire.
– Eh bien, alors, dis-le vite ! Tu as interrompu une partie où j'étais en train de plumer mon meilleur compère, foutre ! »

Elle lui saisit le bras et comme c'était la toute première fois que semblable chose lui arrivait, il se figea nettement-et-proprement, n'ayant jamais soupçonné que la peau d'une femme pût être si frémissante. Ils firent quelques pas dans l'allée de pierre. Les criquets avaient commencé leur symphonie de scieurs de long.

« Ou konnèt Fwansyàn ? (Tu connais Franciane ?) demanda la femme.
– Franciane qui ? Celle de Fond Massacre qui ne possède qu'un œil ? Celle de De Cassagnac ?
– La négresse à de Cassagnac, celle qui ouvre sa matrice pour le Blanc et nous baille toute la longueur de sa méprisation...
– Qu'est-ce que tu veux que ça me fasse ? éructa Julien, si c'est pas pour lui qu'elle le fait, ça serait pour un nègre, non ?
– Certes, mais elle répète à qui veut l'entendre que tu n'es pas un homme. Elle affirme avoir assisté à ta naissance, au bord du chemin de Fourniol, quand ta mère revenait de laver à la rivière. Elle prétend que tu n'as rien entre les jambes, que tes deux graines ne sont pas sorties au-dehors, que c'est pour cette raison-là que tu crains si fort les femmes. “ Julien est un ma-commère ”, clame-t-elle partout.
– Elle a dit ça ? demanda-t-il d'une voix soudainement blanche.

– Elle le jargonne depuis qu'elle a commencé à vivre avec ce béké-là. Avant c'était une petite bougresse comme les autres, vaillante et pas méchante pour deux sous.

– Sa bouche a osé dire ça, répéta-t-il comme pour se pénétrer de cette idée, n'accordant même plus d'attention à Doris, sa bouche a dit ça, hein ? »

Il prit le chemin de la case de son père, plantant là son interlocutrice, hagard et titubant dans les roches. Ou, selon d'autres dires, il rentra dans la case-à-rhum sans que la moindre émotion n'apparaisse sur ses traits et entreprit d'attraper au vol les hannetons qui tournoyaient près d'une des lampes. Dès qu'il en avait saisi un, il lui arrachait méticuleusement les ailes et les pattes avant de le jeter dans la colonne brûlante du verre de lampe et le regardait griller, un rire sardonique aux lèvres...

Quand au grand marché tu vois s'allumer les torches..., change brusquement de sujet Thimoléon, mais je l'arrête sec, sans le moindre respect pour son grand âge. Je ne veux plus entendre tout ce radotage qui ne m'a rien rapporté sinon de soudaines chevauchées d'angoisse dans le cœur et des insomnies que même l'herbe-à-tous-maux ne parvient pas à guérir. Je pars! C'est décidé et ni lui ni Eau de Café n'y pourront rien. Je pars comme je suis venu, plus vide qu'un coco sec à la dérive en ce qui a trait aux interrogations qui court-barraient ma vie. Sais-je même qui est qui maintenant ? Qui a proféré quoi ? Peut-être ferais-je mieux de jeter mon corps dans la mer de Grand-Anse pour rejoindre ainsi le camp des femmes frappées de folle déveine, suicidées un beau matin de leur jeunesse, des nègres qui n'ont jamais trouvé compassion chez autrui et ont préféré embrasser le fond des eaux, des fœtus qui s'ils avaient vécu auraient pu bailler le jour à quelque héros qui nous aurait arraché à la malemort, bref de tous les êtres habités d'exigence non pareille et que pour cela, seulement pour cela, on a écarté du monde. Je veux oublier même si oubli c'est lâcheté. Oubli c'est indigence existentielle. Débandade. Décrépiscence. Douteux bien-être.

...Quand au grand marché tu vois s'allumer les torches et les lampes-tempête, s'entête Thimoléon le menuisier, il te faut désormais éviter les coins d'ombre, les angles morts formés par les caisses de boisson vides ou les chaises empilées. Tiens-toi sous la lumière crue, le dos collé au poteau-mitan du marché et joue! Approche-toi de la table des formidables enjeux : cinquante mille francs! cent mille francs! Celle où le béké de Cassagnac, seigneur de l'habitation Séguineau, chiquenaude deux ou trois mulâtres au teint bilieux et le troisième fils de Congo Laide, le nègre le plus riche d'entre les nègres d'ici, celui qui a fait fortune avec ses coqs de combat et ses maléfices. Table d'égalité absolue (les dés sont juges et maîtres) où ne se parle qu'une sorte de créole âcre, féroce, fait de mots rares et de « hon! » au plus profond de la gorge. Nul besoin d'exhiber ses billets, la confiance et la haïssance règnent. Le chiffre, lancé à la venvole, suffit à lui seul. Ah! Ne juge pas leur cruauté car que sais-tu des travers de leur vie? Que sais-tu de leurs rêves éveillés? As-tu déjà vu de Cassagnac cheminant dans les sentiers de sa propriété, bien avant le chant du coq, se parlant tout seul à très haute voix à la manière des nègres de Guinée, les mains derrière le dos, la tête baissée avec obstination vers le sol? Sais-tu le sens de ce pli amer qu'il porte au coin des lèvres lorsqu'il empoigne les dés de ses doigts velus? Et ce n'est pas à dire que les siens, ceux de la caste, le comprennent non plus. Adolescent, son père avait coutume de le promener en tilbury à travers la campagne, lui désignant les cases :

« Ça, c'est mes nègres... là-bas, cette savane-là, c'est Millaud. Elle arrive jusqu'à Morne Cacao et tout est à moi, à toi par conséquent. Au temps de mon père, il existait ici une distillerie qui fabriquait un rhum dont on raffolait à Paris... je te montrerai une lettre du marquis de Cassagnac, avec ses armoiries dessus, qui nous disait sa fierté d'avoir une branche de sa famille aussi prospère aux colonies... maintenant ce n'est plus qu'un souvenir. On ne reconnaît plus qui est qui. Le nègre passe fier comme Artaban, sans te saluer à moins d'être en quête d'un petit job. En ville, les mulâtres nous traitent comme des ignares, des arriérés. Ah! La destruction de Saint-Pierre a été une véritable catastrophe pour nous, c'est ce que me répétait mon père. Il me disait aussi autre chose. Il avait une espèce d'adage : " Mon fils, tu ne dois jamais passer une journée sans botter le derrière d'un nègre. Il n'y a que ça pour les forcer à nous respecter. " Hum...! bien sûr, c'est plus tellement possible aujourd'hui. Le monde a bougé mais, laisse-moi te dire quelque chose : méfie-toi du nègre! Il possède plus de ruses dans sa caboche que nous ne l'imaginons. Il nous surveille depuis le premier jour et au moindre faux pas, il te déraille! Tu comprendras quand tu me remplaceras... »

Il ne bronchait pas à ces propos, le jeune de Cassagnac, enfermé dans un mutisme qui perplexiait tout le monde. Plus tard, on prétendit qu'il fuyait les femmes, en premier lieu les mulâtresses qui foisonnaient sur l'habitation, et qu'il se disputait régulièrement avec son père à propos d'une union que ce dernier brûlait de sceller entre lui et la fille du béké de Médeuil. Et puis, subitement, on vit débarquer une jeune demoiselle blanche qui avait un langage et des manières de France et qui aimait à courir à travers champs, ramenant des bottées de fleurs sauvages. Ils se marièrent. Le patriarche et sa femme décédèrent l'année d'après. L'héritier des de Cassagnac eut une fillette qu'il abandonna à une vieille négresse qui habitait sur les marges de l'habitation depuis la fin du siècle dernier, rebelle et moqueuse envers les Blancs. De Cassagnac refusa sans explication de confier l'éducation de son enfant à son épouse. Celle-ci dépérit si bien qu'on fit venir toutes qualités de médecins à son chevet. En final de compte, Congo Laide deuxième du nom décréta qu'il fallait la renvoyer dans son pays au plus vite « car la mort était en route pour l'y ramener ». Elle dut partir. De Cassagnac engagea une jeune négresse de seize ans pour la remplacer dans son lit une fois par mois. Il eut plusieurs autres enfants sang-mêlé, cette fois-ci. Quand la révolte péta sur les plantations bananières du nord, il refusa de s'escamper à Fort-de-France à l'instar de ses congénères. On ne le toucha pas. On disait partout : « Drôle de béké quand même, de Cassagnac! » Alors que sais-tu de son secret? Nul ne l'entoure ni ne le flatte sans pour autant qu'on le considère comme un simple nègre. Comme s'il appartenait à une espèce différente du commun des mortels, ni béké ni nègre. Quand il avance le pari de soixante mille francs, les deux mulâtres se concertent rapidement des yeux et comprennent qu'au prochain coup, ils doivent gagner s'ils veulent continuer la partie sans perdre la face. Six et quatre! Trois et cinq! Deux et cinq! C'en est fini pour nos deux compères. De Cassagnac, magnanime, lance : « On rejoue. » Cela veut dire : « J'annule tout, on repart à zéro, messieurs. Ce n'est pas de votre argent que j'ai besoin, déjà que je ne sais plus quoi faire du mien. » Congo Laide esquisse un sourire à part lui, sûr de plumer ces deux cacailleurs qui ont osé s'approcher d'une telle table. Entre de Cassagnac et lui s'instaure une sorte de complicité amusée de gens qui ont tout vu, tout vécu et qui attendent qu'enfin on veuille bien leur permettre de bailler leur avis. A force de fréquenter ses volatiles, de leur lisser le plumage, de leur purger du citron sur les cuisses, de les faire becqueter dans le creux de ses mains, le maître-coq a pris l'aspect d'un étrange oiseau mi-coq mi-mensfenil dont l'unique œil est agité par d'hallucinants mouvements giratoires. Il connaît doublement la souffrance nègre pour avoir été méprisé par ses frères créoles à cause de son père qui vint de la côte du Congo dans la descente du siècle dernier, après que l'esclavage eut été mis hors la loi, et qui ne parlait que l'africain. De lui, il a appris les gestes et les incantations qui bouleversent l'existence en moins de temps que la culbute d'une puce et qui imposent à tous honneur et respectation. Son père lui a enseigné aussi la haïssance, cette sorte de haïssance qui a tressé peu à peu les mailles indéfaisables de notre société. Une haïssance que lui, Congo Laide deuxième du nom, nourrit depuis lors avec autant de soin et de patience que ses coqs de combat. Une haïssance qui impose la distance avec autrui, si bien que nul n'a osé vérifier à ce jour si les dés grisâtres qu'il promène de fête patronale en bamboche privée à travers toute l'île, sont plombés. Il ne faut pourtant pas croire que les soupçons ne rongent pas ses adversaires puisqu'ils marmonnent derrière son dos, une fois déplumés : « Je suis prêt à parier tout ce que je possède que ce cochon-là a ensorcelé ses dés. » C'est donc ce bougre-là qui t'accueillera d'un large sourire, celui qu'il réserve aux grandes occasions, et toi, tu devras relever le défi en t'efforçant de contrecarrer ses dés. Il faut lancer les tiens sur la table et voltiger une provocation du genre : « Joue avec les miens si tu es fort, compère Congo Laide ! » Tous ces nègres rassemblés n'espèrent pas moins de toi ou alors renonce à redevenir un des leurs, abandonne le fol espoir de renaître à eux et de reprendre ta place à Grand-Anse. Observe Major Bérard se gonfler de fierté depuis que les archéologues blancs lui ont révélé que son premier nom, Anakalinoté, était en fait une phrase caraïbe, « Ana Kalina hoté », qui signifiait : nous seuls sommes le vrai peuple. Une si grandiose ascendance ne lui permet pas d'accepter la moindre défaillance de ta part. De Cassagnac, quant à lui, l'infidèle descendant des esclavagistes blancs, lâchera simplement un rire sardonique. D'où tu devras en déduire qu'il t'a admis à sa table de jeu. Allons, passons aux choses sérieuses, les hommes. Soixante-dix mille francs ! Quatre-vingt mille ! La nuit encore à son mitan, il est grand temps de conclure.

31

Eau de Café lit demain dans nos rêves.

Hier soir, elle m'a appelé dans sa chambre et, me remettant un paquet de lettres qu'Antilia avait écrites à Émilien Bérard, même après sa pendaison, m'a dit :

« Filleul, si je meurs, n'oublie pas qu'il faut m'envoyer-aller sous la terre avec ma robe de popeline bleue. Elle est à l'en-bas de mon matelas. »

Je n'ai pas eu assez de cœur pour l'informer de l'imminence de mon départ. De toute manière, Thimoléon et elle continueront à brocanter leurs soliloques d'un autre âge sans même s'apercevoir de mon absence. Pour eux, déverser leur compte de paroles est devenu le plus sûr moyen de reculer l'échéance. Tous les nègres de Grand-Anse parlent pour eux-mêmes. Ils ruminent des rêves inaccomplis, broient des rancunes dont la cause est désormais obsolète, injurient la déveine qui accable le nègre depuis que la maudition a été jetée sur la tête des fils de Cham, formulent des proverbes inouïs dont leur descendance se rira. Ils savent qu'il n'existe pas de remède-guérit-tout à leur mal. Ils se savent enchaînés à jamais à leur mer. Ils n'ont jamais eu besoin de ma sollicitude de parti-revenu en quête d'un improbable Graal. Ils sont faits du même métal noir que leur sable. Ils sont indéraillables.

J'ai l'immense surprise de constater que Maître Salvie dispose maintenant d'un autobus flambant neuf, de marque japonaise me semble-t-il, avec des fauteuils de simili-cuir et un auto-radio ultraperfectionné qui braille un calypso presque indécent en cette heure matinale. Il m'apprend que le Conseil général lui a acheté à prix d'or son taxi-pays le « Bourreau du Nord » pour le mettre au musée.

« J'ai mon nom gravé dessus, oui », faraude-t-il en disposant mes maigres bagages dans le coffre.

Je suis le dernier à embarquer. L'avant est occupé par deux donzelles pomponnées et fardées au regard absent et par des lycéens qui révisent, tranquilles, quelque leçon. Je me retrouve aux côtés d'un vieux-corps, très digne dans son complet-veston gris, et des marchandes de légumes aux cheveux amarrés par des madras. Elles répondent d'un simple hochement de tête à mon « Messieurs-dames » et ne font plus cas de moi. La Rue-Devant est déserte et blafarde sous l'éclairage des poteaux électriques. Le drapeau bleu-blanc-rouge balance légèrement au fronton de la mairie. Je ferme les yeux pour ne pas m'émouvoir à l'instant où Maître Salvie grimpe sur son siège et lance :

« Passagers, descente directe sur Fort-de-France ! Que ceux que cela fâche mettent pied à terre tout de suite, foutre ! »

Partout ce n'était qu'une seule et vaste exclamation de terreur sacrée : « Lanmè-a ka monté anlè nou » (La mer nous envahit.) La ville faisait eau de toutes parts car elle avait été construite par étourderie sur des sables mouvants progressivement gagnés sur la mer. Les rues avaient disparu ainsi que les trottoirs et les marches des seuils. Des armées de rats barbotaient avec calme à la rue Schœlcher, rognant au passage les feuilles de centaines de livres que l'éventrement des librairies avait soudain libérés. Le visage tragique de Lamartine défiait le ciel sous trente centimètres d'eau. Une femme splendide, devenue délirante, sautait à la corde, nue et désirable, à l'angle des rues Victor-Hugo et République. Elle lançait d'un ton syncopé : « Koké mwen, doudou, woy Annou, koké mwen ! » (Baise-moi, ô mon chéri ! Allons, baise-moi !) essayant sans succès de retrouver l'air d'une ritournelle de carnaval.

« Même le finissement du monde ne peut être digne dans ce pays-là ! » hurla quelqu'un (possiblement Fils du Diable en Personne, le fier-à-bras de Terres-Sainvilles) au moment même où, dans un formidable grondement, s'effondra la pointe avancée du fort Saint-Louis. Dans les maisons, on n'entendait que le tam-tam des casseroles que l'on cognait afin d'invoquer les dieux de la Guinée et des bords du Gange que nous avions reniés depuis des siècles de temps. Sur les balcons ouvragés de style pseudo-mauresque, des dames d'âge mûr prenaient des airs de prêtresses du désarroi et ne réussissaient qu'à ressembler à des poitrinaires en permission ou évadées du sanatorium malgré leurs robes somptueuses décorées de châles et de bijoux créoles.

Par périodes, la carcasse de la ville vacillait sous les coups de boutoir de l'eau, les murs s'enflaient avec brutalité, se craquelaient puis s'effondraient, révélant parfois le suicide d'une famille entière, peu désireuse de subir les assauts des fins dernières. Le ciel était ouvragé de saccades d'éclairs multicolores sur la blancheur de son œil mort. La sirène municipale cornait de façon tragique tandis que des hélicoptères de la gendarmerie tentaient en vain de se poser sur le toit de la préfecture, devenue dérisoire dans ses habits de temple grec.

Des enfants abandonnés naviguaient sur des restants de fauteuils ou de buffets en souquant avec allégresse à l'aide de barreaux, brocantant de joyeuses éclaboussures. Des boîtes de conserve, des bouteilles de coca-cola et de whisky Johnny Walker, des téléviseurs éborgnés, des lampadaires en faux cristal, des perruques blondes, des garde-robes complètes encore sur leurs cintres, circulaient dans les rues comme doués d'un sens inné de l'errance. Un transistor persistait à crachoter des messages de pères de famille à leur progéniture demeurée à la campagne, d'appels au secours de femmes seules ou de cris d'angoisse de vieillards lâchement livrés à la tourmente. Puis, après un bref intermède musical, la voix du speaker s'étrangla net : le transistor avait sombré sous le poids d'un énorme rat d'égout moustachu. La voix enrouée d'un politicien de gauche demandant à tous ses coreligionnaires de la droite de s'unir à lui afin d'endiguer les forces du mal, eut à peine le temps de se faire entendre.

Bec-en-Or se masturbait au pied de la statue de l'Impératrice Joséphine, juché sur une commode à moitié éventrée dans laquelle on distinguait, ô incongruité, des piles d'assiettes en porcelaine (qui sans doute n'avaient jamais servi). Au moment où l'écume blanchâtre de son joui jaillit de son moignon de sexe, il hurla :

« Crevez tous, bandes de couillons! Vous avez forniqué avec vos propres mères, vous avez enseveli sous des laves de béton vos terres à ignames, vous avez prostitué vos femmes et vos sœurs, vous avez sacrifié la langue patiemment édifiée par les ancêtres, vous vous êtes déculottés jour après jour, maintenant crevez!... Cette ville était une verrue à la surface de la terre, cette île un chancre purulent sur le dos de deux mers : bon débarras, foutre! Le cataclysme que j'avais prédit depuis la fête du Tricentenaire est là. Il est là! Ah, je revois vos sourires goguenards de petits guichetiers de banque à cravate, vos mots définitifs d'instituteurs à table de multiplication et à conjugaisons, votre veulerie de commerçants acharnés à vendre de la pacotille importée, votre saloperie de bonnes femmes en chaleur toujours prêtes à se faire sauter pour une paire de chaussures Pierre Cardin, votre sadisme de békés analphabètes assoiffés de pouvoir occulte et acharnés à exploiter tout être animé ou inanimé, vos discours lamentables de maires et de députés véreux et verrats, vos bavasseries risibles de littérateurs de la Négritude et j'en passe. Alors crevez maintenant! »

Un vent virulent souleva les toitures de toute la ville et fracassa les portails les plus hermétiques. Fort-de-France est désormais ouverte mais il n'y aura pas de pillards. Le dernier survivant, Bec-en-Or, ne veut pas être là pour témoigner, tel Siparis dans sa prison souterraine de Saint-Pierre après l'explosion de la montagne Pelée. Il contemple nos cadavres dérivant à vau-l'eau en ricanant et fume à grandes bouffées ce qui lui reste d'herbe-ganja. Il ne joue pas au condamné à mort devant le peloton d'exécution. Il refuse la pose avantageuse qui n'aurait eu aucun sens au beau mitan de cet amas d'eau, de gravats et de comédies. Il tient, en toute honnêteté, à se mettre au diapason et à finir aussi mesquinement que tout un chacun. « On meurt comme on a vécu, avait-il coutume de philosopher, de toute façon, le nègre en enfer finira sa carrière. »

Le matin (18 novembre 1999), sur Radio France-Inter relayée depuis Paris, le professeur Jean-Yves Dupeux avait gravement démontré qu'une fracture encore inexpliquée dans la faille atlantique de l'écorce terrestre couplée avec une brusque dérive vers l'Est du continent africain, avait provoqué une déchirure de la plaque tectonique qui devait engloutir l'isle de la Martinique, dernière possession ultramarine de la France, cela en l'espace de deux jours.

« J'avais pourtant prévenu les autorités françaises ainsi que l'ONU, s'indigna le professeur Dupeux, mais personne, hormis le CNRS et la Société protectrice des animaux, n'a voulu prendre mes prévisions au sérieux. J'avais demandé le transfert immédiat des 320 000 habitants français de la Martinique de toute urgence dans quelque région sous-peuplée du centre de la France mais là encore, on n'a pas voulu entendre raison. Le résultat est que notre civilisation s'est mis un nouveau crime colonial sur la conscience... »

Bec-en-Or essaie de hurler plus fort que les craquements monstrueux du sol. L'air n'est plus qu'une incroyable vapeur gris-bleu qui masque le ciel, la mer et ce qui reste de la terre. Un gisant réussit à crier :

« Et dire qu'on n'était plus qu'à deux mois de l'an 2000, tonnerre de braise! »

« Le nègre en enfer finira sa carrière! » rétorque Bec-en-Or avant de choir.

Quelqu'un me secoue l'avant-bras sans ménagements. Une main velue et rêche tout à la fois.

« Hé, foutre que vous dormez, mon vieux! me fait Maître Salvie, et puis, en plus, vous parlez quand vous rêvez. Ça a fait rigoler tout bonnement les marchandes. C'est pas souvent que ça leur arrive avec la dureté de la vie d'aujourd'hui. »

La Croix-Mission affiche une joyeuseté insolite. Des roses de Cayenne se détachent avec splendeur au mitan des paniers à légumes débarqués sans relâche des autobus venus de tout l'entour de l'île. Des marchandages s'opèrent dans un tohu-bohu qui achève nettement-et-proprement de me réveiller. Je longe le Cimetière des Riches dont le mur d'enceinte a été repeint en blanc nacré. M'assurant de n'être épié par personne, je jette mes cahiers ainsi que les lettres d'Antilia à Émilien Bérard dans un dalot où une eau nauséeuse s'écoule avec paresse. Un klaxon me fait sursauter et donc presser le pas sur le boulevard de La Levée. Me ravisant soudain, je rebrousse chemin et récupère mes documents, mouillés et boueux maintenant, que j'enfourne dans ma sacoche.

« *Le monde est une bransloire pérenne* », telle est la pensée (de Montaigne) qui me traverse soudain l'esprit, m'arrachant un sourire à deux francs-quatre sous.

La Carrière Vauclin
Martinique
(juin 1986-septembre 1989)

Cet ouvrage a été réalisé par la
SOCIÉTÉ NOUVELLE FIRMIN-DIDOT
Mesnil-sur-l'Estrée
pour le compte des Éditions Grasset
en novembre 1991

Imprimé en France
Première édition, dépôt légal : août 1991
Nouveau tirage, dépôt légal : décembre 1991
N° d'édition : 8665 - N° d'impression : 19554
ISBN : 2-246-43881-0